U0107614

Grammatik aktiv

Deutsch als Fremdsprache

德语语法
活学活用

练习·听力·会话

〔德〕Friederike Jin　Ute Voß　著

林 琳 译

商务印书馆
创于1897　The Commercial Press

Cornelsen

图书在版编目(CIP)数据

德语语法活学活用 /(德)弗里德里克·金,(德)乌特·
福斯著;林琳译. —北京:商务印书馆,2017(2023.12 重印)
ISBN 978 - 7 - 100 - 14325 - 7

Ⅰ.①德… Ⅱ.①弗… ②乌… ③林… Ⅲ.①德语—
语法—自学参考资料 Ⅳ.①H334

中国版本图书馆 CIP 数据核字(2017)第 139269 号

© Cornelsen Schulverlage GmbH,Berlin 2013
www.cornelsen.de/international

德语语法活学活用

〔德〕Friederike Jin Ute Voß 著

林琳 译

商 务 印 书 馆 出 版
(北京王府井大街 36 号 邮政编码 100710)
商 务 印 书 馆 发 行
北京中科印刷有限公司印刷
ISBN 978 - 7 - 100 - 14325 - 7

2017 年 8 月第 1 版 开本 787×1092 1/16
2023 年 12 月北京第 6 次印刷 印张 16
定价:98.00 元

致读者的信

亲爱的德语学习者们：

无论您是想要了解德语语法的基本结构，还是想要系统地扩展自己的语法知识、提高语法能力，又或是想要对某个语法点进行查阅并加以练习，

《德语语法活学活用》

均为您的最佳选择。本书为我们多年来从事德语二语教学的经验结晶，它对欧洲标准考试框架所定义的B1级别内的最重要的语法点进行了言简意赅的阐述，并辅以图表和图片。书中配有丰富多样的习题。实践中难度越高的语法点，与之配套的练习的强度也会更大。本书附有MP3，内含超过80项的听说训练，以期通过听说加深语法练习的印象，使学习更为有效。

《德语语法活学活用》
全书共80章，结构合理，思路清晰。左页为语法讲解，右页为相关练习。参考答案请见附录。

本书中所有的语法点均相互独立，可单独使用。

会话练习能够让您在口语练习中训练学到的语法，同时进行自我纠正。这样针对重要语法点的训练也有益于您的口语表达。

本书的优势包括：
▶ 涵盖A1至B1阶段的全部语法点
▶ 运用大量直观、形象的插图
▶ 由浅入深的多样化配套练习
▶ 与语言水平相适应的、涉及不同主题的词汇
▶ 重要语法规则有"备忘提示"帮助记忆
▶ 十一篇互动型会话练习
▶ 适合自学或作为课堂配套教材使用

本书作者、编辑及出版社工作人员祝您学习愉快，马到成功！

(A2) (B1)　　A2/B1水平适用（词汇及/或语法）。

⚠　　特例。

💡　　此处为"备忘提示"。

🔊 1̲　　此处配有听说训练，请根据标注的数字找到对应的音频。

常见问题：

目录

目录

1

Ich, du, er, sie, es, wir, ihr, sie *und* Sie
人称代词 (Personalpronomen)

指人的人称代词

	单数	复数
第一人称	ich	wir
第二人称	du	ihr
	Sie	Sie
第三人称	er	
	sie	sie
	es	

指物的人称代词

das Messer ➜ es   *die Gabel ➜ sie*   *der Löffel ➜ er*   *die Tassen ➜ sie*

---

1   请用正确的人称代词填空。

   1. _____ sprechen Deutsch.

   2. Haben _____ Zeit?

   3. Hilfst _____ mir?

   4. _____ ist Programmierer.

2   请用正确的人称代词填空。

1. Das ist Herr Gupta, _____ kommt aus Indien.

Das ist Frau Kioka, _____ kommt aus Japan.

Herr Gupta und Frau Kioka sind in Berlin. _____ lernen Deutsch.

2. ◖ Hallo, Anna, woher kommst _____ ? ◖ _____ komme aus New York.

3. ◖ Marc und Dominic, wo wohnt _____ ? ◖ _____ wohnen in Frankfurt.

4. ◖ Guten Tag, wie heißen _____ ? ◖ Guten Tag, _____ heiße Berger, Roland Berger.

3 请用正确的人称代词填空。

1. Frau Meier geht einkaufen. _____ kauft Gemüse und Obst.

2. Peter und Paul gehen heute nicht zur Schule. _____ haben Ferien.

3. ◖ Frau Meier, wo arbeiten _____? ◖ _____ arbeite in einer Bank.

4. ◖ Marie, kommst _____ bitte? ◖ Nein, _____ habe keine Zeit.

4 **In der Wohnung.** 请用正确的人称代词填空。

1. Der Schrank ist teuer. _____ kommt aus Italien.

2. Das Regal ist praktisch. _____ kostet nur 49 Euro.

3. Die Lampe ist neu. _____ ist modern.

4. Das sind vier Stühle. _____ kosten nur 100 Euro.

5. Die Sessel sind sehr bequem und _____ sind günstig.

6. Der Tisch da ist schön, aber _____ ist klein.

5 **In der Stadt.** 请用正确的人称代词填空。

Elena: Hallo, Mario, wo ist Marie?

Mario: _____ kommt später. Und wann kommt Peter?

Elena: _____ kommt heute nicht. _____ hat keine Lust.

Mario: Dann gehen _____ alleine ins Café und

trinken einen Kaffee.

Kellner: Guten Tag, was möchten _____?

Elena und Mario: _____ nehmen einen Kaffee.

Kellner: Möchten Sie auch Kuchen? _____ ist sehr gut.

Elena: Nein, danke, _____ möchte keinen Kuchen. Möchtest _____, Mario?

Mario: Nein, _____ nehme auch nur einen Kaffee.

der = er die = sie das = es
ich und du = wir
du und du = ihr
Sie und Sie = Sie
er und sie und es = sie

6 请用正确的第二人称人称代词 **Sie, du** 或者 **ihr** 填空。

1. ◖ Anna, was machst _____? ◖ Ich surfe ein bisschen im Internet.

2. ◖ Frau Schmidt, was machen _____? ◖ Ich schreibe gerade eine E-Mail.

3. ◖ Daniel und Anna, was macht _____? ◖ Wir surfen im Internet.

4. ◖ Herr Meyer und Frau Schmidt, was machen _____? ◖ Wir lesen gerade eine E-Mail.

7 请写出句子中 sie 和 Sie 所指代的人或物。

A2

Herr Lindner: Kommen **Sie** bitte herein. Das ist meine Frau, Karina. _Frau Peneva_

Und das sind unsere Kinder. Das ist Anne, **sie** ist _____

zwei Monate alt und das ist Lukas, er ist drei.

Frau Peneva: Oh, **sie** sind süß. _____

Herr Lindner: Und Karina, das ist Olga Peneva, **sie** ist eine _____

Kollegin von mir. **Sie** kommt aus Bulgarien. _____

Frau Lindner: Guten Tag Frau Peneva, oh danke, ich mag

Blumen sehr gerne. **Sie** sind wunderschön. _____

Setzen **Sie** sich doch bitte, _____

möchten **Sie** etwas trinken?

2 Ich komme, du kommst

动词的现在时变位 (Konjugation Präsens) 🔊 2+3

Ich komme.

Kommst du?

Er kommt.

Kommen Sie?

	kommen		⚠	arbeiten	heißen
ich	komme	e		arbeite	heiße
du	kommst	st		arbeitest	hei<u>ß</u>t
er, sie, es	kommt	t		arbeitet	heißt
wir	kommen	en		arbeiten	heißen
ihr	kommt	t		arbeitet	heißt
sie, Sie	kommen	en		arbeiten	heißen

同类词: *antwor-
ten, reden ...*

同类词: *tanzen ...*

Wir kommen.

Kommt ihr?

Sie kommen.

Kommen Sie?

---

1 **Kleine Dialoge.** 请用正确的动词词尾填空。

Marc: Woher komm___ du?

Alice: Ich komm___ aus Brasilien. Das ist mein Freund, er komm___ aus Russland.

Marc: Und wo wohn___ ihr?

Alice und Yuri: Wir wohn___ ganz in der Nähe. Wo arbeit___ du?

Marc: Ich arbeit___ bei der Post.

Frau Schröder: Guten Tag, wie heiß___ Sie?

Herr Sato: Ich heiß___ Sato.

Frau Schröder: Woher komm___ Sie?

Herr Sato: Ich komm___ aus Japan und meine Frau komm___ aus den USA. Wir wohn___ jetzt in Berlin.

2 请将合适的句子成分连线。

Ich **1** ○　　　　○ A arbeitest in Frankfurt.
Du **2** ○　　　　○ B kommen aus Italien.
Er **3** ○　　　　○ C heißt Schmidt.
Wir **4** ○　　　　○ D wohnt im Hotel.
Sie **5** ○　　　　○ E arbeite in Deutschland.
Ihr **6** ○　　　　○ F komme aus China.
　　　　　　　　　　○ G wohnen in Berlin.

3a 请从方框内选出合适的动词词尾填空。

~~e~~ • e • e • est • e • en • t • t • t • t • t • t • t

Wie heiß___ du?	**1** o		o **A**	Ja, aber mein Freund tanz___ leider nicht.
Komm___ ihr mit ins Kino?	**2** o		o **B**	Ich heiß _e_ Alexander.
Frau Tan komm___ heute.	**3** o		o **C**	Ich versteh___ dich nicht.
Geh___ Sie zum Flughafen?			o **D**	Nein, leider nicht. Ich arbeit___ heute bis acht und
Warum antwort___ du nicht?	**4** o			Jana besuch___ ihre Eltern. Vielleicht morgen?
Tanz___ du gerne?	**5** o		o **E**	Ja, sie komm___ um 19 Uhr an, dann bring___ ich sie zum Hotel.

3b 请将 3a 中合适的问句和答句连线。

4 **Im Deutschkurs.** 请用正确的动词词尾填空。

Maria komm___ aus Spanien. Pedro und Angelo komm___ aus Südamerika. Maria, Pedro und Angelo lern___ zusammen Deutsch. Pedro schreib___ gerne. Maria hör___ gerne CDs und Angelo lern___ gerne Grammatik. Sie mach___ zusammen Hausaufgaben und dann geh___ sie in die Disko. Maria tanz___ und Angelo und Pedro red___ und trink___ eine Cola. Sie tanz___ leider nicht gerne. Schade!

5 **Eine E-Mail.** 请用正确的动词词尾填空。

(A2)

Liebe Clara,

danke für deine Einladung zum Wochenende nach Hamburg. Ich komm___ gerne. Ich möchte deinen Freund André kennenlernen. Woher kenn___ du ihn? Woher komm___ er? Arbeit___ er schon oder studier___ er noch? Kann Stefan auch nach Hamburg mitkommen? Stefan ist auch in meinem Kurs und lern___ Deutsch. Ich kenn___ ihn jetzt seit vier Wochen und wir mach___ fast alles zusammen.

Wir tanz___ gerne und geh___ gerne aus. Ihr tanz___ doch bestimmt auch gerne, ich kenn___ dich doch.

Ich freu___ mich schon. Wir haben bestimmt viel Spaß zusammen.

Liebe Grüße auch an André!

Deine Katharina

6 **Mein Arbeitstag.** 请用正确的动词词尾填空。

(A2)

Ich komm___ meistens gegen acht Uhr ins Büro und schalt___ erst einmal den Computer ein. Die erste Stunde ist noch ganz ruhig. Ich öffn___ meine Mailbox und beantwort___ meine E-Mails. Frau Richter, meine Kollegin, komm___ eine halbe Stunde später. Sie bring___ erst ihre Kinder in den Kindergarten. Wir red___ ein bisschen, telefonier___ mit Kunden und schreib___ E-Mails. Mittags geh___ wir zusammen mit ein paar Kollegen aus einer anderen Abteilung essen. Meistens trink___ wir auch noch einen Kaffee zusammen. Das mach___ immer Spaß, weil die Kollegen lustige Geschichten von ihrer Arbeit erzähl___. Manchmal frag___ ich sie: Arbeit___ ihr eigentlich auch?

Ich bin, du hast, er möchte

*sein, haben*及几个不规则动词的现在时变位
(*Sein, haben* und besondere Verben) 🔊 4̄

> Italien?

> Kein Geld ...

Sie ist verheiratet.
Sie hat fünf Kinder.

	sein	haben
ich	bin	habe
du	bist	hast
er, sie, es	ist	hat
wir	sind	haben
ihr	seid	habt
sie, Sie	sind	haben

Sie mag Italien.
Sie möchte Urlaub machen.
Aber sie weiß, sie hat kein Geld.
Was tut sie jetzt?

	„möchten"	mögen	wissen	tun
ich	möchte	mag	weiß	tue
du	möchtest	magst	weißt	tust
er, sie, es	möchte	mag	weiß	tut
wir	möchten	mögen	wissen	tun
ihr	möchtet	mögt	wisst	tut
sie, Sie	möchten	mögen	wissen	tun

---

1 请用 *sein* 的正确形式填空。

Herr Schneider: Guten Tag, wie _____ Ihr Name?

Frau Misterek: Mein Name _____ Misterek.

Herr Schneider: _____ Sie neu hier?

Frau Misterek: Nein, ich _____ schon ein Jahr in Hamburg.

Herr Schneider: _____ Sie Studentin?

Frau Misterek: Nein, ich _____ Schülerin.

2 造句。

Ich Du Er Sie Wir Ihr Frau Tannberg Mein Name Das	bin bist ist sind seid	15 Jahre alt. in München. Herr Wang. Kolakowski. ein Wörterbuch. Lehrer. glücklich. im Büro. aus Japan.

3 请用 *haben* 的正确形式填空。

1. ◖ _____ du Geld? ◖ Nein, aber ich _____ Zeit.

   ◖ Du _____ Glück, ich _____ kein Geld und keine Zeit.

2. ◖ _____ ihr schon eine Wohnung hier in Mainz?

   ◖ Nein, wir _____ noch keine Wohnung, wir wohnen im Hotel.

3. Herr Kim _____ viel Arbeit, er _____ auch am Wochenende keine Freizeit.

4　请用 *sein* 或 *haben* 的正确形式填空。

1. Das _____ Angela und Pascal. Sie _____ Schüler. Sie _____ einen Hund.

   Er heißt Snoopy und er _____ fünf Monate alt.

2. ◀ Was _____ Sie von Beruf?　◀ Ich _____ Lehrer.

3. ◀ _____ Sie verheiratet?　◀ Ja, ich _____ verheiratet und ich _____ vier Kinder.

4. ◀ _____ Sie ein Auto?　◀ Ja, natürlich _____ wir ein Auto.

5. ◀ _____ du ein Handy?　◀ Ja, meine Nummer _____ 0171/1234987.

5　请用 *sein* 或 *haben* 的正确形式填空。

Das _____ Mikunda. Sie _____ meine Katze. Sie _____ 3 Jahre alt und _____ grüne

Augen. Jetzt _____ sie Mutter. Sie _____ drei Katzenbabys. Sie _____ alle süß und

_____ grüne Augen wie die Mutter. Mikunda _____ sehr glücklich und ich _____ auch glück-

lich.

6　请用 *möchten* 的正确形式填空。

1. **Kellner:**　Guten Tag, was _____ Sie?

   Frau Taylor:　Wir _____ etwas trinken.

   Ich _____ einen Kaffee.

   Kellner:　Und was _____ du?

   Ben Taylor:　Ich _____ eine Cola.

2. Frau Taylor und ihr Sohn Ben

   _____ etwas trinken.

   Frau Taylor _____ einen Kaffee

   und Ben _____ eine Cola.

7　请用 *mögen* 造句。

Ich Meine Freundin Mein Freund Meine Eltern Wir	mögen mag	(keinen) Kaffee. (keine) Kartoffeln. (keinen) Käse. (keinen) Fisch.

8　请用 *wissen* 的正确形式填空。

(A2)

1. ◀ _____ Sie, wo der Bahnhof ist?

   ◀ Tut mir leid, das _____ ich nicht. Fragen Sie doch den Polizisten, der _____ es bestimmt.

2. Niemand _____, ob Herr Sorodin heute kommt.

3. ◀ _____ du, warum Anne heute so spät kommt?　◀ Keine Ahnung.

4. Die Kinder _____ heute viel mehr als wir früher.

9　请用 *tun* 的正确形式填空。

(A2)

1. **Arzt:**　Was tu____ denn weh?

   Patient:　Meine Ohren tu____ weh. Was kann ich tu____?

   Arzt:　Nehmen Sie Tabletten und bleiben Sie zu Hause.

   Arbeiten Sie nicht, räumen Sie nicht auf, tu____ Sie ganz wenig.

2. ◀ Was tu____ du?　◀ Frag nicht, was ich tu____. Ich will einfach mal nichts tu____.

4 Ich esse wenig, aber du isst viel!

换音动词与变音动词 (Verben mit Vokalwechsel) 🔊 5

	e – i	a – ä
ich	esse	schlafe
du	isst	schläfst
er, sie, es	isst	schläft
wir	essen	schlafen
ihr	esst	schlaft
sie, Sie	essen	schlafen

元音只在第二人称及第三人称单数时发生变化。

并非所有带e和a的动词在变位时都会发生元音变化：
ich gehe – du gehst, ich lache – du lachst ...

Er isst und isst und isst.

换音动词 e – i
empfehlen – er empfiehlt • essen – er isst • geben – er gibt • fernsehen – er sieht fern • helfen – er hilft •
lesen – er liest • mitnehmen – er nimmt mit • nehmen – er nimmt • sehen – er sieht • sprechen –
er spricht • vergessen – er vergisst • werden – er wird

变音动词 a – ä
abfahren – er fährt ab • anfangen – er fängt an • einladen – er lädt ein • einschlafen – er schläft ein •
fahren – er fährt • gefallen – es gefällt • laufen – er läuft • schlafen – er schläft • tragen – er trägt •
waschen – er wäscht

1 请写出下列动词的原形。

1. du gibst *geben*
2. er läuft _____
3. sie hilft _____
4. du nimmst _____

5. er wäscht _____
6. du siehst _____
7. er spricht _____
8. sie vergisst _____

9. er empfiehlt _____
10. wir lesen _____
11. er isst _____
12. du fährst _____

2 请用下列动词的正确形式填空。

1. essen   Elke: _____ ihr abends immer zusammen?

   Claudia: Ja, wir _____ zusammen, aber heute nicht. Dimitri _____

   mit Kunden und die Kinder _____ bei Freunden. Und du? _____

   du abends mit Roland zusammen?

   Elke: Ich _____ abends nichts und Roland _____ nur eine Kleinigkeit.

2. lesen   Elke: Was _____ ihr gerne?

   Iliana: Ich _____ gern Romane und Petro _____ gar nicht.

   Petro: Das stimmt nicht. Ich _____ auch!

   Iliana: Was _____ du denn? Nur Zeitungen oder Kataloge.

3. nehmen **Kellnerin:** Bitte, was _____ Sie?

Claudia: Ich _____ Hähnchen mit Reis. Iliana und Petro, was _____ ihr?

Iliana: Wir _____ auch ein Schnitzel.

Petro: Nein, du _____ ein Schnitzel, aber ich _____ Spaghetti!

4. schlafen **Reporter:** Entschuldigung, ich habe eine Frage. Wie lange _____ Sie in der Nacht meistens?

Claudia: Wir _____ meistens ungefähr acht Stunden.

Dimitri: Ja, du _____ immer acht Stunden. Ich _____ nur sechs Stunden.

5. fahren **Reporter:** Wie kommen Sie zur Arbeit? _____ Sie mit der U-Bahn?

Claudia: Nein, ich _____ mit dem Auto.

Reporter: Und ihr, Kinder, wie _____ ihr?

Petro: Ich _____ immer mit dem Fahrrad. Aber Iliana _____ immer mit dem Bus.

3 **Claudias Tag.** 请用括号内动词的正确形式填空。

Claudia steht immer um 6 Uhr auf. Um 7 Uhr _____ (essen) sie mit ihrer Familie Frühstück und _____ (lesen) die Zeitung. Ihr Mann Dimitri und sie _____ (fahren) mit dem Auto in die Stadt. Da kaufen sie zusammen ein und Dimitri _____ (tragen) alles ins Auto. Claudia _____ (laufen) noch ein bisschen durch die Stadt und Dimitri _____ (fahren) zur Arbeit. Um 11 Uhr _____ (nehmen) Claudia den Bus zurück nach Hause. Zu Hause _____ (waschen) sie Wäsche und _____ (helfen) ihrer Mutter. Am Nachmittag _____ (geben) Claudia Deutschunterricht. Sie _____ (sprechen) nur Deutsch mit den Schülern. Die Schüler _____ (lesen) Texte und _____ (sehen) manchmal einen Film. Claudia _____ (sehen) auch gerne Filme.

4 动词变位（注意动词是否为变音或换音动词）。

1. leben   er _____
2. kaufen   er _____
3. machen   er _____
4. lesen   er _____
5. gehen   er _____
6. waschen   er _____
7. laufen   er _____
8. geben   er _____
9. verstehen   er _____

5 **Eine Einladung.** 请根据上下文选择动词并用正确的形式填空。

(A2)

| gefallen · mitnehmen · ~~einladen~~ · ankommen · laufen · ansehen · zurückfahren · schlafen |

Liebe Elke,

ich _lade_ dich zu meinem Geburtstag _ein_ . Die Party ist am 9.3. abends bei uns im „Amalias".

Ich habe eine Idee: Du _____ erst am Sonntag _____ und _____ eine Nacht bei uns. Du _____ am besten bequeme Schuhe _____ , dann können wir am Sonntag zusammen durch die Stadt _____ und alles _____ .

Das _____ dir doch, oder?

Wann _____ du in Pirgos _____ ? Wann bist du dann bei uns? Komm nicht so spät!

Viele Grüße
Claudia

5

Ich muss, ich kann, ich will

情态动词：变位及在句中的位置

(Modalverben: Konjugation und Position im Satz) 🔊 6

	müssen	können	dürfen	wollen	sollen	„möchten"
ich	muss	kann	darf	will	soll	möchte
du	musst	kannst	darfst	willst	sollst	möchtest
er, sie, es, man	muss	kann	darf	will	soll	möchte
wir	müssen	können	dürfen	wollen	sollen	möchten
ihr	müsst	könnt	dürft	wollt	sollt	möchtet
sie, Sie	müssen	können	dürfen	wollen	sollen	möchten

müssen, können, dürfen 和 *wollen* 在进行单数人称的变位时元音会发生变化。第一人称单数和第三人称单数的现在时变位同形，无词尾。

	第二位		句末
Ich	muss	am Montag um 6 Uhr	aufstehen.
Am Sonntag	können	wir zusammen	frühstücken.
Meine Kinder	dürfen	nicht oft	fernsehen.
Meine Tochter	will	oft am Computer	spielen.
Mein Sohn	soll	Hausaufgaben	machen.
Er	möchte	aber ins Kino	(gehen).

情态动词位于第二位，实义动词原形位于句末。
若句子的意思可通过上下文表达明白，实义动词可以省略。

---

1 请用以下动词的正确形式填空。

1. „möchten"

Mutter: Was _____ du essen, Annika?

Annika: Ich _____ Spaghetti.

Mutter: Und was _____ deine Schwester?

Annika: Juliane _____ Pizza.

Mutter: Ich _____ nicht zwei Essen kochen.

Also, was _____ ihr, Annika und Juliane?

Annika und Juliane: Wir _____ Eis!

Mutter: Oh weh, die Kinder _____ Eis!

2. können

Juliane: Ich _____ viel besser schwimmen als du!

Annika: Du _____ vielleicht besser schwimmen, aber ich _____ besser Fußball spielen!

Mutter: Hoffentlich _____ ihr beide gut Englisch, Mathematik und Deutsch!

Juliane und Annika: Wir _____ sehr gut Englisch und Deutsch und Mathematik. Und Juliane

_____ viel besser Computer spielen als du!

Mutter: Und die Kinder _____ schneller laufen, besser tanzen, besser lernen, länger schlafen.

3. müssen

Mutter: Es gibt viel Arbeit. Alle _____ helfen. Frank, du _____ einkaufen.

Und ihr, Kinder, ihr _____ putzen.

Annika und Juliane: Wir _____ putzen! Und Papa _____ nur einkaufen! Das ist nicht fair!

Mutter: Nicht fair! Nicht fair! Ich _____ kochen, waschen und die Wohnung aufräumen.

Das ist nicht fair!

4. wollen

Eltern: Wo _____ ihr Urlaub machen?

Annika und Juliane: Wir _____ zu Oma fahren!

Eltern: Juliane, _____ du nicht im Urlaub schwimmen?

Juliane: Doch, ich _____ schwimmen. Aber Annika _____ zu Oma fahren.

Vater: Die Kinder _____ zu Oma fahren. Das ist gut. Das kostet nicht viel.

5. dürfen

Mutter: Annika, du _____ jetzt nicht Computer spielen!

Annika: Warum _____ ich nicht?

Mutter: Du musst Hausaufgaben machen.

Annika: _____ Juliane Computer spielen?

Mutter: Nein, ihr _____ nicht Computer spielen und ihr _____ auch nicht fernsehen.

Juliane: Wir _____ nicht fernsehen? Dann _____ Mama und Papa auch nicht fernsehen!

6. sollen

Mutter: Der Arzt sagt, ich _____ nicht arbeiten.

Vater: Du _____ nicht arbeiten? Wer _____ die Arbeit machen?

Mutter: _____ wir deine Mutter fragen?

2 请选出合适的动词形式，在正确的答案下划X。

	möchte	kann	wollen	dürft	müsst	können	muss	
ich	X	X					X	
er, sie, es, man								Urlaub machen
wir								
ihr								
sie, Sie								

3 **Am Sonntag.** 造句。

1. Am Sonntag • wir • lange • können • schlafen • .
2. eine Freundin • Meine Tochter • besuchen • will • .
3. sehen • Mein Mann • möchte • Fußball • .
4. ich • muss • kochen • leider auch • Am Sonntag • .
5. Am Nachmittag • wir • spazieren gehen • zusammen • möchten • .

4 **Auf dem Ausländeramt.** 造句。

(A2)

Herr Guzman: möchten: ich • meine Aufenthaltserlaubnis • verlängern • .

Portier: müssen: Sie • in den dritten Stock • in Zimmer 325 • gehen • .

Herr Guzman: können: ich • meinen Hund • mitnehmen • ?

Portier: dürfen: Hunde • nicht ins Haus • gehen • .

Herr Guzman: sollen: wo • der Hund • bleiben • ?

Kann ich oder muss ich?

情态动词：用法 (Modalverben: Gebrauch)

情态动词	释义	例句	
müssen	没有其他选择	Ich muss arbeiten. Ich muss auf die Toilette (gehen).	
können	1. 习得	Ich kann Englisch (sprechen).	
	2. 有机会，有可能	Hier kann man essen und trinken.	
	3. 被允许	Hier kann man parken.	
nicht dürfen	禁止	Hier dürfen Sie nicht rauchen.	
dürfen	允许	Heute dürfen meine Kinder fernsehen.	
„möchten"	愿望（礼貌）	Ich möchte einen Kaffee (trinken), bitte.	
wollen	愿望（直接） （用这个词表达向他人索取某物的愿望是不礼貌的）	Ich will gerne Ski-Urlaub machen.	
sollen	1. 你希望我…? （只用于问句中） 2. 转述他人对我的要求	Soll ich dir einen Kaffee machen? Der Arzt sagt, ich soll die Tabletten nehmen und ich soll nicht arbeiten.	

1 请用 *müssen, möchten* 或 *können* 的正确形式填空。

Susi ist 7 Jahre alt. Sie _____ jetzt gerne in Urlaub fahren, aber sie _____ in die Schule

gehen. Sie _____ erst im Juli wegfahren. Ihr Bruder Markus ist vier Jahre alt. Er _____

noch nicht in die Schule gehen, aber er _____ gerne in die Schule gehen wie Susi. Er _____

noch nicht schreiben und lesen. Susis Mutter ist ledig. Sie _____ arbeiten. Sie _____

sechs Wochen pro Jahr Urlaub machen und dann _____ sie mit Susi und Markus ans Meer

fahren. Heute ist sie krank. Sie _____ nicht arbeiten, sie _____ zum Arzt gehen.

2 请用 *müssen* 或 *dürfen* 的正确形式填空，并在方框内填上相对应的图案的编号。

○ 1. Hier _____ nur
　　 Damen hineingehen.

○ 2. Hier _____ man
　　 nach rechts fahren.

○ 3. Das _____ man
　　 nicht trinken.

○ 4. Hier _____
　　 Kinder spielen und laut sein.

○ 5. Hier _____
　　 man rauchen.

○ 6. Hier _____ man
　　 keine Krawatte tragen.

○ 7. Hier _____ man
　　 langsam fahren.

○ 8. Hier _____ man
　　 stoppen.

3 下列例句中 *können* 分别表示什么意思？①（通过习得）会 ②（有可能性）③（未被禁止）
请选择正确的代码。

1. Ich kann gut Ski fahren（①2 3），aber es gibt hier keinen Schnee. Man kann nicht Ski fahren.（1 2 3）

2. Können Sie Englisch?（1 2 3）Dann können Sie den Job in England machen!（1 2 3）

3. Können Sie nicht lesen?（1 2 3）Hier ist Parken verboten. Aber da kann man parken!（1 2 3）

4. Ich kann das Auto nicht kaufen（1 2 3），ich kann das nicht bezahlen（1 2 3）und ich kann auch nicht Auto fahren!（1 2 3）

4 请用 *wollen* 或 *möchten* 的正确形式填空，哪几处既可以用 *möchten* 也可以用 *wollen*？

1. ◖ Herr Meier, was nehmen Sie? ◖ Ich _____ gern einen Apfelsaft.

2. Lisa _____ heute nicht in die Schule gehen.

3. ◖ Was _____ Sie? ◖ Wir _____ ein Kilo Tomaten, bitte.

4. Peter ist 14 Jahre alt und _____ schon in die Disko gehen. Aber seine Eltern _____ das nicht.

5. Sie können um 8 Uhr oder um 9 Uhr kommen, wie Sie _____.

6. Entschuldigung, ich _____ das Fenster öffnen. Ist das okay für Sie?

5 **Susi ist krank.** 请用 *müssen* 或者 *sollen* 的正确形式填空。

Susi ist krank. Sie _____ zum Arzt gehen. Der Arzt sagt: „Du _____ im Bett bleiben und

du _____ viel schlafen und viel trinken." Susi sagt zu ihrer Mutter: „Der Arzt sagt, ich _____

im Bett bleiben und schlafen. Ich _____ nicht in die Schule gehen." Die Mutter fragt: „_____

du Medizin nehmen?" Susi antwortet: „Nein, aber ich _____ viel trinken."

6 请根据情境，用 *sollen* 提建议。

1. Sollen wir zusammen ins Kino gehen?

1. Ich möchte den neuen Film sehen.
2. Wir brauchen Getränke.   4. Es ist kalt hier.
3. Ich habe Kopfschmerzen.   5. Ich möchte nach Paris fahren.

7 请用 *müssen, können, dürfen, möchten* 或 *wollen* 的正确形式填空，有些地方不止一种可能。

(A2) **In der Bibliothek:** Sie _____ Bücher leihen. Sie _____ nicht essen, Sie _____ Ihren

Bibliotheksausweis zeigen und Sie _____ nicht laut sprechen.

Im Museum: Sie _____ Bilder sehen. Sie _____ bezahlen, Sie _____ manchmal

nicht fotografieren, aber Sie _____ laut sprechen.

Sie sind krank: Sie _____ im Bett bleiben, Sie _____ nicht rauchen, Sie _____ viel trinken.

Sie sind zu dick: Sie _____ nicht viel essen, Sie _____ Sport machen, Sie _____

viel Wasser trinken und Salat essen.

Kinder mit 10 Jahren: Sie _____ nicht rauchen und nicht Auto fahren. Sie _____

in die Schule gehen. Sie _____ oft keine Hausaufgaben machen.

Im Auto: Sie _____ vielleicht Ihre Brille tragen, Sie _____ nicht schlafen und auch nicht

telefonieren, aber Sie _____ essen und sprechen.

7 Ich kaufe im Supermarkt ein
可分动词 (Trennbare Verben) 🔊 7+8

ein / kaufen

Ich kaufe ein.

Ich kaufe im Supermarkt ein.

Ich kaufe heute im Supermarkt ein.

可分动词
ein|kaufen

	第二位		句末
Ich	kaufe	im Supermarkt	ein.

情态动词与可分动词同时出现

	第二位		句末
Ich	muss	morgen	einkaufen.

可分动词在从句中的位置

Ich gehe jetzt ins Bett, weil ich morgens immer schon um 6 Uhr aufstehe.

可分前缀

ab-	um-
an-	vor-
auf-	weg-
aus-	weiter-
ein-	zu-
fern-	zurecht-
her-	zurück-
mit-	zusammen-
statt-	
teil-	

词重音永远在前缀
上: *einkaufen*

---

1 朗读以下动词。注意：重音在可分前缀上。

<u>auf</u>stehen, <u>ein</u>laden, <u>ein</u>kaufen, <u>ab</u>fahren, <u>an</u>kommen, <u>um</u>steigen, <u>auf</u>hören, <u>zu</u>machen, <u>mit</u>kommen

2 **Der Arbeitstag fängt an.** 请用下列动词的正确形式填空。

1. ein|steigen: Ich _____ an der Station „Westend" in die U6 _____.

2. um|steigen: An der Station „Hauptwache" _____ ich _____ und nehme die U1.

3. aus|steigen: Am Südbahnhof _____ ich _____.

4. an|kommen: Pünktlich um 8 Uhr _____ ich im Büro _____.

5. auf|machen: Es ist sehr warm. Ich _____ das Fenster _____.

6. rein|kommen: Mein Kollege _____ _____ und sagt:

7. zu|machen: „Es ist kalt hier. _____ Sie doch das Fenster _____."

8. zu|machen: Ich _____ das Fenster wieder _____ und

   an|fangen: _____ mit der Arbeit _____.

3   **Mein Tag.** 造句。

1. auf|stehen müssen: ich • immer • um 6 Uhr • .

> 1. Ich muss immer um 6 Uhr aufstehen.

2. an|fangen: ich • mit der Arbeit • um 7.30 Uhr • .

3. ein|kaufen: am Montag • ich • nach der Arbeit • .

4. zurück|kommen: am Abend • um 19 Uhr • nach Hause • ich • .

5. aus|gehen möchten: heute • ich • .

6. mit|kommen möchten: du • ?

Ich stehe um 7 Uhr auf.
**Ich muss vor der Arbeit einkaufen,
weil ich erst um 20 Uhr** zurückkomme.

4   **Unser nächster Urlaub.** 请根据上下文选择动词并用正确的形式填空。

> anfangen • ~~einladen~~ • mitnehmen • mitkommen • abfahren •
> zurückfahren • abholen • ankommen • umsteigen

Meine Freundin wohnt an der Nordsee und sie __lädt__ mich __ein__. Meine Kinder _____

auch _____. Die Ferien _____ am Montag _____, aber wir _____ schon am Freitag _____.

In Hannover müssen wir _____. Um 20.18 Uhr _____ wir dann in Sankt Peter Or-

ding _____. Meine Freundin _____ uns am Bahnhof _____.

Im Norden ist es immer ein bisschen kälter, also müssen wir warme Kleidung _____. Nach zwei

Wochen müssen wir nach Hause _____. Schade!

5   **Hausarbeit.** 请根据上下文选择动词并用正确的形式填空。

(A2)

> ~~aufstehen~~ • vorbereiten • abwaschen • anmachen • einkaufen • zurückkommen • mitbringen •
> aufräumen • anrufen • fernsehen • aufhängen • ausleeren

Jeden Morgen muss ich früh __aufstehen__. Jeden Tag _____ ich das Frühstück _____, danach

_____ ich das Geschirr _____ und _____ die Waschmaschine _____. Dann muss ich _____

und kochen. Um 13.00 Uhr _____ die Kinder aus der Schule _____. Manchmal _____ sie

Freunde zum Essen _____. Sie spielen dann und ich _____ die Küche _____, putze, bügle, _____

beim Arzt oder in der Schule _____. Später _____ die Kinder _____. Ich _____ die Wäsche

_____ und _____ die Mülleimer _____. Was ist mein Beruf? Ich bin Hausmann!

6   **Im Büro.** 造句。

(A2)

1. an|schalten: den Computer • ich • Um 8 Uhr • .

> 1. Um 8 Uhr schalte ich den Computer an.

2. an|kommen: eine Lieferung • Um 10 Uhr • .

> 3. Um 9 Uhr rufe ich Kunden an und muss ...

3. an|rufen + schreiben müssen: Um 9 Uhr • ich •
   Kunden • und • E-Mails • .

4. arbeiten + an|fangen: Ich • schnell • , • weil • das Meeting • um 11 Uhr • .

5. an|fangen können: Nach dem Meeting • wir • mit der Pause • .

6. zurück|kommen müssen: Pünktlich um 13 Uhr • ich • aus der Pause • .

7. aus|schalten + auf|räumen: Um 17 Uhr • ich • den Computer • und • den Schreibtisch • .

8. zurück|gehen + aus|gehen möchten: Ich • schnell • nach Hause • , • weil • ich • heute • .

9. gehen + mit|kommen: alleine • ich • ins Kino • oder • Sie • ?

8

Helfen Sie mir!
命令式 (Imperativ)

现在时变位			命令式
du kommst	~~du~~ komm~~st~~	→	Komm!
ihr kommt	~~ihr~~ kommt	→	Kommt!
Sie kommen	~~Sie~~ kommen Sie	→	Kommen Sie!

对 *du* 和 *ihr* 的命令式中主语不出现。

命令式

	不定式	命令式		
		正式	非正式　单数	非正式　复数
规则动词	kommen	kommen Sie	komm	kommt
换音动词 **Verben e→i**	nehmen	nehmen Sie	nimm	nehmt
变音动词 **Verben a→ä**	fahren	fahren Sie	⚠ fahr	fahrt
可分动词	mit bringen	bringen Sie … mit	bring … mit	bringt … mit
sein	sein	**seien Sie**	**sei**	seid
haben	haben	haben Sie	**hab**	habt

加上 *bitte* 可以使命令式委婉些:
Bitte helfen Sie mir!
Helfen Sie mir bitte!

命令式中常用小品词 *mal* 和 *doch*:
Hilf mir doch!
Hilf mir mal!
Hilf mir doch mal!

---

1 请写出以下动词与 *Sie, du* 及 *ihr* 相对应的命令式形式。
1. gehen · hören · singen
2. mitkommen · weggehen · mitbringen · abholen
3. geben · nehmen · essen · lesen · sprechen
4. sein · haben · fahren · waschen

> 1. Gehen Sie! Geh! Geht!
>   Hören Sie! Hör! Hört!
>   Singen Sie! Sing! Singt!

2 **Im Kurs.** 请根据不同的身份选择相应的动词（词组）并写成命令式。

> wiederholen • langsam sprechen • ~~zu zweit sprechen~~ • einen Text lesen • in der Gruppe diskutieren •
> den Dialog spielen • das Wort erklären • ein Beispiel geben • an die Tafel schreiben

Kursleiter（老师）：

Bitte sprechen Sie zu zweit.

Teilnehmer（学生）：

---

3 请根据给出的人物选出合适的命令式。

	Herr Müller	Herr und Frau Müller	Mona und Lucas	Mona
Kommt bitte schnell.				
Nehmen Sie bitte Platz.				
Esst doch noch etwas.				
Gib mir mal den Teller.				
Hab doch keine Angst.				
Lassen Sie sich Zeit.				
Guck doch mal.				

---

4 **Ratschläge geben.** 请根据给出的语境选出合适的词组并写成命令式。

> eine Aspirin nehmen • einen Tee trinken • eine Brille kaufen • Yoga machen • weniger essen •
> mehr essen • weniger arbeiten • am Abend spazieren gehen • ~~nach Hause gehen~~

1. Ich fühle mich schlecht.
2. Ich habe Kopfschmerzen.
3. Ich bin gestresst.
4. Ich kann nicht schlafen.
5. Ich bin nervös.
6. Mein Bauch tut weh.
7. Ich habe immer Hunger.
8. Ich sehe schlecht.
9. Ich möchte abnehmen.

> *1. Dann geh doch nach Hause.*
> *Dann gehen Sie doch nach Hause.*

5a **So kann man gut Wörter lernen.** 请写成对 *Sie* 的命令式。

1. Karteikarten kaufen
2. die neuen Wörter auf Karteikarten schreiben
3. auf die Rückseite einen Beispielsatz mit Lücke schreiben
4. die Karten mischen
5. einen Beispielsatz laut lesen
6. das Wort für die Lücke ergänzen
7. richtig? dann die Karte in den Kasten 2 legen
8. falsch? dann die Karte wieder in Kasten 1 legen

> *1. Kaufen Sie Karteikarten.*

5b 请向朋友提出学单词的好建议。

> *1. Kauf Karteikarten.*

会话练习1：变位
Partner A

请和搭档共同完成。
A使用第24页，B使用第25页。
红色：请按要求说话并提问。
灰色：请纠正对方的表达并回答。

> Ich trinke viel Cola. Und du? Trinkst du auch viel Cola?

例

viel Cola trinken 由您提问：

> Ja, ich trinke viel Cola. Und du? Trinkst du auch viel Cola?

---

1. viel Cola trinken
2. Ich gehe gerne spazieren. Und du? Gehst du auch gerne spazieren?
3. schwimmen können
4. Ich schlafe immer acht Stunden. Und du? Schläfst du auch immer acht Stunden?
5. gerne fernsehen
6. Ich empfehle diesen Film. Und du? Empfiehlst du auch diesen Film?
7. oft Freunde einladen
8. Ich spreche Koreanisch. Und du? Sprichst du auch Koreanisch?
9. um sechs Uhr aufstehen
10. Ich rufe jeden Tag meine Mutter an. Und du? Rufst du auch jeden Tag deine Mutter an?
11. viel Freizeit haben
12. Ich bin heute müde. Und du? Bist du auch heute müde?
13. gerne Pause machen wollen
14. Ich weiß alles. Und du? Weißt du auch alles?
15. Pizza mögen
16. Ich mache sonntags immer viel. Und du? Machst du sonntags auch immer viel?
17. am Bahnhof aussteigen
18. Ich bin verheiratet. Und du? Bist du auch verheiratet?

请与搭档共同完成。
A使用第24页，B使用第25页。
红色: 请按要求说话并提问。
灰色: 请纠正对方的表达并回答。

例

Ich trinke viel Cola. Und du? Trinkst du auch viel Cola?
请核对搭档的表达，如果正确请回答：

> *Ja, ich trinke auch viel Cola.*

1. Ich trinke viel Cola. Und du? Trinkst du auch viel Cola?

2. gerne spazieren gehen

3. Ich kann schwimmen. Und du? Kannst du auch schwimmen?

4. immer acht Stunden schlafen

5. Ich sehe gerne fern. Und du? Siehst du auch gerne fern?

6. diesen Film empfehlen

7. Ich lade oft Freunde ein. Und du? Lädst du auch oft Freunde ein?

8. Koreanisch sprechen

9. Ich stehe um sechs Uhr auf. Und du? Stehst du auch um sechs Uhr auf?

10. jeden Tag meine Mutter anrufen

11. Ich habe viel Freizeit. Und du? Hast du auch viel Freizeit?

12. heute müde sein

13. Ich will gerne Pause machen. Und du? Willst du auch gerne Pause machen?

14. alles wissen

15. Ich mag Pizza. Und du? Magst du auch Pizza?

16. sonntags immer viel machen

17. Ich steige am Bahnhof aus. Und du? Steigst du auch am Bahnhof aus?

18. verheiratet sein

Wer? Wie? Wo? Was?
特殊疑问句 (Fragen mit Fragewort) 🔊 9

Wer? **Was?** **Woher?** **Wen?** **Warum?** **Wo?** **Wohin?** **Wie?** **Mit wem?**

第一位—疑问词	第二位—动词	第三位—主语	
Wie	heißen	Sie?	
Wer	ist	das?	
Wo	ist	er?	
Woher	kommt	er?	
Wohin	will	er	gehen?
Wann	kommt	er?	
Um wie viel Uhr	geht	er?	
Wie viele Taschen	hat	er?	
Was	hat	er	gemacht?
Was	will	er	haben?
Mit wem	spricht	er?	
Wen	sucht	er?	
Warum	trägt	er	einen Hut?

疑问词总是位于句首，首字母均为 *w*。

---

1 请将合适的问句与答句连线。

Woher kommen Sie?	**1** o		o **A**	Müller, Edith Müller.
Wie heißt du?	**2** o		o **B**	Das ist mein Handy.
Wo wohnen Sie?	**3** o		o **C**	Maria.
Wer ist das?	**4** o		o **D**	Das ist mein Mann.
Wie ist Ihr Name?	**5** o		o **E**	Friseur.
Was sind Sie von Beruf?	**6** o		o **F**	In Berlin.
Was ist das?	**7** o		o **G**	Aus Hangzhou, das ist in China.

2 造句。

1. wie · Sie · heißen · ?
2. Ihr · Vorname · ist · wie · ?
3. woher · Sie · kommen · ?
4. Sie · wo · wohnen · ?
5. von Beruf · was · Sie · sind · ?

3 请用合适的疑问代词填空。

1. ◖ _____ ist das? ◖ Das ist Obst.

2. ◖ _____ kostet das? ◖ Ein Kilo 3,50 Euro.

3. ◖ _____ Kinder haben Sie? ◖ Fünf.

4. ◖ _____ kommt heute? ◖ Dennis.

5. ◖ _____ Uhr kommt er? ◖ Um halb acht.

6. ◖ _____ beginnt der Film? ◖ Um acht.

4 请用合适的疑问代词填空。

Rudi Schmidt: Guten Tag, mein Name ist Schmidt, Rudi Schmidt. Und _____ heißen Sie?

Gisela Baumann: Gisela Baumann. Ich komme aus Passau und _____ kommen Sie?

Rudi Schmidt: Ich komme aus Ulm, aber jetzt wohne ich in München. Und Sie? _____ wohnen Sie?

Gisela Baumann: Auch in München.

Rudi Schmidt: Und _____ ist das?

Gisela Baumann: Das ist Daniel, mein Sohn.

Rudi Schmidt: _____ alt ist er?

Gisela Baumann: 5 Jahre.

5 请用 *wo, woher* 或 *wohin* 填空。

(A2)

1. ◖ _____ ist denn nur mein Handy?

   ◖ Keine Ahnung, _____ warst du denn gerade?

   ◖ Im Wohnzimmer.

   ◖ Okay, dann suchen wir erst einmal dort.

2. ◖ _____ kommst du?

   ◖ Ich war gerade in der Stadt.

   Aber ich muss noch einmal weggehen.

   ◖ _____ willst du noch gehen?

   ◖ Ins Kino.

6 请将合适的问句与答句连线。

(A2)

Wer kommt heute?	1 ○	○ A	Den Lehrer.
Mit wem gehst du ins Theater?	2 ○	○ B	Dem Lehrer.
Wen hast du gestern besucht?	3 ○	○ C	Der Lehrer.
Wem gehört die Tasche?	4 ○	○ D	Mit dem Lehrer.

7 请将合适的问句与答句连线。

(A2)

Wem gehört die Brille?	1 ○	○ A	Meinen Bruder. Er ist gerade aus dem Bus gestiegen.
Wen hast du gesehen?	2 ○	○ B	Wahrscheinlich wieder in die Alpen.
Mit wem bist du nach Italien gefahren?	3 ○	○ C	Ich träume.
Warum bist du nicht gekommen?	4 ○	○ D	Ich hatte keine Zeit.
Was machst du gerade?	5 ○	○ E	Das ist ein Geschenk von meinen Eltern.
Wohin fahren Sie in Urlaub?	6 ○	○ F	Das ist meine, ich habe sie hier vergessen.
Von wem hast du die schöne Kette bekommen?	7 ○	○ G	Ich bin allein gefahren.

8 请用合适的疑问代词填空。

(A2)

1. ◖ _____ ist der Herr dort? ◖ Das ist ein Freund von mir.

2. ◖ _____ suchen Sie? Kann ich Ihnen helfen? ◖ Den Lehrer von meinem Sohn. Er heißt Schütz.

3. ◖ _____ kommt sie heute später? ◖ Weil die Züge Verspätung haben.

4. ◖ _____ fahrt ihr nach Berlin? ◖ Mit unseren Freunden.

10 Lernen Sie Deutsch?
一般疑问句 (Ja/Nein-Fragen) 🔊))) 10

Er [ ] kommt [ ] aus Berlin.

Kommt [ ] er [ ] aus Berlin?

陈述句	Er	kommt	aus Berlin.
一般疑问句		**Kommt**	er aus Berlin?

对一般疑问句的回答

+ *Kommen Sie heute?* ☺ *Ja, ich komme heute Nachmittag.*
  ☹ *Nein, ich kann heute nicht.*

– *Kommen Sie heute nicht?* ☺ *Doch, ich komme heute Nachmittag.*
  ☹ *Nein, ich kann heute nicht.*

客气的请求
Könnten Sie mir bitte helfen?
Würden Sie bitte das Fenster öffnen?

---

1 请用给出的句子成分写出问句并回答。

1. Sie · Schmidt · heißen · ? ◖ _____
   ◖ _____

2. Sie · aus Südafrika · kommen · ? ◖ _____

3. Sie · Englisch · sprechen · ? ◖ _____
   ◖ _____

4. Sie · verheiratet · sind · ? ◖ _____
   ◖ _____

5. Sie · Kinder · haben · ? ◖ _____
   ◖ _____

2 请根据回答写出问句。

1. ◖ _____ ◖ Nein, ich spreche kein Französisch.
2. ◖ _____ ◖ Nein, ich bin keine Deutsche, ich bin Türkin.
3. ◖ _____ ◖ Ja, er ist Lehrer von Beruf.
4. ◖ _____ ◖ Ja, wir wohnen schon lange hier im Haus.
5. ◖ _____ ◖ Nein, sie haben keine Kinder.

3 请将合适的问句与答句连线。

Lernen Sie Deutsch?	1 ○	○ A	Doch, aber ein bisschen später.
Gehen Sie gerne ins Kino?	2 ○	○ B	Nein, leider nicht.
Spielen Sie ein Musikinstrument?	3 ○	○ C	Nein, mein Name ist Westermann.
Wohnen Sie nicht in Köln?	4 ○	○ D	Doch, schon seit drei Jahren.
Sind Sie Herr Maier?	5 ○	○ E	Ja, schon seit zwei Monaten.
Kommen Sie nicht zur Party?	6 ○	○ F	Es geht, ich gehe lieber ins Theater.

4 请根据文章内容在正确的回答下划X。

Herr Waltermann wohnt in Frankfurt. Er hat in der Schule Englisch und Spanisch gelernt. Er arbeitet in einem Büro als Programmierer. Er ist vor zwei Monaten nach Frankfurt gekommen und kennt hier noch keinen Menschen. Er kommt aus München und seine Verwandten und Freunde wohnen in der Nähe von München.

	ja	nein	doch
1. Kann Herr Waltermann kein Spanisch?			
2. Wohnt er in der Stadt?			
3. Hat er keine Verwandten in der Nähe?			
4. Hat er keine Arbeit?			
5. Kennt er in Frankfurt viele Leute?			
6. Kommt er aus München?			
7. Ist er schon lange in Frankfurt?			

5 请用 *Würden Sie ...?* 或 *Könnten Sie ...?* 写出礼貌的请求。

1. (den Zucker geben)   *Würden Sie mir bitte den Zucker geben?*

   Könnten Sie mir bitte den Zucker geben?

2. (mir den Weg zum Bahnhof sagen) _____

   _____

3. (mir den Stift geben) _____

4. (das Radio leiser machen) _____

   _____

5. (mir das Wörterbuch geben) _____

   _____

6. (mir die Rechnung erklären) _____

   _____

6 请将合适的问句与答句连线。

Wie hoch ist Ihre Miete?	1 ○	○ A	Ja, sie ist direkt in der Innenstadt.
Liegt Ihre Wohnung zentral?	2 ○	○ B	650 Euro plus Nebenkosten.
Wie lange wohnen Sie schon hier?	3 ○	○ C	Am liebsten möchten wir auf dem Land wohnen.
Suchen Sie eine neue Wohnung?	4 ○	○ D	Schon drei Jahre.
Wo suchen Sie eine Wohnung?	5 ○	○ E	Ja, unsere Wohnung ist zu klein.

11 Wo steht was?

词序1 (Wörter im Satz 1) 11

陈述句

	第二位		
Am Abend	essen	wir	Pizza.
Wir	essen		am Abend Pizza.
Ilse und Heiko	essen		zusammen 25 Hamburger.

动词位于第二位，主语在动词的左边或右边，第一位上可以有多个单词。

特殊疑问句

	第二位		
Wo	essen	wir	heute Pizza?
Wann	essen	Ilse und Heiko	25 Hamburger?

动词位于第二位，疑问词在第一位，主语在第三位。

一般疑问句

Essen	wir	heute Abend Pizza?
Möchten	Sie	Schokolade essen?

动词位于句首，主语在动词的右边。

命令式

Essen	Sie doch ein Stück Schokolade!
Trink	eine Tasse Kaffee!

动词位于句首。

时间及地点

Ich wohne seit zwei Monaten in Deutschland.
Seit zwei Monaten wohne ich in Deutschland.

时间状语 (Wann? Wie lange? Wie oft?) 通常位于左半句（常在第一位）。
地点状语 (Wo? Wohin? Woher?) 通常位于右半句。

---

1 造句。

1. er • Peter Schmidt • heißt • .
2. Peter • jetzt • und • seine Frau • in Heidelberg • wohnen • .
3. Auerstraße 12 • seine Adresse • ist • .
4. Ingenieur • von Beruf • Peter • ist • .
5. seine Frau • arbeitet • im Krankenhaus • .

2 请用给出的句子成分写出特殊疑问句。

1. woher • Luis und Paloma • kommen • ?
2. von Beruf • was • sie • sind • ?
3. wohnen • wo • jetzt • sie • ?
4. sie • machen • was • heute Abend • ?

3 请划出动词并将句子改写为一般疑问句。

1. Das <u>ist</u> Paloma.   *Ist das Paloma ?*

2. Sie kommt aus Peru.   _____

3. Paloma lernt Deutsch.   _____

4. Sie ist Mechanikerin.   _____

5. Ihr Mann heißt Luis.   _____

4 特殊疑问句还是一般疑问句？请根据句子内容用疑问代词或动词填空。

1. ◖ _____ kommt Paloma?   ◖ Aus Peru.

2. ◖ _____ Paloma aus Chile?   ◖ Nein, aus Peru.

3. ◖ _____ ist sie von Beruf?   ◖ Mechanikerin.

4. ◖ _____ sie Mechanikerin von Beruf?   ◖ Ja.

5. ◖ _____ ihr Mann Carlos?   ◖ Nein.

6. ◖ _____ heißt ihr Mann?   ◖ Luis.

5 造句。

1. müde • heute • Sie • sind • ?
2. Sie • wie lange • schlafen • immer • ?
3. trinken • was • am Morgen • Sie • ?
4. am Morgen • Sie • trinken • Kaffee • ?

6 请将以下句子成分写成命令式。

(A2)
1. Sie • kommen • !
2. die Geschichte • hören • Sie • !
3. jetzt • Sie • sagen • nichts • !
4. Sie • Ihren Freunden • die Geschichte • erzählen • !

7 造句，请注意时间状语和地点状语的位置。

(A2)
1. schon drei Jahre • ich • wohne • in Heidelberg • .
2. arbeite • seit zwei Jahren • in Frankfurt • ich • .
3. von Heidelberg nach Frankfurt • ich • fahre • jeden Montag • .
4. ich • bei meiner Cousine • von Montag bis Freitag • wohne • .
5. im Büro • ich • von 9 bis 18 Uhr • arbeite • .
6. in der Mittagspause • in der Kantine • ich • esse • .
7. gehe • ins Fitness-Studio • zwei Mal pro Woche • ich • .
8. nach Heidelberg • freitags um 17 Uhr • ich • fahre • .
9. bin • ich • zu Hause • von Freitagabend bis Montagmorgen • .

动词位于第二位！

31

12 Ich kaufe ... ein
词序2 (Wörter im Satz 2)

		变位动词 第二位		其他谓语成分 句末
情态动词	Ich	will	heute	einkaufen.
可分动词	Ich	kaufe	Obst und Gemüse	ein.
sein + 形容词	Das Wetter	ist	heute Nachmittag	wunderbar.
双动词	Wir	gehen	heute Nachmittag	schwimmen.
名词–动词组合	Heute Abend	spiele	ich mit meiner Freundin	Tennis.
现在完成时	Ich	habe	schon Getränke	eingekauft.

变位动词位于第二位，其他谓语成分位于句末。

sein + 形容词，双动词及名词–动词组合与可分动词用法相同。
wunderbar sein, müde sein, schwimmen gehen, einkaufen gehen, Tennis spielen, Deutsch lernen,
Wein trinken ...

1 造句。请注意句中情态动词的位置。

1. Sie • eine Deutschlandreise • wollen • machen • .
2. Tickets kaufen • und • Hotels buchen • Sie • müssen • .
3. sollen • fahren • sie • Wann • ?
4. Sie • fahren • im Sommer • wollen.
5. Sie • bleiben • können • nur zwei Wochen in Deutschland • .
6. Dann • schon wieder nach Hause • fahren • müssen • sie • .

2 请用给出的可分动词和句子成分造句。

1. um ziehen: Wir • nach Hamburg • .
2. auf räumen: die Wohnung • Jetzt • wir • .
3. weg werfen: Wir • viele Sachen • .
4. ein packen: Wer • das Geschirr und die Gläser • ?
5. aus ziehen: Nächste Woche am Montag • wir.
6. ein ziehen: in die neue Wohnung • Am Dienstag • wir • .

3   *Sein* + 形容词和双动词情况，请造句。

1. Das Wetter • heute • wunderbar • ist • .
2. der Himmel • auch blau • war • Gestern • .
3. Hoffentlich • schön • morgen auch genauso • es • ist • .
4. Am Samstagmorgen • sie • in der Stadt • einkaufen • gehen • .
5. spazieren • sie • gehen • im Park • Nachmittags • .
6. Die Kinder • schwimmen • mit ihren Freunden • gehen • .

4   请用名词–动词组合造句。

1. Pamela und Chris • schon gut • Deutsch • sprechen • .
2. Chris • Gitarre • am Abend gerne • spielt • .
3. oft stundenlang • Musik • Er • hört • .
4. Urlaub • Im Sommer • Chris • machen • möchte • .
5. Pamela • Spanisch • lernen • möchte • im Urlaub • .

5   请将以下成分写成正确的现在完成时句子。

1. Am letzten Wochenende • nach Berlin • Anna • ist • gefahren • .
2. Sie • ihre Freunde • besucht • hat • .
3. gegangen • sie • sind • ins Theater • Am Samstagabend • .
4. Am Sonntag • in einem Restaurant am Wannsee • sie • gegessen • haben • .
5. erst sehr spät nach Hause • Sie • gekommen • ist • .

6   请将合适的句子成分连接起来并写出完整的句子。

	hat		aufräumen.
	muss		ein.
	lernt		gearbeitet.
Er	kauft	heute	essen.
	geht		Deutsch.
	ist		fern.
	sieht		gekommen.

7   根据示范写出句子的不同形式。

1. gestern • ich • habe • geschenkt • eine CD • meinem Bruder • .
2. auf dem Marktplatz • hat • gestern Abend • eine Band • gespielt • .
3. im Park • wollen • Schüler • ein Konzert geben • heute • .
4. ich • bringe • zum Geburtstag • heute • einen Kuchen • mit • .

1. Ich	habe	meinem Bruder gestern eine CD	geschenkt.
Gestern	habe	ich meinem Bruder eine CD	geschenkt.
Meinem Bruder	habe	ich gestern eine CD	geschenkt.
Eine CD	habe	ich gestern meinem Bruder	geschenkt.

8   造句，并将句子朗读出来。

1. abholen: er • seine Kinder von der Schule • .
2. zur Party gehen wollen: sie • mit ihrer Freundin • heute Abend • .
3. mitbringen: sie (Pl.) • einen Kartoffelsalat • zur Party • .
4. gemacht haben: sie (Pl.) • den Kartoffelsalat • heute Mittag • .

1. Er holt seine Kinder von der Schule ab.

德语硬规则：变位动词必须位于第二位，其余谓语成分位于句末。

请和搭档共同完成。
A使用第34页，B使用第35页。
红色: 请按要求说话。
灰色: 请纠正对方的表达并回答。

Woher kommen Sie?

例

 ... ?   Ich komme aus ...

根据右边给出的回答提问：   *Woher kommen Sie?*

- -

1. ... ?   Ich komme aus ...

2. Wie alt sind Sie?   ...

3. ... ?   Ich wohne in ...

4. Was sind Sie von Beruf?   ...

5. ... ?   Doch, ich heiße ...

6. Wie ist Ihr Familienname?   ...

7. ... ?   Meine Hobbys sind ...

8. Haben Sie Kinder?   ...

9. ... ?   Ich bin (nicht) verheiratet.

Wollen wir „du" sagen?   *Ja, gerne. Ich heiße ...*

10. Sprichst du nicht Deutsch?   ...

11. ... ?   Ja, ich lerne Deutsch.

12. Seit wann lernst du Deutsch?   ...

13. ... ?   Ich gehe (nicht) gerne ins Kino.

14. Wie viel Uhr ist es?/ Wie spät ist es?   ...

15. ... ?   Ich möchte gerne nach/in ... fahren.

16. Wann gehst du nach Hause?   ...

17. ... ?   Ein Kaffee kostet ... Euro.

18. Kaufst du gerne ein?   ...

19. ... ?   Der Lehrer ist in der Klasse.

20 Wie geht es dir?   ...

会话练习2：提问
Partner B

请和搭档共同完成。
A使用第34页，B使用第35页。
红色：请按要求说话。
灰色：请纠正对方的表达并回答。

> Woher kommen Sie?

> Ja, das ist korrekt.

> Ich komme aus …

例

Woher kommen Sie?   …

根据左边给出的正确的问题校正搭档的提问，如果正确，则回答：

> Ich komme aus …

1.	Woher kommen Sie?	…
2.	… ?	Ich bin … Jahre alt.
3.	Wo wohnen Sie?	…
4.	… ?	Ich bin … von Beruf.
5.	Heißen Sie nicht … ?	…
6.	… ?	Mein Familienname ist …
7.	Was sind Ihre Hobbys?	…
8.	… ?	Ich habe … /keine Kinder.
9.	Sind Sie verheiratet?	…

> Wollen wir „du" sagen?

> Ja, gerne. Ich heiße …

10.	… ?	Doch, ich spreche ein bisschen Deutsch.
11.	Lernst du Deutsch?	…
12.	… ?	Ich lerne seit … Wochen/Monaten Deutsch.
13.	Gehst du gerne ins Kino?	…
14.	… ?	Es ist jetzt … Uhr.
15.	Wohin möchtest du gerne fahren?	…
16.	… ?	Ich gehe um … Uhr nach Hause.
17.	Was kostet ein Kaffee?	…
18.	… ?	Ich kaufe (nicht) gerne ein.
19.	Wo ist der Lehrer?	…
20	… ?	Danke, es geht mir …

13 Die Männer, die Frauen, die Babys
名词的复数形式 (Nomen: Plural)

die Männer   die Frauen   die Babys

词尾		举例	
-(e)n		die Übung – die Übungen die Tasche – die Taschen die Frau – die Frauen die Kundin – die Kundinnen	所有以 -ung, -heit, -keit, -ie, -or, -ion结尾的名词 几乎所有以 -e结尾的名词 很多阴性名词 以 -in结尾 ▶ -innen （此为最常见的复数词尾）
-er		das Kind – die Kinder das Buch – die Bücher der Mann – die Männer	几乎所有中性短名词 一些阳性名词，没有阴性名词
-e	*a, o, u, au* 常变为 *ä, ö,* *ü, äu*	der Stuhl – die Stühle das Brot – die Brote die Hand – die Hände	很多短名词
–		der Vater – die Väter der Garten – die Gärten der Sessel – die Sessel das Brötchen – die Brötchen	很多以 -er, -en, -el结尾的名词 所有以 -chen 和 -lein结尾的名词
-s		das Taxi – die Taxis das Radio – die Radios der PKW – die Pkws der Job – die Jobs	所有以 -a, -i, -o, -y结尾的名词 所有缩略词 很多外来词
⚠ 不规则		das Museum – die Museen das Datum – die Daten das Visum – die Visa das Praktikum – die Praktika die Praxis – die Praxen die Firma – die Firmen	

无复数形式的名词
抽象名词: *das Glück, die Liebe, der Hunger, die Kommunikation, der Sport, die Musik, das Wetter ...*
物质名词: *das Gold, das Wasser, die Milch ...*
集合名词: *das Obst, die Polizei, die Kleidung, der Urlaub ...*
动词不定式作名词: *das Essen, das Sprechen, das Spielen ...*

无单数形式名词
一些国家名与地理专有名词: *die USA, die Alpen ...*
集合名词: *die Eltern, die Leute, die Möbel*
及 *die Ferien ...*

---

1 请划出单复数同形的名词。

der Fernseher – das Buch – die Banane – das Mädchen – das Hobby – das Kind – der Schlüssel –
der Lehrer – die Tasche – der Mann – der Wagen – der Reifen – das Fläschchen – der Verkäufer – die Tomate

2 以 -(e)n, -s 还是 -e 结尾? 请写出下列名词的复数形式。

1. das Sofa, -s	9. die Sache	17. die Sekretärin
2. das Haar	10. die Kiwi	18. der Junge
3. die Freiheit	11. die Sekunde	19. das Ticket
4. das Hobby	12. die Organisation	20. das Restaurant
5. die Zeitung	13. die Operation	21. die Lösung
6. die Information	14. der Name	22. die Krankheit
7. das Tier	15. die Toilette	23. der Herd
8. die Lehrerin	16. die Oma	24. das Kino

3 请写出下列名词的单数形式。

1. die Bilder – das _____
2. die Männer – der _____
3. die Brötchen – das _____
4. die Meere – das _____
5. die Länder – das _____
6. die Architektinnen – die _____
7. die Kurse – der _____

8. die Hotels – das _____
9. die Ärzte – der _____
10. die Füße – der _____
11. die Fotos – das _____
12. die Informationen – die _____
13. die Einladungen – die _____
14. die Bäume – der _____

4 请划出没有复数形式的名词。

der Zucker – der Kuchen • das Gepäck – der Koffer • das Glas – das Wasser • das Fleisch – das Steak •
der Kellner – der Service • das Auto – das Benzin • die Kartoffel – der Reis • der Alkohol – die Bar •
die Karotte – das Gemüse • die Polizei – der Polizist • die Natur – der Fluss

5 请划出没有单数形式的名词。

die Omas – die Großeltern • die Eltern – die Väter • die Sofas – die Möbel • die Berge – die Alpen •
die Ferien – die Reisen • die Leute – die Personen

6 **Eine Bestellung.** 请用正确的复数词尾填空（注意：有些地方需要变元音）。

Möbelhaus Okio

Bestellung

Anzahl	Artikel	Artikelnummer
6	Küchenstuhl….	123 456 78
4	Lampe…	123 456 98
4	Schrank…	123 456 87
2	Sofa…	123 456 79
2	Herd…	123 457 59
12	Teller…	122 345 78
12	Glas…	122 345 16
12	Löffel…	122 345 25
3	Servierwagen…	123 456 65

und 2 Lkw… für den Transport, bitte!

Ort, Datum   Unterschrift

14 Der, das, die – ein, ein, eine

冠词：定冠词，不定冠词，零冠词
(Artikel: definit, indefinit, kein Artikel) ◀))) 12

不定冠词

Möchten Sie eine Banane?

	阳性	中性	阴性	复数
第一格	ein Mann	ein Haus	eine Frau	– Autos
第四格	einen Kaffee	ein Brötchen	eine Banane	– Kartoffeln
第三格	einem Freund	einem Auto	einer Freundin	– Freunden

定冠词

Mhm, die Banane ist lecker.

	阳性	中性	阴性	复数
第一格	der Mann	das Haus	die Frau	die Autos
第四格	den Kaffee	das Brötchen	die Banane	die Kartoffeln
第三格	dem Freund	dem Auto	der Freundin	den Freunden

零冠词

不可数名词属零冠词情况
(如 *Zeit, Lust, Geld, Glück, Hunger*)

同属零冠词情况的还有：
Ich bin +（职业）
Ich bin Pilotin von Beruf.

1 Zeit
2 Zeit
3 Zeit

Ich habe Zeit.

---

1 请参照示范写句子。

1. der Stuhl

Das ist ein Stuhl.

Der Stuhl ist modern.

3. das Wörterbuch

_____

praktisch.

5. die Stifte (Plural)

_____

neu.

7. die Vase

_____

schön.

2. das Bild

_____

teuer.

4. der Laptop

_____

gut.

6. die Blumen (Plural)

_____

wunderbar.

8. die Tür

_____

offen.

2 请用对应的第四格定冠词填空。

Hast du ...

1. der Kuli

_____ Kuli?

3. die Uhr

_____ Uhr?

5. der Schirm

_____ Schirm?

7. die Katze

_____ Katze?

2. das Auto

_____ Auto?

4. die Kinder (Plural)

_____ Kinder?

6. der Computer

_____ Computer?

8. das Handy

_____ Handy?

3 请用括号中定冠词的第四格形式填空。

1. Wie findest du _____ Bluse (*die*)?

2. Wie findest du _____ Rock (*der*)?

3. Wie findest du _____ Schuhe (*Pl.*)?

4. Wie findest du _____ Kleid (*das*)?

5. Wie findest du _____ Brille (*die*)?

6. Wie findest du _____ Hund (*der*)?

4 请将下列否定句改写为肯定句（注意：有些需使用定冠词，有些地方为零冠词）。

1. Er hat keine Zeit. – *Sie hat Zeit.*

2. Er hat kein Geld. – *Sie*

3. Er hat kein Handy. – _____

4. Er mag keinen Reis. – _____

5. Er hat kein Fahrrad. – _____

6. Er hat kein Glück. – _____

5 **Eine Stadtführung in München.** 请用合适的冠词填空。

(A2)

| der Turm |
| das Stadion |
| die Kirche |
| der Platz |
| das Haus |
| der Berg |

1. Meine Damen und Herren, links ist *ein* _____ Turm.

Das ist *der* _____ Fernsehturm.

2. Da ist _____ Stadion, das ist _____ Olympiastadion.

3. Sie sehen geradeaus _____ Kirche, das ist _____ Frauenkirche.

4. Hier links ist _____ großer Platz, das ist _____ Marienplatz.

5. Am Marienplatz steht _____ Haus mit einem Turm, das ist _____ Rathaus.

6 **Ein Märchen.** 请用合适的冠词填空。

(A2)

Es war einmal _____ König. _____ König war sehr reich.

Er hatte _____ Tochter. _____ Tochter war

wunderschön. Eines Tages kommt _____ Prinz.

_____ Prinz möchte _____ Prinzessin

heiraten. Aber _____ Prinzessin will ihn nicht

heiraten. Da muss _____ Prinz seine Liebe zeigen.

Er tötet einen Drachen. Zum Schluss heiratet _____ Prinz

_____ Prinzessin und ein Jahr später bekommen sie _____ Tochter.

der Drache

der Prinz, der König und die Prinzessin

Kein, nicht, nie
否定 (Negation) 🔊》 13

> *Das ist kein Apfel. Das esse ich nicht.*

kein 和 *nicht*

kein	nicht
Ich lese kein Buch.	Ich bin nicht verheiratet.
Ich lese keine Zeitungen.	Ich wohne nicht in Berlin.
Ich habe keine Zeit.	Ich arbeite nicht bei Lufthansa.
Ich habe keinen Hunger.	Ich lese nicht.
Ich brauche kein Auto.	Ich lese nicht die Bibel.
	Ich lese nicht das Buch.

kein 只能用于名词前。
kein 是冠词 (*ein Buch – kein Buch, ein dickes Buch – kein dickes Buch*)。

其他否定词

+	–
Ich esse immer zu Mittag.	Ich esse nie zu Mittag.
Auf der Party kenne ich alle.	Ich kenne niemand auf der Party.
Isst du etwas? Isst du alles?	Ich esse nichts.
Kannst du nur mit Brille lesen?	Ich kann ohne Brille lesen.
Warst du schon mal in Paris?	Nein, ich war noch nicht in Paris. Ich war noch nie in Frankreich.
Hast du noch Hunger?	Nein, ich habe keinen Hunger mehr.
Liebst du Thomas noch?	Nein, ich liebe ihn nicht mehr.

---

1 请用 *nicht* 或 *kein* 的正确形式填空。

1. Ich komme aus Sri Lanka. _____

2. Ich bin 23 Jahre alt. _____

3. Ich wohne in Köln. _____

4. Ich bin verheiratet. _____

5. Ich habe Kinder. _____

6. Das sind meine Kinder. _____

7. Sie haben Hunger. _____

8. Ich kaufe Brot. _____

9. Ich bin glücklich. _____

2 请将句子成分连接成句。

Das ist Sie hat Er kann Wir gehen Ich kaufe	**keinen** **nicht** **kein** **keine**	Lust zu kochen. Gehen wir ins Restaurant? diese Schuhe. Die anderen sind schöner. Hund, das ist eine Katze. Freund, sie ist immer allein. kochen. Kinder. ins Kino.

3 Kein Mittagessen. 请用 *nicht* 或 *kein* 的正确形式填空。

(A2)

Frau Paul:	Hallo, Frau Schmidt. Gehen Sie in die Kantine mit?
Frau Schmidt:	Nein, tut mir leid. Ich kann _____ mitkommen.
	Ich habe _____ Zeit und ich habe auch _____ Hunger.
Frau Paul:	Sehen wir uns später bei dem Meeting?
Frau Schmidt:	Nein, das geht _____. Ich arbeite _____ in dem Projekt. Sehen Sie Herrn Meier?
Frau Paul:	Herr Meier arbeitet _____ in unserer Abteilung. Ich treffe ihn _____.
	Sehen wir uns morgen in der Mittagspause?
Frau Schmidt:	Morgen mache ich _____ Pause, weil ich zurzeit _____ Sekretärin habe.
	Ich kann zwei Wochen mittags _____ essen gehen.
Frau Paul:	Bringen Sie sich Essen von zu Hause mit?
Frau Schmidt:	Nein, ich habe _____ Lust, etwas zu kochen. Und Sandwichs schmecken mir _____.
	Und ich esse _____ Süßigkeiten und _____ Fast Food. Ich habe schon 3 kg abgenommen.
Frau Paul:	Ich möchte auch _____ zunehmen.
	Das Essen in der Kantine ist auch _____ gesund und macht dick.
Frau Schmidt:	Sie sind schlank. Sie müssen _____ Angst haben!

4 Herr Positiv und Herr Negativ. 请用否定词改写下列句子。

(A2)

Herr Positiv
1. Ich bin **noch** jung!
2. Ich habe **noch** Energie.
3. Ich bin **immer** glücklich.
4. Ich finde **alles** wunderbar!
5. Ich liebe **alle**.
6. Ich war **schon oft** im Urlaub.
7. Ich nehme **alles** mit Humor.

Herr Negativ
1. Ich bin nicht mehr jung!

5 请用否定词填空。

(A2)

Frau Überhub:	Waren Sie schon mal in Tokio?
Frau Niederfeld:	Nein, ich war _____ in Japan. Und Sie?
Frau Überhub:	Ich war schon oft da. Wir fahren immer nach Japan.
Frau Niederfeld:	Ich fahre _____ ins Ausland.
Frau Überhub:	Aber alle fahren ins Ausland!
Frau Niederfeld:	Alle fahren ins Ausland? Nein, _____ fährt ins Ausland.
	Hier in Deutschland gibt es doch alles: Berge, Meer, Städte.
Frau Überhub:	Nein, hier gibt es _____! Kein Sushi, keinen Fuji,
	keine Kimonos! Herr Ober, gibt es noch Suppe?
Ober:	Nein, wir haben leider _____ Suppe _____.
	Aber wir haben Salat mit Eiern und _____ Eier.
Frau Überhub:	Sehen Sie, hier gibt es nichts!

Ich bin **nicht** verheiratet und arbeite **nicht**, ich habe auch **keine** Kinder, aber leider auch **keine** Zeit.

16 Ich liebe meinen Mann

第四格 (Akkusativ) 🔊))) 14–16

支配第四格的动词

```
        ┌──────┐
主语 ──  │ 动词 │  ── 宾语
        └──────┘
Der Kellner │ trinkt │ einen Saft.

第一格              第四格
```

trinken 是一个同时带有主语 (*der Kellner*) 和宾语 (*einen Saft*) 的动词。
宾语为第四格。
宾语可以是人或物: *Ich liebe meinen Mann.*

	疑问词	阳性	中性	阴性	复数
第一格	wer? (人) was? (物)	der Mann ein Mann kein Mann	das Kind ein Kind kein Kind	die Frau eine Frau keine Frau	die Leute – Leute keine Leute
第四格	wen? (人) was? (物)	den Mann einen Mann keinen Mann	das Kind ein Kind kein Kind	die Frau eine Frau keine Frau	die Leute – Leute keine Leute

只有阳性名词的第四格形式与第一格有所不同: *den/einen/keinen*。
物主代词的变格同 *kein*: *Ich liebe meinen Mann.*

---

1   **Eine Reise.** 请用定冠词的第四格形式填空。

Ich fahre zwei Tage nach Berlin. Ich brauche __den__ Wecker (*der*), _____ Computer (*der*),

_____ Pass (*der*), _____ Kreditkarte (*die*), _____ Schirm (*der*), _____ Tasche (*die*),

_____ MP3-Player (*der*), _____ Schuhe (*Pl.*), _____ Socken (*Pl.*),

_____ Pyjama (*der*), _____ Waschzeug (*das*) und _____ Zeitung (*die*).

2   请用不定冠词的第四格形式填空。

Walter kauft __eine__ Flasche Wein (*die*), _____ Glas Marmelade (*das*), _____ Schwarzbrot (*das*),

_____ Brötchen (*Pl.*), _____ Packung Milch (*die*), _____ Salat (*der*), _____ Tomaten (*Pl.*),

_____ Joghurt (*der*), _____ Schokoladenkuchen (*der*).

3   请根据图片含义填空。

> das Auto
> das Fahrrad
> das Bett
> der Fernseher
> der Tisch
> die Waschmaschine
>
> das Handy
> das Telefon
> der Computer
> der Stuhl
> der Kühlschrank
> das Haus

Thomas hat __ein Auto__ . Er hat __kein Fahrrad__ . Er hat _____ und

_____ , aber _____ und _____ . Thomas hat

_____ , aber _____ . Er hat _____ , aber

_____ . Er hat _____ aber _____

4 请用冠词的第一格或第四格形式填空。

 die Kuh / die Milch das Gras der Mensch der Fisch die Pflanze die Hühner (Plural) die Körner (Plural)

1. D____ Kuh isst d____ Gras. D____ Mensch trinkt d____ Milch.

2. D____ Fisch isst d____ Pflanze. D____ Mensch isst d____ Fisch.

3. D____ Hühner essen d____ Körner. D____ Mensch isst d____ Hühner.

5 请用 *wen* 或 *was* 填空。

1. ◖ W____ trinken Sie gerne? ◖ Champagner.

2. ◖ W____ sehen Sie oft? ◖ Meine Kollegen.

3. ◖ W____ verstehen Sie nicht? ◖ Die Lehrerin.

4. ◖ W____ verstehen Sie nicht? ◖ Die Frage.

5. ◖ W____ lieben Sie? ◖ Gute Musik, gutes Essen.

6. ◖ W____ lieben Sie? ◖ Meine Familie.

6 请将句子成分连接成句。

Ich Wir Meine Freunde	hören brauchen trinken sehen lesen kaufen	____ Glas Wein (*das*). ____ Oper (*die*). ____ Bücher (*Pl.*). ____ Stift (*der*). ____ Auto (*das*). ____ Film (*der*).

7 请划出下列句子中的第四格成分。

1. Wir kaufen Stühle . Die Stühle finde ich sehr schön.
2. Wir haben einen Sohn und eine Tochter. Wir lieben die Kinder.
3. Die Kinder lieben die Lehrerin.
4. Die Suppe esse ich nicht. Möchtest du das Brötchen?
5. Ich bezahle den Wein, das Essen bezahlst du.

8 请用冠词的第一格或第四格形式填空。

(A2)

der Hund
die Katze
das Kaninchen
die Fische (Plural)
die Tiere

Liebe Elise,

jetzt habe ich _____ Hund! _____ Hund ist sehr süß und heißt Flocki. Du weißt, ich habe auch

_____ Katze, _____ Kaninchen und _____ Fische.

Ich mag _____ Tiere sehr. _____ Hund liebe ich, _____ Katze mag ich, _____ Kaninchen mag ich ein

bisschen (es stinkt!) und _____ Fische finde ich langweilig. Zum Glück mag _____ Katze auch _____

Hund und _____ Hund mag _____ Katze, aber _____ Katze möchte immer _____ Fische fressen.

_____ Hund frisst Fleisch und ist leider teuer. Aber ich finde _____ Hund wunderbar.

Wann kommst du und besuchst mich und _____ Tiere? Bitte komm bald!

Viele Grüße

Jenny

17 Ich fahre mit dem Auto
第三格 (Dativ) 🔊 17

	疑问词	阳性	中性	阴性	复数
第一格	wer? (人) was? (物)	der Mann ein Mann kein Mann	das Kind ein Kind kein Kind	die Frau eine Frau keine Frau	die Leute – Leute keine Leute
第四格	wen? (人) was? (物)	den Mann einen Mann keinen Mann	das Kind ein Kind kein Kind	die Frau eine Frau keine Frau	die Leute – Leute keine Leute
第三格	wem? (人)	dem Mann einem Mann keinem Mann	dem Kind einem Kind keinem Kind	der Frau einer Frau keiner Frau	den Leuten – Leuten keinen Leuten

阳性名词和中性名词的第三格形式相同。

第三格复数词尾为 -n。
复数形式以 -s 结尾的不需另加 -n: Wir fahren mit zwei Autos.

物主代词变格同 kein。

Ich fahre mit meinem Auto.

1　**Wie fahren Sie zur Arbeit?** 请用定冠词的第三格形式填空。

das Auto　　der Zug　　die U-Bahn　　das Taxi

1. mit _dem_ Auto　　3. mit _____ Zug　　5. mit _____ U-Bahn　　7. mit _____ Taxi

das Fahrrad　　die Straßenbahn　　die Rollschuhe (Plural)　　der Bus

2. mit _____ Fahrrad　　4. mit _____ Straßenbahn　　6. mit _____ Rollschuhe_　　8. mit _____ Bus

---

2　**Mit wem gehen Sie ins Kino?** 请用不定冠词的第三格形式填空。

1. mit _einer_ Freundin　　　5. mit _____ Kollegin

2. mit _____ Freund　　　　6. mit _____ Lehrer

3. mit _____ Freunde_　　　7. mit _____ Mann

4. mit _____ Mädchen　　　8. mit _____ Gäste_

> die Freundin – der Freund –
> die Freunde (Pl.) –
> das Mädchen – die Kollegin –
> der Lehrer – der Mann –
> die Gäste (Pl.)

3 Mit wem möchten Sie in den Urlaub fahren? 请用不定冠词的第三格形式填空。

1. Mit _einem_ Kind oder mit zwei Kinder_n_?

2. Mit ein___ Baby oder mit zwei Babys___?

3. Mit ein___ Mann oder mit vielen Männer___?

4. Mit ein___ Freund oder mit zehn Freunde___?

5. Mit ein___ Kollegin oder mit 28 Kolleginnen___?

6. Mit ein___ Frau oder mit vielen Frauen___?

7. Mit ein___ Oma oder mit zwei Omas___?

8. Mit ein___ Opa oder mit zwei Opas___?

4 Reinhild ist so nett! 请用冠词的第三格形式填空。

Reinhild hilft ein___ Kollegin, ein___ Kind und d___ Eltern.

Zum Geburtstag gratuliert sie d___ Freundinnen und d___ Freunde___, d___ Mutter, d___ Vater und d___ Hund

von der Nachbarin.

Sie gibt d___ Kollegen Sandwichs, d___ Katze einen Fisch, ein___ Baby Milch und d___ Chef einen Kuss.

Und Reinhild schenkt d___ Nachbarin Blumen, d___ Kinder___ Schokolade und d___ Lehrer einen Mercedes.

5 Willibald ist unfreundlich. 请用 *kein* 的第三格形式填空。

Willibald gibt kein___ Kellner und kein___ Kellnerin Trinkgeld. Er hilft kein___ Nachbarin, gratuliert kein___

Freund und auch kein___ Freundin zum Geburtstag. Er schenkt kein___ Kind Schokolade und kein___ Lehre-

rin ein Auto und kein___ Hund eine Wurst.

Deshalb hat Willibald keine Freunde.

6 Mein Geburtstag. 请用物主代词的第三格形式填空。

Meine Party war wunderbar. Ich habe zwölf Freunde zu meine___ Geburtstag eingeladen. Viele sind mit ihr___

Freund oder ihr___ Freundin und auch mit ihr___ Kinder___ gekommen. Manche hatten einen weiten Weg

und haben bei mir oder bei mein___ Eltern___ übernachtet. Eine Kollegin ist sogar mit ihr___ zwei Babys___

gekommen. Es war wirklich viel los!

7 Ein Zettel auf dem Küchentisch. 请用冠词的第三格形式填空。

Lieber Nils,

wir sind bis Sonntag nicht da! Wir brauchen eine Pause nach d___ vielen Arbeit.

Wir fahren gleich mit d___ Bahn nach Gießen zu ein___ Freund und sein___ Freundin.

Wir bleiben drei Tage bei d___ Freunde___. Mit d___ Auto von d___ Freunde___

können wir Ausflüge machen. Und wir möchten gerne zu ein___ See laufen und mit

ein___ Boot fahren.

Hoffentlich hast du auch Spaß! Vergiss aber nicht: Morgen musst du das Papier bei

d___ Arzt abgeben.

Bis Sonntagabend!

Grüße und Küsse

Andrea

18 Mein, dein, unser
物主代词 (Possessivartikel) 🔊 18+19

Ist das Ihr Koffer?

ich – mein

du – dein

er – sein

es – sein

sie – ihr

wir – unser

ihr – euer

sie – ihr

Sie – Ihr

	阳性	中性	阴性	复数
第一格	mein Vater	mein Auto	meine Mutter	meine Eltern
	dein Vater	dein Auto	deine Mutter	deine Eltern
	sein Vater	sein Auto	seine Mutter	seine Eltern
	sein Vater	sein Auto	seine Mutter	seine Eltern
	ihr Vater	ihr Auto	ihre Mutter	ihre Eltern
	unser Vater	unser Auto	unsere Mutter	unsere Eltern
	euer Vater	euer Auto	eure Mutter	eure Eltern
	ihr Vater	ihr Auto	ihre Mutter	ihre Eltern
	Ihr Vater	Ihr Auto	Ihre Mutter	Ihre Eltern
第四格	meinen Vater	mein Auto	meine Mutter	meine Eltern
	...	...	...	...
	euren Vater	euer Auto	eure Mutter	eure Eltern
	...	...	...	...
第三格	meinem Vater	meinem Auto	meiner Mutter	meinen Eltern
	...	...	...	...
	eurem Vater	eurem Auto	eurer Mutter	euren Eltern
	...	...	...	...

物主代词的词尾变化同 kein: *Ich brauche keine Bücher. Ich brauche meine Bücher.*

1 请用物主代词的正确形式填空。

1. Hier bin ich und das ist _____ Kind.

2. Das bist du und _____ Vater.

3. Da ist Thomas und _____ Mutter.

4. Hier ist Judy und _____ Tochter.

5. Das sind wir und _____ Kinder.

6. Und das seid ihr und _____ Eltern.

7. Hier stehen Aiping und Mark und _____ zwei Katzen.

8. Guten Tag, Herr Schmidt, kommt _____ Frau heute auch?

2 请用物主代词的正确形式填空。

Das ist Jörg.

Das ist _seine_ Frau, Martina. Das sind _____ Kinder.

Das ist _____ Fahrrad. Das ist _____ Tasche.

Das ist _____ Computer. Das sind _____ Bücher.

Das ist Martina.

Das ist _____ Mann, Jörg. Das sind _____ Kinder.

Das ist _____ Tasche. Das ist _____ Fahrrad.

Das ist _____ Computer. Das sind _____ Bücher.

Das sind Jörg und Martina.

Das sind _____ Kinder. Das ist _____ Tochter Susi.

Das ist _____ Sohn Thomas. Das ist _____ Haus.

3 Tante Cornelia kommt aus Rom zu Besuch und fragt Thomas und Susi. 请用物主代词的正确形式填空。

Tante Cornelia: Thomas und Susi, wo ist denn _____ Papa jetzt?

Thomas und Susi: _____ Papa ist in der Küche.

Tante Cornelia: Und wo ist _____ Mama?

Thomas und Susi: _____ Mama ist auf der Arbeit.

Tante Cornelia: Und wie heißen _____ Freunde?

Thomas und Susi: _____ Freunde sind Philip und Sabina, _____ Mama und _____ Papa.

4 下列对话中 *ihr* 或 *Ihr* 指的是谁？请在正确的答案下划X。

	Frau Malls	Frau Dorns	Lisas	Tims und Toms
Frau Mall: Guten Tag, Frau Dorn. Wie geht es <u>Ihrer</u> Tochter Lisa?				
Frau Dorn: Wieder gut. Sie ist jetzt bei <u>ihren</u> Großeltern.				
Sie liebt <u>ihren</u> Opa sehr.				
Und wie geht es <u>Ihrer</u> Familie?				
Frau Mall: Danke, sehr gut.				
Frau Dorn: Wo sind denn <u>Ihre</u> Kinder Tim und Tom jetzt?				
Frau Mall: Die sind zu <u>ihren</u> Freunden gefahren.				
Übrigens: <u>Ihr</u> Mann hat angerufen.				
<u>Ihr</u> Auto ist fertig repariert.				

5 Mein Geburtstag. 请用物主代词的正确形式填空。

(A2)

An meinem Geburtstag fahre ich immer nach Hamburg zu _____ Familie. _____ Bruder Heinrich

wohnt mit _____ Frau Doris im Haus von ihr_____ Eltern. Heinrich hat Zwillinge: Ralf und Leonie.

Leonie liebt _____ Bruder sehr, aber Ralf mag _____ Schwester nur ein bisschen. Aber beide

Kinder lieben _____ Großeltern.

M_____ Schwester Monika lebt auch in Hamburg. Wir feiern alle zusammen _____ Geburtstag bei

_____ Eltern. Monika kommt immer mit _____ Freund Joachim und sein_____ Tochter Ana.

_____ Eltern finden es wunderbar, wenn _____ Kinder alle bei ihnen sind. Ich bekomme von

_____ Geschwistern immer viele Geschenke und _____ Kinder malen mir immer schöne Bilder.

19 Welcher? – Dieser
疑问冠词和指示冠词
(Artikel: interrogativ und demonstrativ) 🔊 <u>20</u>

冠词		阳性		中性		阴性		复数	
定指 疑问 指示	第一格	der welcher dieser	Mann Mann? Mann!	das welches dieses	Kind Kind? Kind!	die welche diese	Frau Frau? Frau!	die welche diese	Leute Leute? Leute!
定指 疑问 指示	第四格	den welchen diesen	Mann Mann? Mann!	das welches dieses	Kind Kind? Kind!	die welche diese	Frau Frau? Frau!	die welche diese	Leute Leute? Leute!
定指 疑问 指示	第三格	dem welchem diesem	Mann Mann? Mann!	dem welchem diesem	Kind Kind? Kind!	der welcher dieser	Frau Frau? Frau!	den welchen diesen	Leuten Leuten? Leuten!

1 请将问句和相对应的答句连线。

Welcher Kollege?	1 ○	○ A	Diese.
Welche Tür?	2 ○	○ B	Diese.
Welches Buch?	3 ○	○ C	Dieser.
Welche Socken?	4 ○	○ D	Dieses.

2 请填上正确的第一格词尾。

Frau: Der Mantel, die Hose, die Schuhe, das Kleid, die Jacke, das T-Shirt, der Anzug und die Socken sind schön!

Mann: **1.** Welcher Mantel? **Frau:** Dies _er_.

2. Welche Hose? Dies___.

3. Welche Schuhe? Dies___.

4. Welches Kleid? Dies___.

5. Welche Jacke? Dies___.

6. Welches Halstuch? Dies___.

7. Welcher Schal? Dies___.

8. Welche Stiefel? Dies___.

3 请填上正确的第一格词尾。

Kindergärtnerin: Welch__ Kinder sind denn Ihre Kinder?

Mutter: Das kleine Mädchen da rechts und der blonde Junge da hinten.

Kindergärtnerin: Dies__ Mädchen?

Mutter: Ja. Hallo, Lisa!

Kindergärtnerin: Und welch__ Junge?

Mutter: Dies__ blonde, süße Junge da hinten!

Kindergärtnerin: Oh, dies__ Kind war problematisch.

Welcher?	Dieser!
Welches?	Dieses!
Welche?	Diese!

4 请填上正确的第一格或第四格词尾。

Linda: Welch___ Tasche findest du schöner? Dies__ hier oder dies__ da?

Jette: Ich finde dies__ schöner. Aber welch__ ist auch gut zum Einkaufen?

Linda: Keine. Aber das ist egal. Ich nehme dies__ .

5 (A2) 请填上正确的第三格词尾，并将问句和相对应的答句连线。

Mit welch__ Freundin gehst du ins Kino? 1 ○   ○ A Bei der jungen, netten.

Zu welch__ Arzt gehst du? 2 ○   ○ B Mit Susanne.

Aus welch__ Land kommt Gyros? 3 ○   ○ C Zu Dr. Schneider.

Bei welch__ Lehrerin haben wir Unterricht? 4 ○   ○ D Ich weiß nicht. Aus Frankreich?

Von welch__ Freund hast du das Geschenk? 5 ○   ○ E Dem Kind von meiner Nachbarin.

Welch__ Kind hast du geholfen? 6 ○   ○ F Von Thomas.

6 (A2) In der Klasse. 请填上正确的第一格、第三格或第四格词尾。

Scarlett: Welch_____ Lehrer haben wir heute?

Jun: Dies_____ dicken. Er heißt Herr Weiher, glaube ich.

Scarlett: Und welch_____ Übungen waren die Hausaufgabe?

Jun: Dies_____ hier auf Seite 63. Mit welch_____ Buch hast du früher gelernt?

Scarlett: Mit studio d.

Jun: Welch_____ Buch findest du besser? Dies_____ hier oder studio d?

Scarlett: Beide sind sehr gut. Welch_____ Buch hattest du früher?

Jun: Ich hatte dies_____ hier.

7 (A2) 请填上正确的第一格、第三格或第四格词尾。

der Raum

Antonio: In welch_____ Raum lernen wir heute?

Chen: Ich glaube, wir bleiben in dies_____ hier.

Antonio: Oh, ich mag dies_____ Raum nicht. Es ist so kalt hier.

Chen: Ich bin gerne in dies_____ Raum, weil er groß ist.

Welch_____ Raum findest du gut?

Antonio: Raum 69.

20 Nur mit dir – nie ohne dich
人称代词的第三格和第四格形式
(Personalpronomen: Akkusativ und Dativ) 🔊 21+22

第一格	第四格	第三格
ich	mich	mir
du	dich	dir
er	ihn	ihm
sie	sie	ihr
es	es	ihm
wir	uns	uns
ihr	euch	euch
sie	sie	ihnen
Sie	Sie	Ihnen

Die Frau liebt den Mann. Sie liebt ihn.
Der Mann liebt die Frau. Er liebt sie.
Die Frau geht mit dem Mann. Sie geht mit ihm.
Der Mann geht mit der Frau. Er geht mit ihr.

---

1 请将正确的问句和答句连线。

Magst du die neue Kollegin?	1 ○	○ A	Nein, ich nehme es nicht.
Liebst du den Mann?	2 ○	○ B	Na ja, ich mag dich.
Essen Sie die Spaghetti?	3 ○	○ C	Wir lieben euch!
Liebst du mich?	4 ○	○ D	Nein, ich mag ihn nicht.
Kaufst du das Auto?	5 ○	○ E	Ja, ich nehme sie.
Mögt ihr uns?	6 ○	○ F	Ja, ich mag sie.

2 请用人称代词的第四格形式填空。

In vier Monaten bekommen wir noch ein Baby. Es ist ein Mädchen. Wir lieben _____ (*das Mädchen*)

jetzt schon. Leider ist dann unsere Wohnung zu klein, aber wir mögen _____ (*unsere Wohnung*) sehr.

Und wir brauchen auch ein großes Auto. Mein Mann möchte _____ (*das Auto*) gerne schon jetzt kaufen.

Ich kenne _____ (*meinen Mann*).

3 请用人称代词的第三格形式填空。

1. Der Vater kauft den Kindern ein Eis. Er kauft *ihnen* auch Schokolade.

2. Der Kellner bringt der Dame einen Tee. Er bringt _____ auch ein Stück Torte.

3. Ich bestelle dir und mir eine Pizza. Und ich bestelle _____ zwei Cola.

4. Der Mann schenkt seiner Freundin Blumen. Er schenkt _____ auch einen Ring.

5. Er bezahlt dir und deiner Schwester die Cola. Und er bezahlt _____ das Essen.

6. Der Lehrer gibt den Studenten Hausaufgaben. Er gibt _____ auch einen Test.

4 请用人称代词的第三格形式回答下列问题。

1. Wie geht es Ihnen?
2. Wie geht es Ihrem Vater?
3. Wie geht es Ihrer Mutter?
4. Wie geht es Ihren Eltern?
5. Wie geht es dir?
6. Wie geht es Ihnen und Ihrer Frau?

1. Es geht mir gut.

5 **Im Büro.** 请用人称代词的第三格形式填空。

Chef: Herr Bauer, sagen Sie bitte Herrn Schütz, ich möchte mit_____sprechen. Und mit_____,

Herr Bauer, möchte ich später auch sprechen.

Herr Bauer: Herr Schütz, der Chef möchte mit_____sprechen. Und mit_____später leider auch.

Herr Schütz: Können Sie bitte meine Frau anrufen und ihr_____sagen, ich komme später? Unsere

Freunde wollen heute mit_____ins Theater gehen.

Herr Bauer: Ja, gerne, mache ich. Gehen Sie jetzt zum Chef. Ich muss ja später auch noch zu_____.

6 请参照例句回答下列问题。

1. Gehst du mit mir ins Theater?
2. Fährst du mit deiner Freundin nach Paris?
3. Gehen Sie mit Ihren Kindern ins Schwimmbad?
4. Gehst du mit mir und meinem Bruder ins Kino?
5. Tanzt du mit dem Mädchen?
6. Gehst du mit deinem Freund spazieren?
7. Fahren eure Freunde mit euch in Urlaub?

1. Ja, nur mit dir, nie ohne dich!

7 请用人称代词的第一格、第三格或第四格形式填空。

(A2)

Liebe Ulrike,

ich kann es kaum glauben: Ich habe meinen Traummann getroffen! _____

ist so nett. Ich habe _____ gestern auf einer Party kennengelernt. _____ hat

mich angesehen und ich habe _____ gesehen und – wow!!! Ich habe die

ganze Nacht mit _____ getanzt.

Ich mag _____ so. Und _____ ist auch sehr attraktiv. Er gefällt _____ sehr.

Er hat _____ nach Hause gebracht und _____ nach meiner Telefonnummer

gefragt. Ist _____ nicht süß? Morgen treffe ich _____ wieder!

Ich glaube, ich liebe _____ und er liebt _____.

_____ bin so glücklich!

Ruf _____ mal an!

Deine Julia

Du fragst mich, ich antworte dir.
Ich mag dich, du gefällst mir.
Du brauchst mich, ich helfe dir.
Du hast Zeit? Das passt mir.

21 Ich kaufe meinem Sohn einen Ball
支配双宾语的动词
(Verben mit Akkusativ und Dativ)

A2

支配第四格宾语的动词

trinken 这个动词带了一个主语 (*der Kellner*) 和一个宾语 (*einen Saft*)。宾语为第四格，可以为人或物。
(*Ich liebe mein Kind.*)*

支配双宾语的动词

schenken 这个动词带了一个主语 (*der Mann*), 一个宾语 (*Blumen*) 和一个间接宾语 (*der Frau*)。间接宾语为第三格。这个三格宾语（不带介词）只能为人或动物。

只支配第三格宾语的动词

只支配第三格宾语的动词，将在第22章节中详细介绍。

只支配第一格的动词

Er lacht.
第一格

lachen 这个动词只支配第一格，没有宾语。
这个第一格为主语 (*er*)。
主语可以是人或物。
(*Die Sonne scheint.*)**

词序

	第一格	第三格	第四格
	Die Kellnerin serviert	den Leuten	die Getränke.
Heute bringt	der Chef	den Gästen	das Frühstück.

* 带第四格宾语的动词是及物动词，字典中会标上: V tr. （及物动词）

** 这一类动词叫作不及物动词，字典中标为: V itr. （不及物动词）

---

1 造句，并指出哪些名词是第三格，哪些是第四格。

1. Mann • schreiben • Freundin • E-Mail • .
2. Dr. König • geben • Frau • Tabletten • .
3. Wir • zeigen • Gäste • Haus • .
4. Vater • kaufen • Sohn • Computer • .
5. Mutter • schenken • Tochter • Puppe • .
6. Ich • verkaufen • Freund • Auto • .
7. Er • servieren • Freunde • Kaffee • .
8. Sie • kochen • Kind • Suppe • .

die Freundin – die Tabletten (*Pl.*) –
die Gäste (*Pl.*) – das Haus – der Vater –
der Sohn – der Computer – die Mutter –
die Tochter – die Puppe – der Freund –
das Auto – die Freunde (*Pl.*) –
der Kaffee – das Kind – die Suppe

1. Der Mann schreibt der Freundin eine E-Mail.

2 请将下面一段话中的第一格（主语）用黑色标出，第四格（宾语）用蓝色标出，第三格用红色标出。

Ich gehe jetzt ins Kaufhaus. Da kaufe ich meiner Frau einen Ring und meinem Sohn schenke ich einen Ball und meinem Töchterchen eine Puppe. Meinen beiden Kindern kaufe ich Süßigkeiten. Ich liebe meine Familie. Im Internet-Café schreibe ich dann meinem Vater eine E-Mail. Dann gehe ich ins Kino. Ich mag Filme sehr.

3 请将动词按要求归类。

> kochen · s̶c̶h̶e̶n̶k̶e̶n̶ · kaufen · servieren · essen · kommen · trinken · verkaufen ·
> lachen · wohnen · schlafen · gehen · lesen · geben · treffen · lieben · besuchen · haben ·
> möchten · sein · finden · bringen · zeigen

只含主语 (无宾语)	含主语和一个宾语	含主语和两个宾语
		schenken

4 **Weihnachten.** 请填上正确的冠词词尾。

Am 24. 12. kommt in Deutschland d__ Weihnachtsmann. Er bringt d__ Kinder__

d__ Geschenke. D__ Eltern schenkt er manchmal auch etwas. D__ Kinder

möchten d__ Weihnachtsmann gerne sehen, aber meistens kommt er heimlich

und legt d__ Geschenke unter den Weihnachtsbaum. Oft schenkt er d__ Kinder__

Spielsachen, d__ Vater ein__ Krawatte und d__ Mutter ein__ Flasche Parfüm.

D__ Kinder packen d__ Geschenke aus und spielen gleich mit den neuen Sachen.

Am 25.12. besucht d__ Familie oft d__ Großeltern. D__ Großmutter kocht dann

ein__ gutes Essen und die Kinder zeigen d__ Großeltern d__ neuen Geschenke.

der Weihnachtsmann

5 **Vaters Geburtstag.** 请填上正确的冠词词尾。

Mein__ Vater hat Geburtstag. Ich schenke mein__ Vater ein__ Fernseher. Mein__ Vater ist glücklich.

Er findet d__ Fernseher super! Mein__ Schwester gibt mein__ Vater ihr__ schönstes Foto und mein__

Mutter schenkt ihr__ Mann ein__ Krawatte. Am Nachmittag kommen d__ Gäste. D__ Gäste besuchen

mein__ Vater. Ich serviere d__ Gästen d__ Kaffee. Mein__ Schwester kauft ein__ Kuchen. D__ Gäste trinken

d__ Kaffee. D__ Kuchen ist wunderbar. Mein__ Vater trägt sein__ neue Krawatte. Um 20 Uhr gehen d__

Gäste nach Hause. Mein__ Schwester bringt mein__ Vater mit dem Auto ins Restaurant. Er trifft sein__

Freunde im Restaurant. Mein__ Mutter räumt d__ Wohnung auf. Um 24 Uhr holt mein__ Mutter mein__

Vater im Restaurant ab.

6 **Ein Geschenk.** 请填上正确的人称代词。

Mein Bruder hat morgen Geburtstag. Ich mag _____ sehr. Deshalb möchte ich _____ ein schönes Geschenk

kaufen. Im Geschäft suche ich die Verkäuferin und frage _____: „Haben Sie sehr gute Herrenuhren?"

Die Verkäuferin sagt: „Ich zeige _____ ein paar schöne Herrenuhren."

Die Uhren sind sehr schön. Ich kaufe eine wunderbare Uhr und bezahle _____ an der Kasse.

Morgen fahre ich zu meinem Bruder und gebe _____ die Uhr.

Ich helfe dir, du dankst mir

支配第三格宾语的动词 (Verben mit Dativ) 🔊 23

支配第三格宾语的动词

主语 —— 动词 —— 人

Der Mann | gratuliert | der Frau.

第一格 —— 第三格

Herzlichen Glückwunsch!

这类动词不像第21章中的动词那么有逻辑，只带主语和第三格宾语，须强记。
同类词: *antworten, gratulieren, helfen, zuhören, glauben, danken.*

主语 —— 动词 —— 人

Die Torte | schmeckt | der Frau.

第一格 —— 第三格

在使用这类动词时，人是第三格宾语，物为第一格主语。
同类词: *gefallen, gehören, passen, schmecken, stehen*（风格、颜色）*, wehtun.*
同样人是第三格，物为第一格的表达有: *Es tut mir leid.*
Wie geht es Ihnen?

---

1 请结合图片用给出的词造句。

1. Mann · antworten · Frau · .

Der Mann antwortet der Frau.

2. Mann · gratulieren · Frau · .

_____

3. Kind · helfen · Mann · .

_____

4. Kinder · zuhören · Oma · .

_____

2 请参照例句用给出的词造句。
1. Haus · gefallen · Leute · .
2. Wein · schmecken · Mann · nicht · .
3. Schuhe · passen · Frau · gut · .
4. Auto · gehören · Chef · .
5. Jacke · stehen · Mädchen · nicht gut · .
6. Film · gefallen · Freunde · .
7. Kopf · wehtun · Frau · .

1. Das Haus gefällt den Leuten.

der Wein – der Mann –
die Schuhe (Pl.) – die Frau –
das Auto – der Chef – die Jacke –
das Mädchen – der Film –
die Freunde (Pl.) – der Kopf

3 请用 *antworten, gratulieren, helfen* 或 *zuhören* 写出合适的句子。

1. Ich frage den Mann. Er _____.

2. Anastasia hat Geburtstag. Wir _____.

3. Du hast Probleme. Ich _____.

4. Der Vater erzählt eine Geschichte. Die Kinder _____.

4 请参照例句作出回应。

1. Ich habe einen Fehler gemacht.
2. Mein Sohn hat einen Fehler gemacht.
3. Meine Eltern haben einen Fehler gemacht.
4. Meine Tochter hat einen Fehler gemacht.
5. Du hast einen Fehler gemacht.
6. Wir haben einen Fehler gemacht.
7. Mein Kind hat einen Fehler gemacht.
8. Ihr habt einen Fehler gemacht.

> 1. Es tut mir leid.
>
> 2. Es tut …

5 请从方框里选出合适的动词改写以下句子。

schmecken • wehtun • gehören • gefallen • schlecht gehen • passen • ~~passen~~

1. Morgen Abend habe ich keine Zeit.
2. Wir finden Frankfurt schön.
3. Ulrike ist krank.
4. Die Suppe ist wunderbar!
5. Das ist nicht meine Uhr.
6. Die Hose ist zu klein.
7. Ich habe Halsschmerzen.

> 1. Morgen Abend passt es mir nicht.

6 请用人称代词的第一格、第三格或第四格形式填空。

Das ist Clemens. _____ ist süß. Ich finde _____ wunderbar. Er gefällt _____ sehr. _____ sieht toll aus.

Jede Farbe steht _____. Manchmal rufe ich _____ an und frage _____ etwas. Ich höre _____ immer zu.

Ich antworte _____ auch immer sofort. Wenn ich kann, helfe ich _____. Wenn er Zeit hat, passt _____ der

Termin immer. Ich liebe _____. Seine Küsse schmecken _____ so gut!

7 请用给出的词造句。注意各名词在句中的格。

1 a. Mann (*der*) • Frau (*die*) • Blumen (*Pl.*) • schenken • .   b. Blumen (*Pl.*) • Frau • gefallen • .

2 a. Ober (*der*) • Gäste (*Pl.*) • Essen (*das*) • servieren • .   b. Gäste (*Pl.*) • schmecken • Essen (*das*) • .

3 a. Chef (*der*) • Sekretärin (*die*) • fragen • .   b. Sekretärin (*die*) • Chef (*der*) • antworten • .

4 a. Mädchen (*das*) • Freund (*der*) • E-Mail (*die*) • schreiben • .   b. Freund (*der*) • Brief (*der*) • lesen • .

5 a. Mutter (*die*) • Kind (*das*) • Jacke (*die*) • kaufen • .   b. Jacke (*die*) • Kind (*das*) • passen • .

6 a. Vater (*der*) • Sohn (*der*) • Fahrrad (*das*) • reparieren • .   b. Sohn (*der*) • Vater (*der*) • helfen • .

7 a. Fuß (*der*) • Mann (*der*) • wehtun • .   b. Arzt (*der*) • Mann (*der*) • helfen • .

请和搭档共同完成。
A使用第56页，B使用第57页。
红色: 请用给出的词造句。
灰色: 请协助搭档完成并纠正对方。

例

Mann • lieben • Frau • sehr.
造句:

> *Der Mann liebt die Frau sehr.*

---

1. Mann • lieben • Frau • sehr

2. Die Frau liebt den Mann auch sehr.

3. Frau • schenken • Mann • Hund

4. Der Mann findet den Hund süß.

5. Hund • finden • Mann • richtig sympathisch

6. Der Mann küsst die Frau.

7. Hund • geben • Mann • Kuss

8. Die Frau lädt Freunde ein.

9. Freunde • besuchen • Frau und Mann

10. Die Frau und der Mann zeigen den Freunden den Hund.

11. Hund • gefallen • Freunden

12. Die Freunde gratulieren dem Mann und der Frau.

13. Am Abend • servieren • Frau • Gäste • Schnitzel

14. Das Schnitzel schmeckt dem Hund sehr gut.

15. Mann • möchten • Frau • Geschenk • geben

16. Der Mann kauft der Frau eine Katze.

17. Katze • gefallen • Frau • gut

18. Die Katze gefällt dem Hund nicht.

19. Katze • wehtun • Hund

20. Der Hund beißt die Katze.

21. Frau • danken • Mann

> die Frau – der Mann – der Hund –
> der Kuss – die Freunde (*Pl.*) –
> die Gäste (*Pl.*) – das Schnitzel –
> das Geschenk – die Katze

请和搭档共同完成。
A使用第56页，B使用第57页。
红色：请用给出的词造句。
灰色：请协助搭档完成并纠正对方。

例

Der Mann liebt die Frau sehr.
根据给出的正确句子校正搭档的答案：

> Das ist korrekt.

- -

1. Der Mann liebt die Frau sehr.

2. Frau • lieben • Mann • auch sehr

3. Die Frau schenkt dem Mann einen Hund.

4. Mann • finden • Hund • süß

5. Der Hund findet den Mann richtig sympathisch.

6. Mann • küssen • Frau

7. Der Hund gibt dem Mann einen Kuss.

8. Frau • einladen • Freunde

9. Die Freunde besuchen die Frau und den Mann.

10. Frau und Mann • zeigen • Freunde • Hund

11. Der Hund gefällt den Freunden.

12. Freunde • gratulieren • Mann und Frau

13. Am Abend serviert die Frau den Gästen ein Schnitzel.

14. Schnitzel • schmecken • Hund • sehr gut

15. Der Mann möchte der Frau ein Geschenk geben.

16. Mann • kaufen • Frau • Katze

17. Die Katze gefällt der Frau gut.

18. Katze • gefallen • Hund • nicht

19. Die Katze tut dem Hund weh.

20. Hund • beißen • Katze

21. Die Frau dankt dem Mann.

die Frau – der Mann – der Hund –
der Kuss – die Freunde (Pl.) –
die Gäste (Pl.) – das Schnitzel –
das Geschenk – die Katze

23 Ich war, ich hatte

sein 和 *haben* 的过去时 (Präteritum: *sein* und *haben*) 🔊 24

过去时 （昨天，以前， 1979年，16岁）			现在时 （今天，现在， 35岁）	
Ich war ledig. Ich hatte keine Kinder und viel Zeit.			Ich bin verheiratet. Ich habe vier Kinder und keine Zeit.	

	sein	haben	sein	haben
ich	war	hatte	bin	habe
du	warst	hattest	bist	hast
er, sie, es, man	war	hatte	ist	hat
wir	waren	hatten	sind	haben
ihr	wart	hattet	seid	habt
sie, Sie	waren	hatten	sind	haben

sein 和 *haben* 用于叙述已经发生的事时通常使用过去时。

---

1 Tim war krank. 请用 *sein* 或 *haben* 的过去时填空。

Denis: Hallo Tim, wo _____ (*sein*) du denn gestern?

Tim: Ich _____ (*sein*) zu Hause. Ich _____ (*sein*) krank.

Denis: Wir _____ (*haben*) gestern einen neuen Lehrer. Wir _____ (*haben*) viel Spaß.

Tim: Und _____ (*haben*) ihr gestern Nachmittag Sport?

Denis: Ja, wir _____ (*sein*) auf dem Sportplatz.

2 请将合适的句子成分连接成句。

Ich Thomas Herr und Frau Müller Ihr Du Meine Schwester und ich	**hatten** **hatte** **waren** **wart** **war** **warst**	keine Zeit. müde. Probleme. im Büro. in Paris. eine Party.

3 请用 *sein* 或 *haben* 的过去时填空。

Anna: Hallo, Marion. Wo _____ (*sein*) du denn am Freitag? _____ (*haben*) du Urlaub?

Marion: Nein, ich _____ (*sein*) zu Hause. Meine beiden Kinder _____ (*sein*) krank.

Sie _____ (*haben*) Fieber.

Anna: _____ (*sein*) ihr beim Arzt?

Marion: Ja, wir _____ (*sein*) beim Arzt. Und du? _____ (*haben*) ihr viel Arbeit im Büro?

Anna: Nein, ich _____ (*haben*) nicht so viel Arbeit. Der Chef _____ (*sein*) nicht da. Er

_____ (*haben*) einen Termin in Rom. Wir _____ (*haben*) also keinen Stress.

4 Eine Liebesgeschichte. 现在时还是过去时？请划去错误的时态。

Früher war / ~~bin~~ ich Single. Ich habe / hatte oft eine Freundin, aber nie lange. Jetzt war / bin

ich verheiratet. Meine Frau ist / war aus Korea. In Korea ist / war sie Sekretärin. Wir sind / waren

2008 zusammen in Seoul. Wir sind / waren dann sofort gute Freunde. Heute sind / waren wir ein Paar.

Wir sind / waren jetzt glücklich!

5 Urlaub in München. 请用 *sein* 或 *haben* 的过去时（13x）或现在时（2x）填空。

(A2)

1. Gestern ___waren___ wir in München.

2. Zum Glück_____das Wetter schön.

3. Wir_____überhaupt keinen Regen und wir_____auch keinen Schirm.

4. Ich_____bei meiner Tante.

5. Sie_____extra einen Tag Urlaub für mich!

6. Mein Freund_____im Museum. Er sagt, es_____sehr interessant da.

7. Aber ich_____gestern keine Zeit für das Museum.

8. Am Abend_____wir wieder zusammen. Mein Freund_____müde. Ich_____wach.

9. Am Dienstag_____wir wieder in Frankfurt, und heute, am Mittwoch_____ich wieder im Büro.

10. Aber ich_____keine Lust.

6 请将下列句子改写成过去时。

(A2)

1. Heute habe ich vier Kinder.
2. Heute bin ich alt.
3. Heute haben wir Autos.
4. Heute haben wir viel Geld.
5. Heute hat er ein Haus.
6. Heute haben die Kinder einen Computer.
7. Heute sind viele Leute allein.
8. Heute hast du eine Familie.
9. Heute habt ihr Geld.
10. Heute ist sie glücklich.
11. Heute habe ich keine Zeit.
12. Heute ist der Mann alt.
13. Heute hat man ein Handy.

> 1. Früher hatte ich keine Kinder.
>
> 2. Früher war ich jung.

7 Waren Sie auf dem Meeting? 请选择正确的动词填空。

(A2)

waren · ~~Waren~~ · hatten · hatten · hatte · war · war

Herr Meier: Guten Morgen, Herr Müller. ___Waren___ Sie gestern auf dem Meeting?

Herr Müller: Ja, es _____ sehr interessant.

Wir _____ eine lange Diskussion.

Wo _____ Sie denn gestern?

Herr Meier: Ich _____ auf Geschäftsreise.

Ich _____ ein Meeting in London.

Die Kollegen _____ dort Probleme.

Heute bin ich alt.
Früher war ich jung.
Heute habe ich fünf Kinder.
Früher hatte ich keine Kinder.

24 Was hast du gestern gemacht?

haben 引导的现在完成时 (Perfekt mit *haben*) 🔊 25–27

现在完成时 （一小时前，昨天， 两周前，五年前）	现在时 （现在，今天）
Was hast du gestern gemacht? Ich habe zehn Stunden gearbeitet. Dann habe ich ein Brot gegessen. Ich habe auch einen Tee getrunken. Dann habe ich geschlafen.	Was machst du heute? Heute arbeite ich nicht. Ich esse im Restaurant. Ich trinke ein Glas Rotwein. Dann gehe ich tanzen. Heute ist mein Geburtstag!

大多数动词在描述过去发生的事时用现在完成时。
现在完成时由 *haben* + 过去分词构成。

	第二位		句末 过去分词
Was	hast	du gestern	gemacht?
Ich	habe	zehn Stunden	gearbeitet.
Dann	habe	ich ein Brot	gegessen.
	Hast	du auch Tennis	gespielt?

1 请用给出的句子成分造句。

1. Er • am letzten Wochenende • hat • gearbeitet • .
2. gesehen • Ich • habe • meine Freunde lange nicht • .
3. Was • du • getrunken • hast • ?
4. ihr • Habt • gelesen • schon die Zeitung • ?
5. verstanden • die Grammatik • Sie • Haben • ?
6. Wir • gefragt • haben • ihn noch nicht • .

2a **Das war gestern.** 请写出句中动词的不定式形式。

1. Er hat ein Mineralwasser getrunken.　　*trinken* _____

2. Er hat gestern mit Freunden Deutsch gelernt.　　_____

3. Sie hat gestern die Zeitung gelesen.　　_____

4. Sie haben zusammen einen Film gesehen.　　_____

5. Dann haben sie im Restaurant gegessen und getrunken.　　_____

2b **Und heute?** 请将2a中的句子改写为现在时。

> 1. Heute trinkt er auch ein Mineralwasser.

3 请选择名词回答问题。

> ~~eine Pizza~~ • einen Kaffee • eine Zeitung • einen Film • das Wort

1. Was haben Sie gegessen?   Ich habe eine Pizza gegessen.

2. Was haben Sie getrunken?   _____

3. Was haben Sie gelesen?   _____

4. Was haben Sie gesehen?   _____

5. Was haben Sie nicht verstanden?   _____

4 请用现在完成时造句。

1. lesen: er • eine Anzeige in der Zeitung
2. telefonieren: er • mit der Frau
3. treffen: er • am Samstag • die Frau
4. trinken: sie (*Pl.*) • in einem Café einen Cocktail
5. essen: sie (*Pl.*) • viel
6. bezahlen: er • alles
7. sagen: sie „Danke schön"
8. wiedersehen: er • sie • nicht
9. lesen: er • keine Anzeigen in der Zeitung mehr

> lesen – gelesen
> telefonieren – telefoniert
> treffen – getroffen
> trinken – getrunken
> essen – gegessen
> bezahlen – bezahlt
> sagen – gesagt
> wiedersehen – wiedergesehen

5 请用动词的现在完成时形式填空。

> kennenlernen – kennengelernt
> treffen – getroffen
> essen – gegessen
> trinken – getrunken
> fragen – gefragt
> schlafen – geschlafen

Liebe Marie,

wie geht es dir? Mir geht es fantastisch.

Ich _____ gestern einen tollen Mann _____.

Ich _____ ihn in der Kantine _____.

Wir _____ zusammen _____ und

dann _____ wir noch einen Kaffee _____.

Er _____ mich _____: „Was machen Sie morgen

Abend?"

Ich _____ die ganze Nacht nicht _____.

Morgen schreibe ich dir mehr!!

Alles Liebe

Larissa

Ich bin gekommen, ich habe gelacht

sein 引导的现在完成时 (Perfekt mit *sein*) 28+29

大多数动词的现在完成时是由 *haben* 引导的:
ich habe gearbeitet, ich habe gegessen, ich habe geschlafen.
只有少数动词的现在完成时是由 *sein* 引导的。

sein 引导的现在完成时

发生位移	状态发生改变
Ich bin aufgestanden.	Ich bin aufgewacht.
Ich bin zur Arbeit gegangen.	Ich bin gewachsen.

abfahren, fliegen, abfliegen, gehen, ankommen, kommen, aufstehen, laufen, aussteigen, mitkommen, ausziehen, schwimmen, einsteigen, umsteigen, einziehen, umziehen, fahren, wandern, fallen

aufwachen, einschlafen, explodieren, passieren, sterben, werden

⚠ *sein:* ich bin gewesen
bleiben: ich bin geblieben

---

1 **Besuch aus London.** 请用 *sein* 的正确形式填空。

Vor einer Woche _____ ein Kollege aus London gekommen. Sein Flugzeug _____

um 16 Uhr gelandet und ich _____ pünktlich da gewesen. Wir _____ zusammen im Taxi

in die Firma gefahren.

Da _____ etwas passiert. Der Kollege _____ auf der Treppe gefallen. Wir _____

dann gleich mit dem Taxi weiter ins Krankenhaus gefahren. Da _____ wir drei Stunden geblieben

und wir _____ erst nach 18 Uhr zurück in die Firma gekommen. Deshalb _____ der Kollege

noch einen Tag länger hier geblieben.

2   Urlaub in Rom. 请将合适的句子成分连接成句。

Ich	**bin** **habe**	nach Rom geflogen. im Hotel gewohnt. Spaghetti gegessen. das Collosseum gesehen. jeden Tag früh aufgestanden. im Vatikan gewesen. eine Woche geblieben. viel Spaß gehabt. jeden Tag drei bis vier Stunden gelaufen. 20 Postkarten geschrieben. oft Taxi gefahren. viele Souvenirs gekauft.

3   **Ein Tag im Büro.** 请用 *sein* 或 *haben* 的正确形式填空。

Letzte Woche _____ ich um 8 Uhr ins Büro gekommen und ich _____ mit der Arbeit angefangen. In der Mittagspause _____ ich zum Essen gegangen und _____ mit Kollegen gesprochen. Am Nachmittag _____ ich zu einem Kunden gefahren. Ich _____ eine Stunde dort geblieben. Dann _____ ich bis 18 Uhr im Büro gearbeitet.

4   **Ein Drama.** 请用 *sein* 或 *haben* 的正确形式填空。

Gestern _____ etwas Dramatisches passiert. Ich _____ geduscht und gefrühstückt und dann _____ ich aus dem Haus gegangen. Vor der Tür _____ ich gesehen: Ich _____ meinen Schlüssel im Haus vergessen! Aber das Fenster im Bad war ein bisschen offen! Also _____ ich durch das Fenster ins Haus gestiegen. In dem Moment _____ ein Polizeiauto gekommen. Die Polizisten _____ mich im Fenster gesehen.

Ich _____ lange mit den Polizisten gesprochen und die Situation erklärt.

Ein Polizist _____ dann die Tür geöffnet und ich _____ meinen Schlüssel geholt und _____ schnell zur Arbeit gefahren. Aber natürlich _____ ich zu spät gewesen.

5   **Ankunft auf Hawaii.** 请用现在完成时造句。
1. machen: letztes Jahr • wir • drei Wochen Urlaub • auf Hawaii • .
2. starten: das Flugzeug • um 8 Uhr • in Frankfurt • .
3. ankommen: wir • um 15 Uhr • in Hawaii • .
4. fahren: wir • gleich • ins Hotel • .
5. auspacken: wir • unsere Koffer • .
6. gehen: ins Bett • wir • dann • .
7. aufwachen: wir • nach vier Stunden • .
8. besichtigen: wir • dann • die Stadt • .
9. essen: in einem schönen Restaurant • wir • .

Gesehen – eingekauft – bezahlt
过去分词 (Partizip Perfekt) 30

	规则动词：以 -t 结尾		不规则动词：以 -en 结尾	
普通动词	kaufen	ge___t gekauft	stehen	ge___⚠___en gestanden
可分动词	einkaufen	___ge___t eingekauft	aufstehen	___ge___⚠___en aufgestanden
不可分动词	verkaufen	_____t verkauft	verstehen	___⚠___en verstanden
以 -ieren 结尾的动词	telefonieren	_____iert telefoniert		

不可分前缀：*be-, emp-, ent-, er-, ge-, ver-, zer-*

不规则动词在构成过去分词时元音会发生变化：

nehmen – genommen, gehen – gegangen, schreiben – geschrieben

有些动词既以 -t 结尾又有元音变化：

denken – gedacht, bringen – gebracht, kennen – gekannt, wissen – gewusst

---

1　请写出下列过去分词的不定式形式。

1. abgeholt – *abholen*
2. angekommen – _____
3. angefangen – _____
4. ausgestiegen – _____
5. bekommen – _____
6. gedacht – _____
7. eingeladen – _____

8. empfohlen – _____
9. gegessen – _____
10. geflogen – _____
11. gefallen – _____
12. gewonnen – _____
13. gekannt – _____
14. gelaufen – _____

15. mitgebracht – _____
16. genommen – _____
17. geschlafen – _____
18. geschwommen – _____
19. getrunken – _____
20. gesehen – _____
21. verloren – _____

2　请写出下列动词的过去分词的前半部分。注意区分可分前缀与不可分前缀。

1. anrufen – *ange* rufen
2. einsteigen – _____stiegen
3. antworten – _____antwortet
4. aufmachen – _____macht
5. bringen – _____bracht
6. entschuldigen – _____schuldigt

7. versuchen – _____sucht
8. waschen – _____waschen
9. geben – _____geben
10. bestellen – _____stellt
11. erzählen – _____zählt
12. umziehen – _____zogen

3 请用括号内动词的过去分词形式填空。

Letztes Jahr habe ich in Heidelberg _____ (*studieren*).

Im Sommer bin ich mit drei Freunden im Auto nach

München gefahren. Unterwegs ist etwas _____ (*explodieren*).

Der Reifen war kaputt! Wir haben _____ (*diskutieren*),

was wir jetzt machen. Ein Freund hat dann _____ (*probieren*)

den Reifen zu wechseln. Und er hat wirklich das Auto _____ (*reparieren*)!

der Reifen

Wir haben ihm _____ (*gratulieren*) und sind gut in München angekommen.

4 请将下列动词按照过去分词的构成方式归类。

> ~~besuchen~~ · kommen · abfliegen · fernsehen · ausmachen · arbeiten ·
> beginnen · diskutieren · fahren · fragen · anklicken · vergessen

ge………t	….ge……..t	……………t	ge…………en	….ge……..en	……………en
_____	*besucht*	_____	_____	_____	_____
_____	_____	_____	_____	_____	_____
_____	_____	_____	_____	_____	_____

5 **Meine Reise nach China.** 请用括号内动词的过去分词形式填空。

2010 habe ich eine Reise nach China _____ (*machen*).

Ich habe an einer Gruppenreise _____ (*teilnehmen*).

Wir sind elf Stunden nach Peking _____ (*fliegen*).

Wir haben im Flugzeug schlecht _____ (*schlafen*)

und sind morgens um 7 Uhr _____ (*ankommen*).

Wir waren total kaputt!

Dann sind wir mit dem Bus ins Hotel _____ (*fahren*)

und haben unsere Koffer _____ (*auspacken*). Aber

eine Stunde später sind wir schon wieder _____ (*los-fahren*) und haben den Kaiserpalast _____ (*besichti-gen*). Er ist sehr groß und wunderschön. Wir sind zwei Stunden

durch den Palast _____ (*laufen*). Dann haben wir

Pause _____ (*machen*) und zu Mittag _____ (*essen*).

Aber danach sind wir auf den Tian-an-men-Platz _____ (*gehen*) und haben Mao _____ (*ansehen*). Vor dem Mausoleum haben wir 30 Minuten _____ (*warten*). In der Nähe haben wir ein

paar Souvenirs _____ (*einkaufen*) und haben typisch chinesische Peking-Ente _____ (*probieren*). Sehr lecker!

Nach dem Abendessen haben wir dann noch eine Peking-Oper _____ (*besuchen*) und ich bin fast _ (*einschlafen*). Ich weiß nicht mehr, wie ich ins Hotel _____ (*zurückkommen*) bin. Ich war sehr

müde, aber Peking ist toll!

27 Ich konnte, ich musste, ich wollte

情态动词的过去时 (Präteritum: Modalverben)

过去时 （昨天，以前，1979年，16岁）	现在时 （今天，现在，35岁）
Ich war ledig und hatte keine Kinder und viel Zeit.	Ich bin verheiratet, ich habe vier Kinder und habe keine Zeit.
Ich musste nie kochen.	Ich muss jeden Tag kochen.
Ich konnte jeden Tag ins Kino gehen.	Ich kann nicht oft ins Kino gehen.
Ich durfte keinen Alkohol trinken.	Ich darf keine Schokolade essen. (Ich bin dick!)
Ich wollte keine Kinder.	Ich möchte noch ein Kind.
Ich wollte nie Mutter sein.	Ich will eine gute Mutter sein.
Ich sollte viel lernen (hat mein Vater gesagt).	Ich soll viel Sport machen (sagt mein Arzt).

	können	müssen	dürfen	wollen	sollen	词尾
ich	konnte	musste	durfte	wollte	sollte	-te
du	konntest	musstest	durftest	wolltest	solltest	-test
er, sie, es, man	konnte	musste	durfte	wollte	sollte	-te
wir	konnten	mussten	durften	wollten	sollten	-ten
ihr	konntet	musstet	durftet	wolltet	solltet	-tet
sie, Sie	konnten	mussten	durften	wollten	sollten	-ten

⚠ *möchten* 没有过去时形式: *Heute möchte ich einen Wein. Gestern wollte ich ein Bier.*

---

1 Meine Kindheit. 请用给出的情态动词的过去时形式填空。

Gerda: Hattest du eine schöne Kindheit?

Ilse: Ja, sehr. Ich _____ (*müssen*) nie im Haushalt helfen und _____ (*dürfen*) so viel Eis

essen, wie ich _____ (*wollen*). Und du, _____ (*müssen*) du im Haushalt helfen?

Gerda: Ja, aber ich _____ (*dürfen*) auch oft machen, was ich _____ (*wollen*).

_____ (*müssen*) du viel für die Schule lernen?

Ilse: Ja, ich _____ (*sollen*) studieren, also _____ (*sollen*) ich viel lernen. Mein Vater

_____ (*wollen*) früher studieren, aber er _____ (*dürfen*) nicht, weil seine Eltern nicht

genug Geld hatten. Also _____ (*wollen*) mein Vater, dass ich studiere. Aber ich _____

(*wollen*) immer spielen oder ins Schwimmbad gehen.

Gerda: Wann _____ (*können*) du schwimmen?

Ilse: Ich _____ (*können*) erst mit sechs Jahren schwimmen, aber meine kleine Schwester _____

(*können*) schon mit drei Jahren schwimmen. Wir _____ (*wollen*) jeden Tag ins Schwimmbad

gehen, aber wir _____ (*dürfen*) nur einmal pro Woche gehen.

2 Sprachenlernen für den Job. 请选择合适的情态动词，并用它的正确形式填空。

Letztes Jahr _____ (*können/wollen*) ich in der Exportabteilung arbeiten, aber ich _____

(*dürfen/müssen*) nicht, weil ich kein Französisch _____ (*wollen/können*). Wir arbeiten nämlich mit

Frankreich zusammen. Deshalb _____ (*müssen/können*) ich Französisch lernen.

Zuerst musste ich zwei Mal pro Woche in der Firma lernen. Nach zwei Monaten _____ (*dürfen/*

können) ich noch nicht viel Französisch. Also _____ (*können/müssen*) ich einen Sprachkurs in

Frankreich machen. Ich musste zwei Wochen Urlaub nehmen, dann _____ (*wollen/können*) ich

nach Paris fahren.

Im Sprachkurs _____ (*dürfen/müssen*) ich jeden Tag Hausaufgaben machen. Ich _____

(*müssen/wollen*) gern alle Sehenswürdigkeiten in und um Paris besichtigen, aber das _____

(*können/müssen*) ich nicht, weil ich nicht genug Zeit hatte.

Nach zwei Wochen _____ (*dürfen/können*) ich viel sprechen und verstehen und ich _____

(*dürfen/müssen*) dann auch in der Exportabteilung arbeiten.

3 Heinrich und sein Freund. 请参照例句用过去时写出意思相反的句子。

1. *Heinrichs Freund sagt:* Jetzt, mit 65, **musst** du nicht mehr arbeiten.

   Aber noch vor drei Monaten *musstest du arbeiten.*

2. Du **kannst** jetzt jeden Tag lang schlafen.

   Aber früher _____ .

3. *Heinrich sagt:* Meine jüngste Enkelin **kann** jetzt, mit sechs, schon lesen.

   Aber letztes Jahr, mit fünf Jahren, _____ .

4. Jetzt ist meine älteste Enkelin schon 21 und **kann** Auto fahren.

   Aber vor drei Jahren _____ .

5. Und mein Enkel **darf** jetzt, mit 18 Jahren, heiraten.

   Letztes Jahr _____ .

6. *Heinrich sagt:* Heute **möchte** ich gar nicht mehr rauchen.

   Aber früher _____ .

7. Und seit 2007 **dürfen** die Gäste im Restaurant nicht mehr rauchen.

   Aber bis 2006 _____ .

8. *Heinrichs Freund sagt:* Jetzt, mit 65, **willst** du viel Schokolade essen.

   Und früher _____ .

Heute **möchte** ich einen Wein, gestern **wollte** ich ein Bier.

28 Gestern hatte ich Durst und habe Saft getrunken

时态 (Zeitengebrauch)

A2

不定式	过去 （昨天，去年，1979年）		现在和将来 （现在，今天，明天，明年）
	过去时	现在完成时	现在时
arbeiten fahren	ich arbeitete ich fuhr	ich habe gearbeitet ich bin gefahren	ich arbeite ich fahre
sein haben	ich war ich hatte	ich bin gewesen ich habe gehabt	ich bin ich habe
müssen können wollen dürfen sollen	ich musste ich konnte ich wollte ich durfte ich sollte	ich habe (machen) müssen ich habe (machen) können ich habe (machen) wollen ich habe (machen) dürfen ich habe (machen) sollen	ich muss ich kann ich will ich darf ich soll

（几乎）所有动词在描写过去发生的事时使用的都是现在完成时。

助动词 *sein* 和 *haben* 及情态动词在口语中常用过去时。

在书信及电子邮件中使用的也是现在完成时。

动词 *geben*, *wissen* 和 *brauchen* 常用过去时: *es gab, wir brauchten, ich wusste*.

*叙述将来的事时常常用现在时。

---

1 **Meine Kindheit.** 请判断以下各句中所使用的时态。

Ich habe zwei Geschwister. 现在时

Ich war nie im Kindergarten.

Ich hatte oft Streit mit meiner großen Schwester.

Ich bin gerne in die Schule gegangen,

denn da war es nicht so langweilig wie zu Hause.

Mit sieben Jahren konnte ich lesen und schreiben

und von da an habe ich immer viel gelesen.

Ich habe auch mit meinen Freunden gespielt,

aber ich habe nicht so gerne Sport gemacht.

Ich wollte Journalistin werden,

aber nach Meinung meines Vaters sollte ich Apothekerin werden.

Heute bin ich Lehrerin.

2 Umzug. 过去时还是现在完成时？请用括号内动词的正确形式填空。

Gestern _____ ich bei meinen Freunden (*sein*).

Ich _____ ihnen beim Umzug helfen (*wollen*).

Vorher _____ sie ein kleines Haus (*haben*).

Letzten Monat _____ sie ein großes Haus _____

(*kaufen*). Wir _____ viele Möbel tragen (*müssen*).

Am Abend _____ wir fertig (*sein*).

Dann _____ wir zusammen _____ (*essen*) und _____ (*trinken*).

Um 22 Uhr _____ ich nach Hause _____ (*fahren*). Ich _____

todmüde (*sein*). Ich _____ gleich _____ (*schlafen*).

3 Ein freier Tag. 请将以下文字改写为过去发生的事。
Heute bin ich glücklich. Ich muss nicht arbeiten. Ich habe Zeit und ich kann machen, was ich will.
Ich rufe meine Freundin an. Sie besucht mich.
Dann kaufen wir zusammen ein. Danach machen wir einen Spaziergang am Main und essen in einem schönen Restaurant. Am Abend sehen wir uns noch einen Film im Kino an.
Im Bett lese ich noch ein bisschen, dann schlafe ich.

Gestern ...

4 Ein Urlaub dieses Jahr und letztes Jahr. 请用正确的时态完成下面的故事。

过去：过去时或现在完成时	现在：现在时
Letztes Jahr _____ _____	Dieses Jahr möchten wir im Urlaub nach Kanada fahren.
Wir sind nach Toronto geflogen und zwei Wochen da geblieben.	Wir _____
Wir _____ _____	Wir haben Glück, denn wir haben Freunde in Toronto.
Wir _____	Wir können bei ihnen übernachten und müssen kein Hotel bezahlen.
Deshalb konnten wir dann noch eine Woche Urlaub in New York machen.	Deshalb _____ _____
Dort _____ _____	Dort besichtigen wir viele Museen und gehen abends aus.
Mein Mann war gerne in Kneipen und mir haben die Museen Spaß gemacht.	Mein Mann _____ _____
Und _____	Und ich kaufe in New York natürlich ein!
Wir _____ _____	Wir kommen am Samstag zurück und leider muss ich am Montag wieder arbeiten.

Sie wäscht sich

反身动词〔Reflexive (und reziproke) Verben〕 32

反身代词	
ich wasche	mich
du wäschst	dich
er, sie, es, man wäscht	sich
wir waschen	uns
ihr wascht	euch
sie, Sie waschen	sich

Sie wäscht sich.

Sie wäscht es (das Baby).

第三人称的反身代词形式特殊，为 *sich*。其余的反身代词均与第四格人称代词同形。

Er rasiert sich.

Sie schminkt sich.

同类词: *sich waschen, sich anziehen, (sich) duschen, sich anmelden, sich vorstellen …*

Er küsst sie, sie küsst ihn.
Sie küssen sich. (彼此、互相)

同类词: *sich kennenlernen, sich verlieben, sich küssen …*

一些反身动词中的反身代词并无意义。
如：*sich interessieren, sich ärgern, sich freuen, sich langweilen …*

反身代词不能省略，位于动词和主语之后。
Er wäscht sich heute. Heute wäscht er sich.

反身动词的现在完成时由 *haben* 引导。
从句中，反身代词紧跟主语：*Er kommt nicht, weil er sich heute geärgert hat.*

---

1 请用相对应的反身代词填空。

1. ◖ Wann treffen wir _____?

   ◖ Ich muss _____ noch umziehen, es dauert vielleicht noch eine halbe Stunde.

   ◖ Gut, dann beeil _____, ich freue _____ schon auf die Party.

2. ◖ Warum kommt Hannes nicht?

   ◖ Er hat _____ verletzt und muss _____ jetzt erst einmal ausruhen.

   ◖ Schade, wir haben _____ schon so auf ihn gefreut.

   ◖ Ja, er hat _____ auch sehr geärgert, aber da kann man nichts machen.

2 请用对应的反身代词填空。

1. ◖ Guten Tag, wir möchten _____ vorstellen: Mein Name ist Khedira und das ist meine Frau.

   ◖ Guten Tag, herzlich willkommen im Kurs. Haben Sie _____ schon im Sekretariat angemeldet?

2. ◖ Könnt ihr _____ noch an Luisa erinnern?

   ◖ Ja, natürlich, ich bin auch noch in Kontakt mit ihr. Wir schreiben _____ regelmäßig Mails.

   ◖Oh, das ist gut. Wenn ihr _____ mal treffen wollt, dann sag mir Bescheid. Ich komme auch gerne.

   ◖ Ja, gerne. Luisa freut _____ bestimmt auch.

3 请用第四格人称代词或反身代词填空。

1. Ich wasche das Baby. Ich wasche _____ . Dann wasche ich _____ selbst.

2. Du setzt deinen Sohn auf den Stuhl. Du setzt _____ auf den Stuhl. Dann setzt du _____ selbst.

3. Sie kämmt ihre Tochter. Sie kämmt _____ . Dann kämmt sie _____ selbst.

4. Er stellt seine Frau vor. Er stellt _____ vor. Dann stellt er _____ selbst vor.

5. Das Mädchen meldet seine Freundin an. Es meldet _____ an. Dann meldet es _____ selbst an.

6. Wir fotografieren die Kinder. Wir fotografieren _____ . Dann fotografieren wir _____ selbst.

7. Sie ziehen ihre Kinder an. Sie ziehen _____ an. Dann ziehen sie _____ selbst an.

4 请将给出的句子成分连接成句。
1. Er ist noch im Bad, weil · will · er · rasieren · sich · .
2. Sie steht vor dem Spiegel, weil · schminkt · sie · sich · .
3. Ich glaube, dass · die Kinder · haben · sich · über die Geschenke · gefreut · .
4. Ich kann nicht kommen, weil · mich · ich · muss · anmelden · .
5. Was macht ihr, wenn · geärgert habt · euch · ihr · bei der Arbeit · ?

5 请在必要处用反身代词 *sich* 填空。

1. Er interessiert _____ sehr für Politik, aber er möchte _____ nicht Politiker werden.

2. ◖ Hast du schon gehört, Till und Mathilde haben _____ geheiratet.

   ◖ Ja, sie waren sehr schnell, sie haben _____ vor zwei Monaten kennengelernt, dann haben

   sie _____ vor einem Monat verliebt und jetzt wollen sie _____ heiraten.

3. ◖ Frau Westhoff ist berufstätig. Wer kümmert _____ um ihre Kinder, wenn sie arbeitet?

   ◖ Ihre Nachbarin hat auch ein Kind und betreut _____ auch die Kinder von Frau Westhoff.

6 请将下列句子改写成现在完成时。

1. Jutta freut sich auf das Wochenende. _____

2. Sie erinnert sich an ein Restaurant. _____

3. Sie zieht sich schick an. _____

4. Sie trifft sich mit Paolo. _____

5. Aber Paolo und Jutta ärgern sich über das schlechte Essen. _____

6. Sie beschweren sich beim Kellner. _____

7. Der Kellner entschuldigt sich und bringt ihnen ein Glas Sekt. _____

请和搭档共同完成。
掷骰子从左下方的"Start（起点）"开始，前进至右页上方的 "Ziel（终点）"。注意：只走蓝色的格子。
走到哪个动词上，就要说出该动词的完成时（例如：*kommen: er ist gekommen*），搭档来纠正您的答案。
轮到对方时，您来纠正他的答案。

Er ...

1. hat geholt
2. hat gewohnt
3. ist gegangen
4. hat getroffen
5. hat gearbeitet
6. ist abgefahren
7. hat bestellt
8. ist gekommen
9. ist aufgewacht
10. ist passiert
11. hat geöffnet
12. hat eingeladen
13. ist eingestiegen
14. ist/hat ausgezogen
15. ist geflogen
16. hat bekommen
17. hat empfohlen
18. hat gewaschen
19. hat geduscht
20. ist geblieben
21. hat ferngesehen
22. hat teilgenommen
23. hat erklärt
24. hat getrunken
25. hat vergessen
26. hat gesprochen
27. hat geholfen
28. hat ausgepackt
29. hat gehabt
30. hat gekannt
31. hat gewusst

请和搭档共同完成。
掷骰子从左下方的"**Start**（起点）"开始，前进至右页上方的 "**Ziel**（终点）"。注意：只走绿色的格子。
走到哪个动词上，就要说出该动词的完成时（例如：*kommen: er ist gekommen*），搭档来纠正您的答案。
轮到对方时，您来纠正他的答案。

Er ...

1. hat gekauft
2. hat gegessen
3. ist gelaufen
4. hat gesehen
5. hat gefragt
6. hat angefangen
7. hat besucht
8. ist geschwommen
9. ist eingeschlafen
10. ist gestorben
11. hat gefrühstückt
12. ist aufgestanden
13. ist eingezogen
14. ist ausgestiegen
15. ist gefallen
16. hat begonnen
17. hat gewonnen
18. hat gegeben
19. hat gemacht
20. ist gewesen
21. ist angekommen
22. hat verloren
23. hat versucht
24. hat genommen
25. hat entschuldigt
26. hat probiert
27. ist gewandert
28. hat ausgemacht
29. hat besichtigt
30. hat gedacht
31. hat mitgebracht

			19 aufstehen
6 abfahren	entschuldigen **25** / **7** bestellen	**12** duschen	
26 probieren		**13** einziehen	
5 arbeiten	nehmen **24**	**18** waschen	
wandern **27**	**8** kommen	**14** aussteigen	
4 treffen	versuchen **23**	**17** empfehlen	
ausmachen **28**	**9** aufwachen	fallen **15**	
3 gehen	verlieren **22**	**16** bekommen	
besichtigen **29**	**10** passieren	beginnen **16**	
2 wohnen	ankommen **21**	**15** fliegen	
denken **30**	**11** öffnen	gewinnen **17**	
1 holen	sein **20**	**14** ausziehen	
mitbringen **31**	**12** einladen	geben / **13**	
	machen **19**	einsteigen **18**	

ZIEL

START

30 Im, am, um, von ... bis, nach *und* vor
表时间的介词1 (Temporale Präpositionen)

无介词　　　年份: 1992, 2009

im　　季节: im Sommer, im Winter
　　　月份: im Januar, im Februar

am　　天: am Montag, am Mittwoch, am Wochenende
　　　一天内的时间段: am Morgen, am Vormittag, ⚠ in der Nacht
　　　日期: am 12.5.

um　　时间点: um 9.00 Uhr, um Mitternacht

◗ *Wann haben Sie Zeit?*

◗ *2012 im Frühling*
am 12. Mai
um 9.15 Uhr.

→▮ bis
表结束
Ich bleibe bis morgen.

von/ab ▮→
表开始
Ab morgen rauche ich nicht mehr.

→▮ zwischen ▮←
Zwischen 5 und 7 bin ich nicht zu Hause.

vor　　nach
Vor meiner Party muss ich einkaufen.
Nach der Party muss ich aufräumen.

seit ►▮
始于过去，延续至今
Ich bin seit drei Monaten in Deutschland.

von ▮——▮ bis
日，月，一天内的时间段（零冠词），年份，时间点
Von Montag bis Freitag habe ich von 9 bis 11 Uhr Deutschkurs.

vom ▮——▮ bis zum
日期，一天内的时间段（带冠词）
Ich habe vom 3.4. bis zum 15.4. Urlaub.

---

1 请用 *im, am* 或 *um* 填空。

_____ April _____ 8.3. _____ Nachmittag _____ 1999 _____ 12.30 Uhr _____ Winter

_____ Mai _____ Mittwoch _____ Mitternacht _____ Abend _____ Wochenende

2 **Johannes erzählt über die Schule.** 请用正确的介词填空。

Der Unterricht beginnt in meiner Schule schon _____ 7.00 Uhr.

_____ 10.10 Uhr _____ 10.30 Uhr ist die erste Pause. _____ Montag gehe ich

_____ 13.20 Uhr nach Hause. Meine Hausaufgaben mache ich _____ Abend.

_____ dem Mittagessen treffe ich meine Freunde und _____ Dienstag und _____

Donnerstag habe ich Musikunterricht. _____ Wochenende habe ich frei!

Und _____ der Nacht schlafe ich oder ich lese heimlich.

Meistens fahren wir _____ Juli in Urlaub. Dieses Jahr _____ 7. Juli _____

3. August. _____ Winter fahren wir Ski.

3 请回答下列问题。

1. Wann ist es kalt? _Im Winter, im Januar._

2. Wann ist es dunkel? _____

3. Wann gehen Sie heute nach Hause? _____

4. Wann arbeiten Sie nicht? _____

5. Wann essen Sie abends? _____

6. Bis wann schlafen Sie am Sonntag? _____

7. Wann telefonieren Sie gern? _____

8. Wann gehen Sie gerne spazieren? _____

9. Wann machen Sie Urlaub? _____

4 **Frau Bretzke erzählt über ihre Arbeit.** 请用正确的介词填空。

(A2)

In unserer Firma haben wir Gleitzeit. Das bedeutet, man kann _____ 7.30 und 9.30 Uhr beginnen.

Ich fange oft erst _____ 9.30 Uhr an, weil ich _____ der Arbeit meine Tochter in den

Kindergarten bringe.

Frühestens _____ 16 Uhr kann man nach Hause gehen, denn

die Arbeitszeit ist _____ Montag _____ Donnerstag

acht Stunden pro Tag, _____ Freitag sieben Stunden.

Normalerweise machen wir eine halbe Stunde Mittagspause, aber _____ Meetings machen wir oft ein

bisschen länger Pause. _____ Herbst ist _____ 3. 10. frei und _____ Winter arbeiten wir _____

24., 25. und 26. 12. nicht.

2011, im Mai, habe ich am
12. um zehn Uhr einen Termin.

5 **Eine Krankenschwester erzählt.** 请将不合适的介词划去。

(A2)

Ich bin v̶o̶r̶ · n̶a̶c̶h̶ · seit · i̶n̶ 15 Jahren Krankenschwester. Ich helfe Frauen, wenn sie Kinder bekommen.

Die meisten Kinder kommen im · an · um · seit Juli und August auf die Welt, die wenigsten

in · an · um · im Winter. Viele Frauen bekommen um · auf · an · in der Nacht oder in · am · um · –

frühen Vormittag ihre Kinder. Einmal sind Zwillinge um · am · – · im 31. 12. auf die Welt gekommen:

Ein Baby genau um · in · am · – Mitternacht, das andere um · in · am · – 0.08 Uhr. Ein Zwilling ist jetzt

also um · – · am · im 2008 geboren, der andere um · im · – · am nächsten Jahr!

6 请用 *vor, nach, bis, seit* 或 *ab* 填空。

(A2)

Lieber Dirk,

gestern habe ich geheiratet! Ich kenne Luisa schon _____ 18 Monaten und _____ letzten Monat

wollte ich nicht heiraten. Doch _____ vier Wochen will ich unbedingt heiraten, denn jetzt bekommen

wir ein Baby und ich möchte ein richtiger Vater sein.

Am Morgen _____ unserer Hochzeit waren wir total nervös. Aber _____ dem Ja-Wort waren wir nur

noch glücklich. Wir waren mit unseren Familien und Freunden in einem guten Restaurant essen und

sind _____ zum Abend geblieben.

Und _____ übermorgen sind wir auf Hochzeitsreise in Venedig! Wünsch mir Glück!

Dein Helmut

31 Aus, bei, mit, nach, seit, von *oder* zu

支配第三格的介词 (Präpositionen mit Dativ) 🔊 ③③

aus		Er geht um acht Uhr aus dem Haus.
		Ich habe kein Glas. Kannst du aus der Flasche trinken?
		Der Stuhl ist aus Metall. （材质）
bei		Ich bin heute bei Lisa. （人）
		Er arbeitet bei Siemens. （公司）
		Augsburg liegt bei München. （附近）
mit		Ich fahre mit meinem Freund in den Urlaub. （同伴）
		Wir fahren mit dem Bus. （交通工具）
		Ich schreibe mit dem Bleistift. （工具）
nach		Er fährt nach Deutschland, erst nach Hamburg, dann nach Frankfurt.
		（表方位：去哪儿? 后接无冠词的城市和国家名）
		Wie spät ist es? – Es ist fünf nach zwei. （表时间）
		Nach dem Essen kann ich nicht gut arbeiten.
seit		Seit einem Jahr wohne ich in Berlin.
		（表时间：始于过去，持续至今）
von		Ich komme gerade vom Zahnarzt. （表方位：从哪里来?）
		Die Schwester von meiner Freundin ist schon verheiratet. （表领属）
		Der Flughafen liegt südlich von Frankfurt.
zu		Wie komme ich zum Bahnhof? （表方位：去哪里?）
		Heute fahren wir zu meinen Eltern.
		Zum Frühstück esse ich immer ein Ei. （表时间）

介词 *aus, bei, mit, nach, seit, von* 和 *zu* 只支配第三格。

bei + dem = beim   *zu + dem = zum*
von + dem = vom   *zu + der = zur*

---

1   请选择正确的介词填空。

> aus dem · bei · mit dem · nach · seit · von · zum

◖ Wie ist Ihr Weg zur Arbeit? Wann gehen Sie morgens _____ Haus?

◖ Um Viertel _____ sieben. Ich gehe dann _____ Bahnhof und fahre _____ Zug.

Meine Firma liegt südlich _____ Köln, _____ Bonn.

◖ Brauchen Sie lange für den Weg zur Arbeit?

◖ Ja, aber das macht mir nichts. Das mache ich schon _____ fünf Jahren. Ich möchte nicht umziehen.

2   请用 *bei* 或 *mit* 填空。

◖ Fahren Sie _____ dem Auto zur Arbeit?   ◖ Nein, _____ dem Zug.

◖ Fahren Sie alleine?   ◖ Nein, meistens fahre ich _____ meinem Nachbarn zusammen.

Er arbeitet auch _____ der DH-Bank.

3 请用正确的介词填空。必要时请加上冠词。

1. der Arzt

Ich gehe jetzt _zum_ Arzt.

Ich bin gerade b_____ Arzt.

Ich komme gerade v_____ Arzt.

2. das Stadion

Wir gehen jetzt z_____ Stadion.

Wir kommen v_____ Stadion.

3. die Nachbarin

Ich gehe jetzt z_____ Nachbarin.

Ich bin gerade b_____ Nachbarin.

Ich komme v_____ Nachbarin.

4. die Freunde (Pl.)

Wir gehen jetzt z_____ Freunden.

Wir sind gerade b_____ Freunden.

4 请用 *nach* 或 *zu* 填空。必要时请加上冠词。

1. ◖ Wann Sind Sie _____ Deutschland gekommen? ◖ Vor drei Jahren.

2. Ich muss _____ Berlin fahren. Wie komme ich _____ Bahnhof?

3. Mein Zahn tut weh, ich muss _____ Zahnarzt. Ich habe einen Termin für Viertel _____ drei bekommen.

der Zahn

5 请用 *seit, nach* 或 *zum* 填空。

◖ Was gibt es denn heute _____ Essen?

◖ Kartoffelsalat mit Würstchen.

◖ Prima, das habe ich schon _____ Monaten nicht gegessen.

◖ Ich hoffe, es schmeckt dir.

◖ Ja, sehr gut. Sag mal, was machen wir _____ dem Essen? Sollen wir spazieren gehen?

aus, bei, mit, nach, seit, von, zu
支配第三格，请记住！

6 请填上正确的介词。

(A2)

Liebe Ela,

viele Grüße _____ dem Schwarzwald! Wir sind schon _____ zwei Wochen hier. Das Wetter ist toll und wir haben jeden Tag _____ unseren Freunden lange Wanderungen gemacht. Morgen wollen wir _____ Freiburg _____ meiner Tante fahren. Freiburg ist nicht weit _____ hier, es liegt ungefähr 70 Kilometer südwestlich _____ Königsfeld. Aber ohne Auto braucht man lange. Wir müssen erst _____ dem Bus und dann _____ dem Zug fahren. Die Fahrt dauert mehr als zwei Stunden. In Freiburg können wir _____ meiner Tante übernachten. Wir bleiben ein paar Tage und wollen _____ meiner Tante die Stadt besichtigen und gemütlich shoppen gehen. Vielleicht kannst du auch _____ Freiburg kommen? _____ Basel ist es doch nicht so weit und wir haben uns _____ zwei Jahren nicht mehr gesehen.

Liebe Grüße

Hannah

Für, um, durch, ohne *und* gegen
支配第四格的介词 (Präpositionen mit Akkusativ)

durch		Luki springt durch das Fenster.
um		Sie geht um den Tisch.
gegen		Sie springt gegen den Tisch.
ohne		Sie muss ohne Fisch gehen. ⚠ *ohne* 后常为零冠词形式
für		„Der Fisch ist für dich!"

für, um, durch, ohne 和 *gegen* 这五个介词只支配第四格。

---

1 请用正确的介词填空。

> für · um · durch · ohne · gegen

1. Sie trägt eine Kette _____ den Hals.

2. Das Auto fährt _____ den Tunnel.

3. Das Geschenk ist _____ dich.

4. Bitte, einen Kaffee _____ Zucker.

5. Deutschland spielt _____ Brasilien.

2 请用 *um, gegen* 或 *durch* 填空。

1. Das Auto fährt _____ den Baum.

2. Das Auto fährt _____ den Baum.

3. Sie fahren _____ die Stadt.

4. Sie fahren _____ die Stadt.

3 请用正确的介词及冠词填空。

ohne · für · um · gegen · durch

das Schild
der Park
der See
der Bruder
die Kinder (Pl.)

1. Pass auf, sonst läufst du _____ d_____ Schild.

2. Komm, wir gehen _____ d_____ Park, das ist kürzer.

3. Gestern haben wir einen schönen Spaziergang _____ d_____ See gemacht.

4. Die Krawatte ist _____ mein____ Bruder.

5. Sie gehen selten _____ ihr____ Kinder aus, meistens nehmen sie ihre Kinder mit.

4 请划掉下列句子中不合适的介词。

1. Ich brauche ein Abendkleid ohne · für · um die Hochzeit von meiner Freundin.

2. Hast du ein Medikament durch · ohne · gegen Kopfschmerzen?

3. Die Bäckerei ist nicht weit, sie liegt gleich gegen · um · durch die Ecke.

4. Wir sind für · gegen · durch viele Geschäfte gelaufen und haben keine schönen Schuhe gefunden.

5 请用冠词或代词的第三格或第四格形式填空。

(A2)

Liebe Annkathrin,

weißt du, dass Sibel und Patrick heiraten? Hast du schon ein Geschenk für _____?
Ich suche schon seit ein____ Woche. Heute bin ich mit mein____ Schwester nach
Frankfurt gefahren und habe ein Geschenk gesucht. Wir sind durch d_____ ganze Stadt
gelaufen. Aber es war schwierig. Erst sind wir zu d_____ großen Kaufhäusern gegangen,
aber wir haben nichts gefunden. Im dritten Kaufhaus hatte Karin Pech. Sie hat nicht
aufgepasst und hat die Tür gegen d_____ Kopf bekommen. Ihr war ganz schwindlig.
Deshalb sind wir zu ein____ Freundin gegangen und haben bei _____ zuerst Kaffee
getrunken. Die Freundin hatte eine gute Idee. Sie kennt ein Schmuckgeschäft bei ihr
um d_____ Ecke. Wir haben eine wunderschöne Kette für d_____ Braut und eine
Krawattennadel für d_____ Bräutigam gekauft.

Sehen wir uns auf der Hochzeit?

Liebe Grüße
Anna

die Woche
die Schwester
die Stadt
die Kaufhäuser (Pl.)
der Kopf
die Freundin
die Ecke
die Braut
der Bräutigam

只支配第四格的介词: *für, um, durch, ohne, gegen* = FUDOG

33

Wo? Im Kino

可支配第三格或第四格的介词支配第三格时的用法
(Wechselpräpositionen im Dativ)

im	Im Mund hat sie einen Lolly.
an	An der Tasche sitzt ein Schmetterling.
auf	Sie trägt auf dem Kopf einen Hut.
vor	Vor ihr sitzt ein Häschen.
hinter	Hinter ihr steht ein Löwe.
über	Über ihr fliegt ein Vogel.
unter	Unter ihren Füßen ist grünes Gras.
neben	Neben dem Mädchen steht eine Tasche.

☐ zwischen ☐ Sie steht zwischen zwei Bäumen.

Wo?
（在哪里？）
in, an, auf, vor, hinter, über, unter, neben, zwischen + 第三格
an + dem = am
in + dem = im

1 _An, auf, über, unter, neben, zwischen, vor, hinter._ 请在横线处填上对应的介词。

2 请用 _in, an_ 或 _auf_ 填空。

1. ◀ Wo sind die Blumen? ◀ _____ der Vase.

2. ◀ Wo ist die Vase? ◀ _____ dem Tisch.

3. ◀ Wo ist der Tisch? ◀ _____ dem Fenster.

4. ◀ Wo ist die Flasche? ◀ _____ dem Boden.

5. ◀ Wo ist der Wein? ◀ _____ der Flasche.

6. ◀ Wo ist die Lampe? ◀ _____ der Decke.

7. ◀ Wo ist das Bild? ◀ _____ der Wand.

8. ◀ Wo ist das Auto? ◀ _____ dem Bild.

die Vase

3 请用正确的冠词填空。

Ich wohne sehr günstig. In mein_em_ Haus ist eine Bäckerei. In d___ Bäckerei kann ich schon morgens um

7 Uhr frische Brötchen bekommen. Links neben mein___ Haus ist ein Supermarkt und rechts neben

mein___ Haus ist ein Blumengeschäft. Leider stehen auf d___ Straße vor d___ Häusern immer viele Autos.

Auf d___ anderen Straßenseite ist eine Apotheke und ein Friseur. Zwischen d___ Apotheke und d___

Friseur ist ein Park. I___ Park gibt es einen Kinderspielplatz. Auf d___ Spielplatz spielen immer viele Kinder.

4 请根据图片写句子。

1. der Schrank / die Wand
2. die Lampe / der Schreibtisch
3. der Zettel / der Bildschirm
4. der Computer / der Schreibtisch
5. das Telefon / das Telefonbuch
6. die Tastatur / der Bildschirm
7. die Bonbons / die Bücher
8. die Bücher / der Schrank
9. der Bildschirm / der Schreibtisch
10. die Stifte / das Papier
11. die Maus / die Tastatur und das Telefonbuch
12. der Drucker / der Schreibtisch

1. Der Schrank ist an der Wand.

5 请用正确的介词和冠词填空。

1. Ich habe eine Anzeige _____ d_____ Zeitung gesehen: 4-Zimmer-Wohnung in Bockenheim.

2. _____ welch___ Stock ist die Wohnung? – Sie ist _____ Erdgeschoss.

3. Guck mal da hängt ein Zettel. Kannst du lesen, was _____ d_____ Zettel steht?

4. Öffnen Sie bitte das Buch _____ d_____ Seite 22.

5. Ich kann nicht kommen, ich bin gerade _____ Telefon.

6. Bernd hat nie Zeit, er sitzt den ganzen Abend _____ d_____ Fernseher oder _____ Computer.

7. Komm zum Essen, wir sitzen alle schon _____ Tisch.

8. Die Zeitung steckt _____ Briefkasten.

die Zeitung
der Stock
das Erdgeschoss
der Zettel
die Seite
das Telefon
der Fernseher
der Computer
der Tisch
der Briefkasten

34

Im Kino oder ins Kino?
可支配第三格或第四格的介词
(Wechselpräpositionen mit Dativ und Akkusativ) 🔊 34+35

in↓	Der Lolly fällt in die Tasche.
←*an*	Der Schmetterling fliegt an den Baum.
auf	Der Löwe springt auf den Boden.
vor	Der Hut fällt vor den Löwen.
hinter	Das Mädchen läuft hinter den Baum.
über	Der Vogel fliegt über den Baum.
unter	Der Hase läuft unter den Hut.
neben	Der Hut fällt neben die Tasche.
zwischen	Der Löwe springt zwischen die Bäume.

der Lolly

Wohin?（去哪里？）↘•
表方向
介词 + 第四格
in + das = ins
an + das = ans

Wo?（在哪里？）⊙
表地点
介词 + 第三格
in + dem = im
an + dem = am

1　请根据图片写出苍蝇飞行的方向。

Auf das Buch.

2　请将下列动词根据词义归类。

> ~~gehen~~ · ~~studieren~~ · sein · sitzen · stehen · bringen · fahren · essen · steigen · spielen · fliegen

Wohin?　*gehen*

Wo?　*studieren*

3 请将左边的问句与其相对应的答句连线。

Wohin gehst du heute Abend?	1 ○	○ A In Berlin.
Wo möchtest du studieren?	2 ○	○ B In die USA.
Wo ist das Bad?	3 ○	○ C In die Schule.
Wohin bringst du die Kinder?	4 ○	○ D Neben der Haustür.
Wohin fahrt ihr im Sommer?	5 ○	○ E Am Meer.
Wo kann man gut Fisch essen?	6 ○	○ F Ans Meer.
Wohin fliegt ihr nächstes Jahr?	7 ○	○ G In die Disko.

4 请用 *wo* 或 *wohin* 填空。

1. ◖ _Wo?_ ◖ In der Schönhauser Straße.

2. ◖ _____ ◖ Wir gehen in die Mediothek.

3. ◖ _____ ◖ Ich gehe ins Kino, kommst du mit?

4. ◖ _____ ◖ Wir studieren in München.

5. ◖ _____ ◖ In die Küche, ich hole neuen Kaffee.

6. ◖ _____ ◖ In der Küche, ich mache neuen Kaffee.

7. ◖ _____ ◖ Die Kinder spielen auf dem Spielplatz.

8. ◖ _____ ◖ Sie bringt den Müll in die Mülltonne.

5 请用冠词的第三格或第四格形式填空。

1. ◖ Was machen wir im Urlaub? Sollen wir an____ Meer fahren?

◖ Nein, a____ Meer waren wir doch schon letztes Jahr. Dieses Jahr möchte ich lieber

in d____ Berge. Ich möchte auf ein____ hohen Berg steigen.

◖ Warst du schon in d____ Alpen?

◖ Nein, noch nicht. Ich würde gerne in d____ Alpen fahren.

2. ◖ Heute Abend gehe ich in____ Kino. Kommst du mit?

◖ Nein, ich war gestern schon i____ Kino. Ich möchte lieber in e____ Konzert gehen.

in, an, auf, über, unter,
vor, hinter, neben, zwischen:
wo? – 第三格
wohin? – 第四格

6 **Sabine räumt auf.** 请根据图片内容将下列句子补充完整。

1.

Die Decke liegt
_____

Sie legt die Decke
_____

4.

Die Socken liegen
_____

Sie legt die Socken
_____

2.

Die Stifte liegen
_____

Sie legt die Stifte
_____

5.

Das Papier liegt
_____

Sie legt das Papier
_____

3.

Der Kuchen steht
_____

Sie stellt den Kuchen
_____

6.

Die Vase steht
_____

Sie stellt die Vase
_____

35

Beim Bäcker, zum Friseur, auf den Sportplatz

表方位的介词 (Lokale Präpositionen) 🔊 36

Wo? 总是 第三格	**in** + 第三格 空间，城市，国家 im Haus in Berlin in Deutschland		**an** + 第三格 垂直接触， "Wasser" an der Station am Strand	**auf** + 第三格 ⌣ auf dem Fußballplatz	**bei** + 第三格 人， 公司， 活动 bei Lisa bei H&M beim Arzt beim Picknick
Wohin? 第四格 例外： zu + 第三格	**nach** 城市，国家 （无冠词） nach Paris nach Japan	**in** + 第四格 空间，国家 （有冠词） ins Haus in die Schweiz	**an** + 第四格 垂直接触， "Wasser" an die Station an den Strand	**auf** + 第四格 ⌣ auf den Fußball- platz	**zu** + 第三格 人， 公司， 活动 zu Lisa zu H&M zum Arzt zum Picknick
Woher? 总是 第三格	**aus** + 第三格 空间，城市，国家 aus Paris aus Japan aus dem Haus		**von** + 第三格 接触，"Wasser"，人，公司，活动 vom Strand vom Fußballplatz von Lisa vom Picknick		

⚠ Wo?   *Ich bin zu Hause.*
    Wohin?   *Ich gehe nach Hause.*
    Woher?   *Ich komme von zu Hause.*

⚠ *Wald, Park, Garten, Schwimmbad* 及
Berge（复数形式）搭配的介词 *in*。
即：*im Wald ...*

in + dem = im
an + dem = am
bei + dem = beim
von + dem = vom
zu + dem = zum
in + das = ins
an + das = ans

am Wasser   im Wasser   auf dem Wasser

---

1   **Wo sind Sie?** 请用正确的介词填空。

1. _an_ dem / _am_ Meer

2. _____ Paris

3. _____ dem Tennisplatz

4. _____ dem / _____ Supermarkt

5. _____ H&M

6. _____ dem / _____ Chef

7. _____ meiner Schwester

8. _____ Japan

9. _____ dem / _____ Strand

10. _____ dem / _____ Kino

11. _____ dem Berg

12. _____ den Bergen

13. _____ Hause

14. _____ dem / _____ Garten

15. _____ Schwimmbad

2 **Wohin gehen Sie?** 请用正确的介词填空。

1. _in_ das / _ins_ Theater   5. _____ den Markt   9. _____ die USA

2. _____ dem/ _____ Arzt   6. _____ meinem Vater   10. _____ Mexiko

3. _____ der / _____ Prüfung   7. _____ den Park   11. _____ den Fußballplatz

4. _____ den Strand   8. _____ London   12. _____ Hause

3 **Woher?** 请将能用在 *aus* 之后的词用下划线标出。

der Schule – dem Arzt – Thailand – dem Strand – dem Fußballplatz – dem Krankenhaus – Thomas –
dem Kaufhaus – dem Picknick – zu Hause – dem Schwimmbad

4 **Wohin?** 请将下列各词根据它们所搭配的介词归类，并在必要处加上冠词。

> ~~Kino (das)~~ • Meer (das) • Berg (der) • Chefin (die) • Madrid • Johannes •
> Park (der) • Spielplatz (der) • Oper (die) • Türkei (die) • Strand (der) • Picknick (das) • Hause •
> Krankenhaus (das) • Straße (die) • Alpen (die) • Tisch (der)

in	nach	an	auf	zu
in das / ins Kino				

5 请用正确的介词填空，必要时请加上冠词。

	China	die Schweiz	das Kino	der Strand	der Sportplatz	Ikea	der Arzt
woher?	*aus China*						
wo?							
wohin?							

6 请用正确的介词填空，必要时请加上冠词。

	der Zahnarzt
	der Supermarkt
	die Schule
	das Fitness-Studio
	der Markt
	die Schwester
	das Krankenhaus

Uschi: Hallo, woher kommst du denn?

Barbara: Ich komme _____ Zahnarzt und jetzt muss ich schnell _____ Supermarkt

gehen, weil meine Tochter gleich _____ Schule kommt. Was machst du?

Uschi: Ich komme _____ Fitness-Studio und möchte heute _____ Markt

einkaufen. Dann gehe ich _____ meiner Schwester. Sie ist gestern _____

Krankenhaus gekommen und ich möchte ihr frisches Obst bringen.

	(das) Spanien
	das Meer
	das Zentrum
	die USA (Pl.)
	die Schwiegereltern (Pl.)
	die Großeltern (Pl.)
	der Atlantische Ozean
	der Strand
	das Disneyland

Frau Schäfer: Wo waren Sie denn? Sie sehen sehr gut aus!

Frau Winkler: Wir sind vor drei Tagen _____ Spanien gekommen. Wir haben Urlaub

_____ Meer gemacht. Eine Woche waren wir auch _____ Barcelona.

Wir hatten ein Hotel _____ Zentrum. Und Sie?

Frau Schäfer: Wir fahren in zwei Wochen _____ USA _____ meinen Schwiegereltern.

Die Kinder waren noch nie _____ Großeltern. Sie waren aber jedes

Jahr _____ uns. Natürlich wohnen wir _____ ihnen _____ Norfolk, das ist direkt _____

Atlantischen Ozean. Wir können also jeden Tag _____ Strand gehen und _____ Meer

baden. Und wir wollen auch mal _____ Disneyland fahren.

请和搭档共同完成。
A使用第86页，B使用第87页。
红色: 请用给出的词造句。
灰色: 请纠正对方并做出回应。

例

der Schrank · der Schreibtisch (*stellen*)
根据上图造句:

> Stell den Schrank links neben den Schreibtisch.

1. der Schrank · der Schreibtisch (*stellen*)
   Gut, das habe ich gemacht. Jetzt steht der Schrank links neben dem Schreibtisch.

2. Stell die Vase zwischen den Schrank und das Sofa.
   die Vase · der Schrank + das Sofa (*stehen*)

3. der Teppich · das Sofa (*legen*)
   Gut, das habe ich gemacht. Jetzt liegt der Teppich vor dem Sofa.

4. Stell den Computer auf den Schreibtisch.
   der Computer · der Schreibtisch (*stehen*)

5. der Tisch · der Teppich (*stellen*)
   Gut, das habe ich gemacht. Jetzt steht der Tisch auf dem Teppich.

6. Häng das Bild an die Wand über das Sofa.
   das Bild · die Wand, das Sofa (*hängen*)

7. das Regal · der Sessel + die Tür (*stellen*)
   Gut, das habe ich gemacht. Jetzt steht das Regal zwischen dem Sessel und der Tür.

8. Stell den Papierkorb unter den Schreibtisch.
   der Papierkorb · der Schreibtisch (*stehen*)

9. die Bücher (*Pl.*) · das Regal (*stellen*)
   Gut, das habe ich gemacht. Jetzt stehen die Bücher im Regal.

10. Stell die Lampe hinter den Sessel.
    die Lampe · der Sessel (*stehen*)

die Lampe

die Vase

das Sofa

der Schrank

das Bild

der Computer

der (Schreib)Tisch

das Regal

der Papierkorb

die Bücher

der Teppich

der Sessel

请和搭档共同完成。

A使用第86页，B使用第87页。

红色: 请用给出的词造句。

灰色: 请纠正对方并做出回应。

例

Stell den Schrank links neben den Schreibtisch.

der Schrank • der Schreibtisch (*stehen*)

根据给出的正确的句子校正搭档的答案并回复：

> *Gut, das habe ich gemacht.*
> *Jetzt steht der Schrank links neben dem Schreibtisch.*

---

1. Stell den Schrank links neben den Schreibtisch.
   der Schrank • der Schreibtisch (*stehen*)

2. die Vase • der Schrank + das Sofa (*stellen*)
   Gut, das habe ich gemacht. Jetzt steht die Vase zwischen dem Schrank und dem Sofa.

3. Leg den Teppich vor das Sofa.
   der Teppich • das Sofa (*liegen*)

4. der Computer • der Schreibtisch (*stellen*)
   Gut, das habe ich gemacht. Jetzt steht der Computer auf dem Schreibtisch.

5. Stell den Tisch auf den Teppich.
   der Tisch • der Teppich (*stehen*)

6. das Bild • die Wand, das Sofa (*hängen*)
   Gut, das habe ich gemacht. Jetzt hängt das Bild an der Wand über dem Sofa.

7. Stell das Regal zwischen den Sessel und die Tür.
   das Regal • der Sessel + die Tür (*stehen*)

8. der Papierkorb • der Schreibtisch (*stellen*)
   Gut, das habe ich gemacht. Jetzt steht der Papierkorb unter dem Schreibtisch.

9. Stell die Bücher ins Regal.
   die Bücher (*Pl.*) • das Regal (*stehen*)

10. die Lampe • der Sessel (*stellen*)
    Gut, das habe ich gemacht. Jetzt steht die Lampe hinter dem Sessel.

die Vase

die Lampe

das Sofa

der Schrank

das Bild

der Computer

der (Schreib)Tisch

das Regal

der Papierkorb

die Bücher

der Teppich

der Sessel

Ein netter Mann! Ich liebe den netten Mann

形容词词尾变化：第一格和第四格
(Nominativ und Akkusativ) 🔊))) 37+38

	阳性	中性	阴性	复数
第一格	der Mann	das Kind	die Frau	die Leute
	der nette Mann	das nette Kind	die nette Frau	die netten Leute
	ein netter Mann	ein nettes Kind	eine nette Frau	– nette Leute
	kein netter Mann	kein nettes Kind	keine nette Frau	keine netten Leute
第四格	den Mann	das Kind	die Frau	die Leute
	den netten Mann	das nette Kind	die nette	die netten Leute
	einen netten Mann	ein nettes Kind	eine nette Frau	– nette Leute
	keinen netten Mann	kein nettes Kind	keine nette Frau	keine netten Leute

位于名词左边的形容词至少要加上词尾 *-e*。
标记名词性、数、格的词尾不是在冠词上，就是在形容词上。

der nette Mann

ein netter Mann

修饰第四格阳性单数名词的形容词词尾总有 *-n*。
修饰复数名词的形容词词尾不是 *-e* 就是 *-en*。

mein, dein, sein, ihr, unser, euer, ihr, Ihr 和 *kein* 的变格方式相同。

位于名词右边的形容词没有词尾变化。
Der Mann ist nett.
Die Leute sind nett.

---

1 请用正确的形容词词尾填空。

1. ◀ Ist das der nett____ Lehrer?   ◀ Ja, das ist ein nett____ Lehrer.

2. ◀ Ist das die neu____ Tasche?   ◀ Ja, das ist eine neu____ Tasche.

3. ◀ Ist das das bequem____ Sofa?   ◀ Ja, das ist ein bequem____ Sofa.

4. ◀ Sind das die günstig____ Tassen?   ◀ Ja, das sind günstig____ Tassen.

5. ◀ Ist das der gut____ Herd?   ◀ Ja, das ist ein gut____ Herd.

6. ◀ Ist das das intelligent____ Kind?   ◀ Ja, das ist ein intelligent____ Kind.

7. ◀ Sind das die dumm____ Leute?   ◀ Ja, das sind dumm____ Leute.

2 请填上形容词的第四格词尾。

1. ◀ Ich suche ein bequem____ Sofa.　　◀ Kaufst du das bequem____ Sofa?

2. ◀ Ich suche eine groß____ Tasche.　　◀ Kaufst du die groß____ Tasche?

3. ◀ Ich suche schön____ Schuhe.　　◀ Kaufst du die schön____ Schuhe?

4. ◀ Ich suche einen gut____ Kühlschrank.　　◀ Kaufst du den gut____ Kühlschrank?

3 请填上正确的形容词词尾。

阳性第一格：Unser Hund ist nicht dumm____. Es ist ein intelligent____ Hund.

Der intelligent____ Hund gehört uns. Das ist unser intelligent____Hund.

中性第一格：Das Kaninchen ist süß____. Es ist ein weiß____ Kaninchen.

Das süß____ Kaninchen hat leider zu viele Kinder. Mein süß____ Kaninchen liebt seine Kinder.

阴性第一格：Die Katze ist faul____. Eine faul____ Katze ist gern zu Hause. Die faul____ Katze gefällt uns

sehr. Meine faul____ Katze schläft den ganzen Tag.

第一格复数: Die Vögel singen schön____. Die frei____ Vögel singen schöner als die Vögel im Käfig.

Frei____Vögel sind keine traurig____ Vögel.

第四格：Wir lieben den intelligent____ Hund, das süß____ Kaninchen, die faul____ Katze und die frei____

Vögel. Wir mögen einen intelligent____ Hund, ein süß____ Kaninchen, eine faul____ Katze und frei____ Vögel.

Ich liebe meinen intelligent____ Hund, mein süß____ Kaninchen, meine faul____ Katze, meine schön____ Tiere.

4 **Im Kleidungsgeschäft.** 请填上正确的形容词词尾。

Kundin: Ich suche einen rot____Rock.

Verkäuferin: Hm, einen rot____Rock. Wie finden Sie den kurz____rot____Rock hier?

Kundin: Wow! Der kurz____Rock sieht schick aus! Und die weiß____Bluse hier auch!

Verkäuferin: Vielleicht sollten Sie lieber eine gelb____Bluse nehmen. Gelb ist sehr modern.

Kundin: Okay, ich nehme die gelb____Bluse. Und ich suche noch ein schön____Kleid.

Verkäuferin: Schauen Sie mal. Wie finden Sie das blau____Kleid hier?

Kundin: Das gefällt mir nicht. Aber das schwarz____Kleid da ist toll!

Verkäuferin: Sie brauchen dann noch schwarz____Schuhe.

Kundin: Ich ziehe die rot____Schuhe an. Das sieht auch super aus!

5 请在必要处填上正确的形容词词尾。

Lieber Takao,

wir haben eine neu____Wohnung! Sie liegt im Zentrum und ist nicht so teuer____. Wir haben ein

groß____Wohnzimmer, einen klein____Flur, eine modern____Küche und zwei schön____

Schlafzimmer. Hoffentlich ist ein Schlafzimmer bald ein süß____Kinderzimmer!

Für das Wohnzimmer wollen wir neu____Möbel kaufen. Komm uns bald besuchen!

Viele Grüße

Dorothea

37 Am ersten Mai

形容词词尾变化：第一格，第三格，第四格
(Nominativ, Akkusativ und Dativ) 39

Dativ

Mit meinem schönen neuen roten Fahrrad.

	阳性	中性	阴性	复数
第一格	der Mann der nette Mann ein netter Mann kein netter Mann	das Kind das nette Kind ein nettes Kind kein nettes Kind	die Frau die nette Frau eine nette Frau keine nette Frau	die Leute die netten Leute – nette Leute keine netten Leute
第四格	den Mann den netten Mann einen netten Mann keinen netten Mann	das Kind das nette Kind ein nettes Kind kein nettes Kind	die Frau die nette Frau eine nette Frau keine nette Frau	die Leute die netten Leute – nette Leute keine netten Leute
第三格	dem Mann dem netten Mann einem netten Mann keinem netten Mann	dem Kind dem netten Kind einem netten Kind keinem netten Kind	der Frau der netten Frau einer netten Frau keiner netten Frau	den Leuten den netten Leuten – netten Leuten keinen netten Leuten

标记名词性、数、格的词尾不是在冠词上，就是在形容词上。
修饰第四格阳性单数名词和第三格任何名词的形容词词尾是 -n。
修饰复数名词的形容词词尾不是 -e 就是 -en。

⚠ 口语小窍门：如果冠词词尾是 -n 或 -m，则形容词词尾可直接加 -en。

mein, dein, sein, ihr, unser, euer, ihr, Ihr 和 *kein* 的变格方式相同。

1 请用 *am* + 第三格的形式将下列时间写成介宾短语。注意形容词词尾。
Wann haben/hatten Sie Zeit?

1. 12. Mai
2. 2. November
3. 4. Januar
4. 10. August
5. 3. Juli

6. nächster Sonntag
7. übernächster Freitag
8. letzter Samstag
9. nächstes Wochenende
10. vorletztes Wochenende

1. am zwölften Mai

2 请填上正确的形容词词尾。

1. Wir leben mit einem intelligent___ Hund, einer faul___ Katze einem süß___ Kaninchen und viel___ klein___ Kaninchenkindern.

2. Ich gehe mit dem intelligent___ Hund spazieren. Mit der faul___ Katze, mit dem süß___ Kaninchen und mit den klein___ Kaninchenkindern geht das nicht.

3 Eine Party. 请填上正确的形容词词尾。

1. ◖ Ich komme mit einem nett___ Freund. ◖ Kommst du mit deinem neu___ Freund?

2. ◖ Sie kommt mit einer spanisch___ Freundin. ◖ Kommt sie mit der schön___ Frau aus Spanien?

3. ◖ Er kommt mit neu___ Nachbarn. ◖ Kommt er mit den neu___ Nachbarn aus Frankfurt?

4. ◖ Wir kommen mit einem klein___ Kind. ◖ Kommt ihr mit eurem klein___ Kind?

5. ◖ Sie kommt mit einem sympathisch___ Mann. ◖ Kommt sie mit dem sympathisch___ Mann aus Rom?

6. ◖ Ich komme mit vier klein___ Hunden. ◖ Nein, du kannst nicht mit den klein___ Hunden kommen!

4 Eine Einladung. 请在必要处填上正确的形容词词尾。

Liebe Yvonne,

am nächst___ Samstag mache ich eine groß___ Party. Ich feiere in einem

schön___ Restaurant und lade alle meine gut___ Freunde ein. Also musst du

kommen! Du kannst auch deinen neu___ Freund mitbringen.

Ich mache ein groß___ Fest, weil ich einen ganz toll___ Job gefunden habe!

Am erst___ Juni beginne ich meine neu___ Arbeit bei einer sehr bekannt___

Firma hier in Düsseldorf. Ich glaube, mein neu___ Chef ist nett___, ich habe ein

gut___ Gehalt und vor allem eine interessant___ Arbeit.

Bis Samstag um 20 Uhr im Restaurant „Abendrot" in der Neuen Gasse 33!

Viele Grüße

Alexandra

der Samstag
die Party
das Restaurant
die Freunde (Pl.)
der Freund
das Fest
der Job
der Juni
die Arbeit
die Firma
der Chef
das Gehalt

5 Ein Märchen. 请在必要处填上正确的形容词词尾。

Es war einmal ein sehr schön___Mädchen. Es lebte in einem groß___Schloss

mit seiner lieb___Mutter und seinem reich___Vater. Es hatte alles,

aber es war einsam___. Eines Tages machte die jung___Frau einen lang___

Spaziergang durch den groß___Schlosspark, denn das Wetter war

wunderbar___. Da traf sie einen sehr attraktiv___jung___Mann.

Er war ein Prinz. Der Prinz sprach sofort mit der schön___jung___Frau.

Sie fand den jung___Mann sehr schön___. Er war ein groß___,

sportlich___Mann. Sie verliebten sich. Also trafen sie sich am nächst___und

übernächst___und überübernächst___Tag wieder. Am viert___Tag küsste

der Prinz das schön___Mädchen. Und als sie sich küssten, da war der Prinz

plötzlich ein klein___, grün___, hässlich___Frosch!

das Schloss

der Prinz

das Mädchen

der Frosch

Schneller als ...
比较级 (Komparativ und Vergleichssätze)

*Wir sind schneller **als** ihr!*

比较级

形容词的比较级词尾都是 *-er*。

有些时候需变音：
jung – jünger, alt – älter

形容词的比较级形式位于名词的左边时，也需要加上相对应的词尾：
das schnellere Auto

⚠	gut	besser
	viel	mehr
	gern	lieber
	hoch	höher
	teuer	teurer

比较状语句

Auto 1: 230 km/h
Auto 2: 230 km/h

Auto 1 ist gleich (genau) so schnell wie Auto 2.

Auto 1: 120 km/h
Auto 2: 300 km/h
Auto 2 ist (viel) schneller als Auto 1.

---

1 请写出下列形容词的比较级。

1. klein – _____

2. langsam – _____

3. interessant – _____

4. schlecht – _____

5. alt – _____

6. gesund – _____

7. groß – _____

8. hoch – _____

9. gut – _____

10. viel – _____

11. gern – _____

12. teuer – _____

2 **Deutschland und Europa.** 请用括号内形容词的比较级填空。

Österreich ist *größer* (*groß*) als die Schweiz, aber _____ (*klein*) als Deutschland.

Deutschland hat _____ (*viel*) Einwohner als die beiden anderen deutschsprachigen Länder.

Das Leben in der Schweiz ist _____ (*teuer*) als in Deutschland. Aber die Gehälter sind in der

Schweiz auch _____ (*hoch*) als in Deutschland und Österreich. In der Schweiz und in Österreich

gibt es _____ (*viel*) Berge als in Deutschland. Die österreichische Küche ist sicher _____

(*bekannt*) als die schweizerische Küche.

3 请将两边的句子成分用 *als* 或 *wie* 连起来，并写成语法正确的完整句。

Ich trinke lieber Kaffee		den Vater.
Meine Tochter liebe ich genauso sehr		du.
Deutsch lernen macht so viel Spaß	**als**	ins Theater.
Ich kann das genauso gut		meinen Sohn.
Ich kenne den Sohn besser	**wie**	Tee.
Sie geht öfter ins Kino		der Film letzte Woche.
Sie sprechen fast so gut Deutsch		surfen, eine Party machen, Sport treiben.
Der Film heute war besser		ein Deutscher.

4 请用 *wie* 或 *als* 构成比较状语，并将句子补充完整。

1. Mezut und Sami _laufen genauso schnell._ (*schnell laufen*)

2. Marco _läuft schneller als Mezut und Sami._ (*schnell laufen*)

3. _____

(*in meiner Tasse • in deiner Tasse • viel Kaffee • sein*)

4. _____

(*in Marias Tasse • viel Kaffee • in meiner und deiner Tasse • sein*)

5. _____ (*Lena • Jonas • lange schlafen*)

6. _____ (*Mia • Lena und Jonas • lange schlafen*)

7. _____

(*in Frankfurt • der Kirchturm • das Hochhaus • groß sein*)

8. _____

(*der Messeturm • der Kirchturm • groß sein*)

5 请用 *besser* 或 *lieber* 回答问题。

1. Schmeckt das Eis gut? _Ja, besser als dein Pudding._ (*dein Pudding*).

2. Möchtest du gerne einen Kaffee? _Ja, lieber als einen Tee._ (*einen Tee*).

3. Findest du die Brötchen gut? _Ja,_ _____ (*das Brot*).

4. Trinkst du gerne Kakao? – _Ja,_ _____ (*Milch*).

5. Spielst du gerne Karten? – _Ja,_ _____ (*Fußball*).

6. Passt das Kleid gut? – _Ja,_ _____ (*die Hose*).

6 请在必要处加上正确的形容词词尾。

1. Anna ist Sofias älter___ Schwester und Leonie ist ihre Freundin. Leonie ist genauso alt___ wie Anna. Sie hat einen jünger___ und einen älter___ Bruder.

2. Max kauft lieber___ teure Sachen. Elena findet das nicht gut. Sie sagt: Die teurer___ Sachen sind oft nicht besser___ als die billiger___ Sachen.

3. Der älter___ Bruder meines Vaters wohnt in Chicago, der jünger___ Bruder wohnt in unserer Stadt.

39 Der kleinste Mann läuft am schnellsten

最高级 (Superlativ) 🔊 41

> Ich bin **der** kleinste Mann.

> Ich laufe **am** schnellsten.

与冠词连用，修饰名词 **der, die, das** … ste(n)	修饰动词 **am** … sten
Das ist **der schnell**ste Mann. **Die schnell**sten Sportler kommen aus Jamaika.	Er läuft **am schnell**sten. Sie sind **am schnell**sten.
最高级总是和定冠词连用。 最高级的词尾为 -ste + 形容词词尾，不加 am： die ~~am~~ schnellsten Leute	在 am 后，词尾总是 -sten。

如果在构成比较级的时候需要变音，则构成最高级时也要变音：
kurz – kürzer – am kürzesten
lang – länger – am längsten

以 *t, d, s, (sch), x, z* 结尾的形容词的最高级词尾为 *-este(n)*：
am härtesten, der kürzeste Weg

⚠ gut	besser	am besten
viel	mehr	am meisten
gern	lieber	am liebsten
hoch	höher	am höchsten
teuer	teurer	am teuersten
groß	größer	am größten

---

1 请将缺少的形式补充完整。

1. *freundlich*   freundlicher   *am freundlichsten*   der *freundlichste* Mann
2. nett   _____   _____   die _____ Frau
3. groß   _____   _____   der _____ Mann
4. _____   mehr   _____   die _____ Leute
5. _____   _____   am besten   das _____ Kleid
6. hoch   _____   _____   das _____ Haus
7. _____   _____   _____   die teuersten Schuhe

2 请用形容词最高级的正确形式填空。

	修饰名词	修饰动词
1. schnell	Das _____ Auto ist sehr teuer.	Wie kommen wir _____ zum Bahnhof?
2. teuer/gut	Die _____ Dinge müssen nicht immer auch die _____ (Dinge) sein.	Das Kleid ist zwar _____ , aber ich finde es nicht _____ .
3. viel	Die _____ Leute suchen lange, bis sie eine passende Wohnung finden.	Ich freue mich _____ über den schönen Balkon in meiner neuen Wohnung.

3 请加上词尾 -e 或 -en。

1. Der Rhein ist der längst_____ Fluss Deutschlands.

2. Auf den höchst_____ Bergen der Schweiz liegt das ganze Jahr Schnee.

3. Die größt_____ österreichische Stadt ist Wien. Graz ist die zweitgrößt_____ Stadt.

   Welche Stadt ist die drittgrößt_____?

4. Das größt_____ deutsche Unternehmen ist die VW-AG.

5. Die bekanntest_____ deutschen Automarken sind Mercedes, BMW und VW.

有 *der, die, das* 时不加 *am*

4 请选出合适的形容词并用它的最高级的正确形式填空。

trocken · lang · viel · tief · hoch

1. Der _____ Fluss der Welt ist der Nil. Er ist 6.671 km lang.

2. Der _____ See der Welt ist der Baikalsee. Er ist 1.637 m tief.

3. Das _____ Gebiet in der Welt ist die Atacama-Wüste. Dort regnet es fast nie.

4. Der _____ Wasserfall liegt in Venezuela. Er hat eine Höhe von 978 Metern.

5. Die Länder mit den _____ Einwohnern sind China und Indien.

5 请用相应形容词的最高级将句子补充完整。

1. Kaffee mag ich lieber als Saft, aber *am liebsten mag ich Tee* _____ (*Tee*).

2. Tennis und Volleyball finde ich gut, aber _____ (*Fußball*).

3. Ich gehe gerne ins Theater und in die Oper, aber _____ (*Kino*).

4. Sie findet die braunen und die schwarzen Schuhe interessant, aber _____

   _____ (*die gelben Schuhe*).

6 请用 *am, der, die* 或 *das* 填空，并回答问题。

1. Welches Tier kann _____ schnellsten laufen?

2. Wie heißt _____ höchste Berg der Erde?

3. Welches Land hat _____ meisten Einwohner?

4. Welches Land ist _____ kleinsten?

5. Wo regnet es _____ meisten?

6. Kennen Sie _____ kleinste Land Europas?

7. Welcher Mann ist _____ reichsten?

8. Welcher Fluss ist _____ längste Fluss der Welt?

7 **Meine drei Kinder.** 请用括号里形容词的比较级或最高级的正确形式填空。

Ich habe drei Kinder: Lena, Daniel und Leo. Daniel ist ein Jahr

_____ (*jung*) als Lena und zwei Jahre _____ (*alt*) als Leo, aber er

konnte _____ (*früh*) lesen als Lena. Lena ist die _____ (*gut*)

Schülerin in ihrer Klasse. Daniel ist jetzt schon _____ (*groß*) als Lena.

Leo ist jetzt noch _____ (*klein*) als Lena, aber ich glaube, er wird mal

der _____ (*groß*) von den drei Kindern. Lena hat _____ (*lang*) Haare als Daniel, aber Leo hat

die _____ (*lang*) Haare. Lena liest _____ (*viel*) als Leo. Leo spielt _____ (*gern*) am

Computer. Aber er kann _____ (*schnell*) laufen als die beiden anderen. Jedes Kind kann etwas _____

(*gut*) als seine Geschwister, aber ich liebe kein Kind _____ (*viel*) als die anderen.

请和搭档共同完成。
A使用第96页，B使用第97页。
红色: 请根据给出的句子成分提问和回答。
灰色: 请纠正对方并回答问题。

Anne

Tom

Marie

A组

例:
Farbe • Hose?
Die Hose ist blau.
提问:

> Welche Farbe hat die Hose?

A2 ## B组

例:
Was • tragen • Marie • zu • Kleid: rot?
Eine gelbe Jacke.
提问:

> Was trägt Marie zu dem roten Kleid?

---

1. Farbe • Hose • ?
Die Hose ist blau.
Wer • tragen • Hose: blau • ?
Tom trägt die blaue Hose.

die Hose

1. Was • tragen • Marie • zu • Kleid: rot • ?
Eine gelbe Jacke.

die Jacke

2. Welche Farbe hat der Pullover?
Pullover: grün
Wer trägt den grünen Pullover?
... • tragen • Pullover: grün

der Pullover

2. Was trägt Tom zu der blauen Hose?
T-Shirt: gelb

das T-Shirt

3. Farbe • Schuhe?
Die Schuhe sind schwarz.
Wer • tragen • Schuhe: schwarz
Tom trägt die schwarzen Schuhe.

die Schuhe

3. Was • tragen • Anne • zu • Pullover:
grün • und Rock: gelb • ?
Blaue Strümpfe.

die Strümpfe

4. Welche Farbe hat der Rock?
Rock: gelb
Wer trägt den gelben Rock?
... • tragen • Rock: gelb

der Rock

4. Was trägt Tom zu den schwarzen Schuhen?
Socken: braun

die Socken

5. Farbe • Hut • ?
Der Hut ist gelb.
Wer • tragen • Hut: gelb • ?
Marie trägt den gelben Hut.

der Hut

5. Was • tragen • Marie • zu • Jacke: gelb • ?
Gelbe Flipflops.

die Flipflops

6. Was trägt Tom zu dem gelben T-Shirt?
Kappe: schwarz

die Kappe

请和搭档共同完成。
A使用第96页，B使用第97页。
红色: 请根据给出的句子成分提问和回答。
灰色: 请纠正对方并回答问题。

 Marie

 Tom

 Anne

A组　　　(A2)　B组

例:
Welche Farbe hat die Hose?
Hose: blau
据此纠正搭档的答案，
如正确，回答:

Die Hose ist blau.

例:
Was trägt Marie zu dem roten Kleid?
Jacke: gelb
据此纠正搭档的答案，
如正确，回答:

Eine gelbe Jacke.

---

1. Welche Farbe hat die Hose?
Hose: blau
Wer trägt die blaue Hose?
... • tragen • Hose: blau

 die Hose

1. Was trägt Marie zu dem roten Kleid?
Jacke: gelb

 die Jacke

2. Farbe • Pullover • ?
Der Pullover ist grün.
Wer • tragen • Pullover: grün • ?
Anne trägt den grünen Pullover.

 der Pullover

2. Was • tragen • Tom • zu • Hose: blau • ?
Ein gelbes T-Shirt.

 das T-Shirt

3. Welche Farbe haben die Schuhe?
Schuhe: schwarz
Wer trägt die schwarzen Schuhe?
... • tragen • Schuhe: schwarz

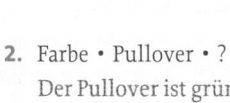 *die Schuhe*

3. Was trägt Anne zu dem grünen Pullover
und dem gelben Rock?
Strümpfe: blau

 die Strümpfe

4. Farbe • Rock • ?
Der Rock ist gelb.
Wer • tragen • Rock: gelb • ?
Anne trägt den gelben Rock.

 der Rock

4. Was • tragen • Tom • zu •
Schuhen: schwarz • ?
Braune Socken.

 die Socken

5. Welche Farbe hat der Hut?
Hut: gelb
Wer trägt den gelben Hut?
... • tragen • Hut: gelb

 der Hut

5. Was trägt Marie zu der gelben Jacke?
Flipflops: gelb

 die Flipflops

6. Was • tragen • Tom • zu • T-Shirt: gelb • ?
Eine schwarze Kappe.

 die Kappe

40 Und, aber, oder, denn
并列连词 **Hauptsätze verbinden (Position 0)**

主句	0位/不占位	主句		
		第一位	第二位	
Heute habe ich keine Zeit,	aber	wir	können	morgen ins Kino gehen.
Ich möchte morgen ins Kino gehen,	denn	da	läuft	ein guter Film.
Ich möchte mit dir essen gehen	und	(ich	möchte	mit dir) einen Film sehen.
Möchtest du lieber ins Kino (gehen)	oder		(möchtest	du lieber) ins Theater gehen?

在 *und, oder* 及 *aber* 后，与前面主句相同的部分可以省略：
Ich möchte mit dir essen gehen und (ich möchte mit dir) einen Film sehen.

aber	对比	Ich habe kein Fahrrad, aber wir haben zwei Autos.
denn	原因	Wir haben zwei Autos, denn wir mögen Autos.
und	加成	Ich habe einen Porsche und mein Mann hat einen Ferrari.
oder	另一选择	Möchtest du meinen Porsche oder willst du seinen Ferrari?

---

1 请选择正确的连词填空。

> aber · und · denn · oder

1. Ich mache eine Diät, _____ ich bin zu dick.

2. Ich möchte schlank sein, _____ ich habe große Lust zu essen.

3. Ich liebe Schokolade _____ ich esse auch sehr gerne Eis.

4. Ich mache eine Obstdiät _____ ich mache eine Eierdiät.

2 请用给出的句子成分写出正确的句子。
1. Am Samstag geht Lisa einkaufen · und · besucht · sie · am Sonntag · ihre Freunde · .
2. Sie geht mit ihren Freunden in den Park · sehen · sie · einen Film im Kino · oder · .
3. Am Samstag scheint die Sonne, · am Sonntag · aber · es · regnet · .
4. An diesem Sonntag gehen sie ins Kino, · schlecht · denn · ist · das Wetter · .

3 请选择正确的连词填空。

> aber · und · denn · oder · denn · und

1. Frankfurt ist nicht so groß wie Berlin, _____ Frankfurt hat einen größeren Flughafen.

2. Berlin hat die meisten Museen _____ die meisten Theater.

3. Viele Leute wollen in Berlin arbeiten _____ viele Touristen kommen nach Berlin.

4. Viele Leute kommen nach Berlin, _____ Berlin ist die Hauptstadt von Deutschland.

5. Morgens um 5 Uhr können Sie in Hamburg noch auf die Reeperbahn gehen _____ Sie besuchen den Fischmarkt.

6. Ich wohne gerne in München, _____ dort kann ich im Winter in die Alpen zum Ski fahren.

4 请用 *und* 将每组中的句子连接起来，哪些部分可以省略？
（有些不能省略！）

1. Ich gehe gerne ins Kino. Ich gehe gerne ins Theater.
2. Er kauft ein neues Handy. Er kauft einen neuen Laptop.
3. Sie geht heute schwimmen. Sie spielt heute Tennis.
4. Mein Bruder mag gerne Jazzmusik. Ich mag gerne klassische Musik.
5. Wir wollen zusammen für die Prüfung lernen. Wir wollen zusammen in Urlaub fahren.

> 1. Ich gehe gerne ins Kino und (ich gehe gerne) ins Theater.

5 请用 *oder* 将问句连接起来，哪些部分可以省略？
（有些不能省略！）

1. Gehen Sie am Samstagabend ins Kino?
   Gehen Sie am Samstagabend ins Theater?
2. Essen Sie gerne Schokolade? Essen Sie lieber Pizza?
3. Möchten Sie einen Kaffee? Möchten Sie einen Tee?
4. Möchten Sie den Kaffee mit Zucker?
   Möchten Sie den Kaffee ohne Zucker?
5. Soll ich das Fenster aufmachen? Ist es Ihnen zu kalt?

> 1. Gehen Sie am Samstagabend ins Kino oder (gehen Sie am Samstagabend) ins Theater?

6 请用 *denn, und, oder* 或 *aber* 将句子连接起来。

> Immer Position 0
> aber – und – denn – oder
> = AUDO

1. Ich gehe in die Stadt. Ich möchte einkaufen.

   _____

2. Ich möchte eine Hose kaufen. Ich möchte eine Bluse kaufen.

   _____

3. Die rote Bluse ist sehr schön. Sie ist zu teuer.

   _____

4. Soll ich die blaue nehmen? Soll ich die grüne nehmen?

   _____

5. Mir gefällt die blaue. Mir gefällt die grüne.

   _____

6. Leider kann ich nur eine Bluse kaufen. Ich habe nicht so viel Geld dabei.

   _____

Deshalb, sonst, dann, danach

副词连接主句 **Hauptsätze verbinden (Position 1)**

主句	主句 第一位	第二位 动词	第三位 主语	
Ich arbeite heute nicht.	Deshalb	habe	ich	viel Zeit für dich.
Komm zu mir.	Sonst	bin	ich	so allein.
Ich koche für uns.	Dann	gehen	wir	ins Kino.

deshalb, *sonst*, *dann* 和 *danach* 通常位于第一位。

deshalb	表结果	Ich brauche Geld. Deshalb arbeite ich.
sonst	否则	Ich brauche Geld, sonst kann ich nichts einkaufen.
dann/danach	表时间	Zuerst gehe ich einkaufen, dann koche ich.

1 请将有承接关系的两句话连接起来。

Mein Fernseher ist kaputt.	1 ○	○ A	Deshalb gehen wir ins Restaurant.
Meine Uhr ist kaputt.	2 ○	○ B	Deshalb musste ich mit dem Bus fahren.
Mein Herd ist kaputt.	3 ○	○ C	Deshalb gehen wir ins Kino.
Mein Auto ist kaputt.	4 ○	○ D	Deshalb bin ich zu spät gekommen.

2 请将有承接关系的两句话连接起来。

Kannst du mir bitte Geld geben,	1 ○	○ A	sonst kann ich mich nicht konzentrieren.
Geh doch bitte einkaufen,	2 ○	○ B	sonst haben wir heute Abend nichts zu essen.
Sei doch bitte ruhig,	3 ○	○ C	sonst verpasse ich den Bus.
Ich muss sofort gehen,	4 ○	○ D	sonst kann ich die Rechnung nicht bezahlen.

3 请将有承接关系的两句话连接起来。

Morgens trinkt er einen Kaffee.	1 ○	○ A	Dann geht er nach Hause.
Er fährt erst mit dem Bus.	2 ○	○ B	Danach geht er schlafen.
Nach der Arbeit kauft er ein.	3 ○	○ C	Danach geht er zur Arbeit.
Abends sieht er einen Krimi.	4 ○	○ D	Dann fährt er drei Stationen mit der U-Bahn.

4 请用给出的句子成分写出正确的句子。

1. Heute habe ich Geburtstag. Deshalb • meine Freunde • ich • eingeladen • habe • .
2. Wir wollen erst ins Restaurant gehen. Dann • in die Disko • wollen • gehen • wir • .
3. Ich brauche meine neuen Schuhe. Sonst • ich • nicht • tanzen • kann • .
4. Hoffentlich ist die Musik gut. Dann • wir • haben • viel Spaß • .
5. Wir wollen lange feiern. Deshalb • ich • morgen lange schlafen • möchte • .

5 请用 *deshalb, sonst* 或 *dann* 将句子连接起来。

1. Mein Kühlschrank ist leer. Ich muss einkaufen gehen.

   _____

2. Ich muss mich beeilen. Ich komme zu spät.

   _____

3. Kannst du mir dein Handy ausleihen? Ich kann meinem Mann nicht Bescheid sagen.

   _____

4. Lazaro muss heute lange arbeiten. Er kann nicht kommen.

   _____

5. Wir besichtigen die Stadt. Wir gehen essen.

   _____

6. Ich schreibe die E-Mail. Ich schicke die E-Mail ab.

   _____

7. Wir müssen einen Schirm mitnehmen. Wir werden nass.

   _____

8. Meine Tochter ist krank, sie kann heute leider nicht zur Schule kommen.

   _____

6 Eine E-Mail. 请用 *sonst, deshalb* 或 *danach* 填空。

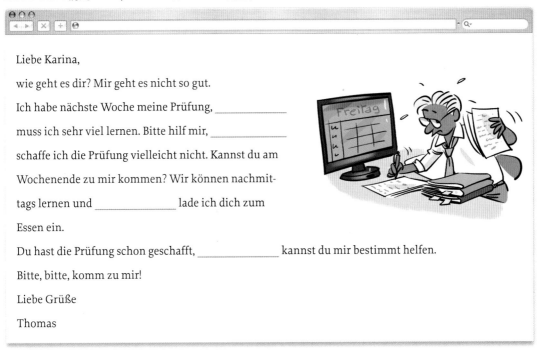

Liebe Karina,

wie geht es dir? Mir geht es nicht so gut.

Ich habe nächste Woche meine Prüfung, _____

muss ich sehr viel lernen. Bitte hilf mir, _____

schaffe ich die Prüfung vielleicht nicht. Kannst du am

Wochenende zu mir kommen? Wir können nachmit-

tags lernen und _____ lade ich dich zum

Essen ein.

Du hast die Prüfung schon geschafft, _____ kannst du mir bestimmt helfen.

Bitte, bitte, komm zu mir!

Liebe Grüße

Thomas

42 Weil, dass *und* wenn

从句 (Nebensätze) 🔊))) 42–45

		连词	主语		动词
Was?	Ich glaube,	dass	mein Freund	heute	kommt.
Wann?	Mein Freund ruft an,	wenn	er	am Bahnhof	ankommt.
Warum?	Ich gehe zum Bahnhof,	weil	ich	meinen Freund	abholen will.

从句中，变位的动词位于句末。
可分动词不分开，位于句末。

第一位	第二位	
Wenn er Zeit hat,	geht	er ins Theater.

如果句子以从句开头，则从句占第一位。
主句的变位动词紧接着从句占第二位（动词，动词）。

以 *wenn* 开头的从句常占第一位，以 *weil* 和 *dass* 开头的从句较少出现于第一位。

---

1 请用给出的句子成分写出正确的句子。

1. Ich glaube, • dass • er • geht • gerne • in die Disko • .
   Er geht in die Disko, • er • will • tanzen • weil • .
   Es macht ihm besonders viel Spaß, • seine Freunde • wenn • mitkommen • .
2. Er geht zum Arzt, • hat • Rückenschmerzen • er • weil • .
   Der Arzt sagt, • soll • machen • er • dass • Gymnastik • .
   Er kann auch ein Medikament nehmen, • die Schmerzen • sind • sehr stark • wenn • .

2 请用 *weil* 回答下列问题。

> Der Akku von meinem Handy ist leer. • Ich wollte nicht stören. •
> Ich musste so lange arbeiten. • Es ist so warm. • Sie sieht gerade fern.

1. Warum rufst du nicht an? _____

2. Warum kommst du so spät? _____

3. Warum öffnest du das Fenster? _____

4. Warum geht sie nicht ans Telefon? _____

5. Warum hast du nicht Bescheid gesagt? _____

3 **Susi kommt heute nicht in den Kurs.** 请用 *dass* 从句表达您的想法。

> ~~Sie ist krank.~~ • Sie hat keine Lust. • Ihr Kind ist krank. • Sie muss arbeiten. •
> Sie will lange schlafen. • Sie kauft ein. • Sie holt ihren Mann vom Flughafen ab. •
> Sie hat den Kurs vergessen. • Sie hat den Bus verpasst. • Sie ruht sich ein bisschen aus.

> *Ich glaube, dass sie krank ist. Ich denke, dass …*

4a **Was macht Marian, wenn …?** 请用 *wenn* 回答下列问题。

> ~~Die Sonne scheint.~~ • Er hat Urlaub. • Er trifft sich mit seiner Freundin. •
> Er muss länger arbeiten. • Er sieht gerade fern.

1. Wann geht er joggen?   *Er geht joggen, wenn die Sonne scheint.*

2. Wann schläft er lange?   _____

3. Wann zieht er sich schick an?   _____

4. Wann ärgert er sich?   _____

5. Wann darf man ihn nicht stören?   _____

4b 请将 **4a** 中的句子改写为以从句开头的句子。

> *1. Wenn die Sonne scheint, geht er joggen.*

5 请用 *wenn* 或 *wann* 填空。

> wann? = Fragewort
> wenn = Konjunktion

1. _____ sind Sie geboren? – Am 23.5.1992.

2. _____ ich morgen fit bin, können wir schwimmen gehen.

3. _____ kommst du? – Ich weiß noch nicht, vielleicht am Samstag, _____ ich Zeit habe.

4. _____ beginnt die Diskussion? – Wir müssen noch warten. _____ alle da sind, können wir

anfangen.

6 请用 *weil, dass* 或 *wenn* 填空。

Lieber Lukas,

wie geht's? Bei mir ist es wunderbar, _____ ich Urlaub
habe. Ich habe immer viel Stress, _____ ich arbeite. Und
jetzt: Ich schlafe lange, _____ kein Wecker klingelt. Ich
stehe erst dann auf, _____ ich Lust habe. Wie ist es bei dir?
Ich hoffe, _____ du auch bald Urlaub bekommst.
Ich möchte gerne mit dir zusammen nach Spanien fahren.
Denkst du, _____ das möglich ist?
Schreib mir bald.

Schöne Grüße,
Alex

dass,
weil,
wenn =
动词位于句末

43 Ich bin da. Kommst du auch dahin?

方位副词

(Positionsadverbien und Direktionaladverbien) 46

Wo?（在哪里？）

vorn(e), hinten, oben, unten, rechts, links

Wohin?（去哪里？）

nach vorn(e), nach hinten, nach oben, nach unten, nach rechts, nach links

(Nach) oben, (nach) unten, (nach) links, (nach) rechts, (nach) hinten, (nach) vorne 不是介词，可以独立使用，后面不加名词。

dort, da
Er ist in Berlin.

Da/Dort *(= in Berlin)* trifft er seine Familie.

dorthin, dahin
Ich fahre nach Berlin.

Ah, ich fahre auch dorthin *(= nach Berlin)*.

da 表时间：**Am Montag** kann ich nicht kommen, da *(= am Montag)* habe ich eine Prüfung.

---

1 请选择正确的副词填空。

oben • unten • rechts • links • hinten • vorne

_____ sind Berge.

_____ spielen Kinder.

_____ fliegt ein Ballon.

_____ ist ein See.

_____ ist ein Restaurant.

_____ ist ein Parkplatz.

2 请将动词按照所搭配的副词归类。

gehen • sein • kommen • laufen • fahren • stehen • bleiben • wohnen

nach oben _____

oben _____

3 请用正确的方位副词填空。

1. Er steht ___oben___

Er geht ___nach oben___

2. Er steht _____ .

Er geht _____ .

3. Sie ist _____ .

Sie geht _____ .

4. Er ist _____ .

Er kommt _____ .

4 请在必要处填上 *nach*。

1. Ich bin _____ oben auf dem Turm. Komm doch auch _____ oben.

2. Bitte, kommen Sie _____ vorne, dann können Sie besser sehen.

3. Wir wohnen im ersten Stock, _____ unten ist ein Supermarkt und _____ oben im 12. Stock wohnt

meine Freundin. Ich gehe oft _____ oben oder sie kommt zu uns _____ unten.

5 请用 *da/dort* 或 *dahin/dorthin* 填空。

(A2)

1. ◖ Möchten Sie im Juni mit uns nach Stockholm fliegen?

◖ Ja, ich möchte gerne mit Ihnen _____ fliegen. Denn ich war noch nicht _____ .

2. Morgen ist Flohmarkt. Gehst du auch _____ ?

3. Siehst du das alte Haus? _____ habe ich früher gewohnt.

6 请在括号中写出下列句子中的 *da* 所指代的对象。

(A2)

1. Kommst du im Juli nach Berlin? – Nein, da (= ___im Juli_____) habe ich keinen Urlaub.

2. Arbeitest du nächste Woche? – Nein, da (= _____) habe ich frei.

3. Ich habe im August Geburtstag. Da (= _____) möchte ich eine große Party machen.

4. Heute Abend kann ich nicht. Da (= _____) kommt Anna.

7 请参照例句标出 *da* 所指代的对象。

(A2)

1. ◖ Kommst du auch ins (Kino)?

◖ Nein, da war ich gestern schon.

2. ◖ Was ist am 23. März?

◖ Da ist Ostern.

3. ◖ Warst du schon einmal in Peru?

◖ Nein, da war ich noch nicht, aber ich möchte dorthin fahren.

◖ Fährst du im Mai mit uns nach Peru?

◖ Leider kann ich da nicht. Ich habe erst im Juli Urlaub.

Was heißt das denn?
小品词 **(Partikeln)**

A2

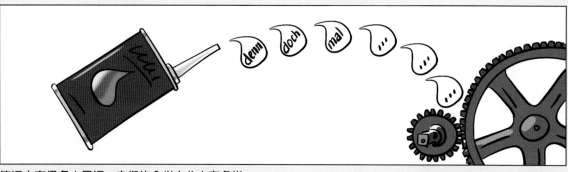

德语中有很多小品词，它们的含义十分丰富多样。
举三例如下：

denn	在问句中：使语气委婉，增加主观参与性	Was ist denn hier passiert?
doch	可以表达：我想，这你也是知道的，且我并不认为这样很好（责备）	Im Kino waren wir doch gestern. Ich möchte lieber in die Disko gehen.
doch (mal)	在命令式中：使要求更加委婉、礼貌	Probier doch (mal), es schmeckt lecker.
mal	在祈使句及陈述句中：使表达的强制性降低	Ich rufe dich an. (= Ich rufe dich bestimmt an.) Ich rufe dich mal an. (= Ich rufe dich vielleicht an, wenn ich Zeit und Lust habe.)

denn 和 *doch* 还有其他含义：

小品词 denn	Warum kommen Sie denn heute?
连词 denn	Morgen kann ich nicht, denn ich muss mein Auto zur Werkstatt bringen.

小品词 doch	Nehmen Sie doch noch ein Stück Kuchen, oder schmeckt er Ihnen nicht?
否定词 doch	Doch, er schmeckt wunderbar, ich nehme gerne noch ein Stück.

小品词不重读。

1　请大声朗读下列句子，注意重读下划线标出的词，不要重读小品词。

1. Wann <u>kommst</u> du denn?
2. Du kannst doch nicht mit <u>Flipflops</u> ins Theater gehen! Das <u>geht</u> doch nicht.
3. <u>Helfen</u> Sie doch bitte.
4. <u>Sag</u> doch mal, wa<u>rum</u> kommst du denn so <u>spät</u>?
5. Kannst du <u>nächste</u> Woche mal bei mir vor<u>bei</u>kommen?

2　请用括号标出下列句子中的小品词。

1. Was hast du (denn) da mitgebracht?
2. Kannst du mir das mal zeigen?
3. Ich hatte doch keine Ahnung, dass du keinen Käse magst.
4. ◖ Kennst du denn schon die neue Nachbarin?　　◖ Ja, ich habe schon mit ihr gesprochen.
5. Bring mir doch eine Zeitung mit.

3 请参照例句，选择与图片描述相符的形容词词组回答问题。

> zu spät • zu teuer • zu klein • zu alt

1. ◀ Ich komme um acht Uhr.

   ◀ Nein, das ist _doch viel zu spät_ !

2. ◀ Möchten Sie diese Erdbeeren?

   ◀ Nein, die sind _____ .

3. ◀ Sollen wir den Fernseher kaufen?

   ◀ Nein, der ist _____ .

4. ◀ Wie gefällt dir das Auto?

   ◀ Das ist _____ .

4 请在下列问句中加上 *denn*。

1. Wie war es im Urlaub? _Wie war es denn im Urlaub?_

2. Wie lange waren Sie in Brasilien? _____ ?

3. Wie heißt du? _____ ?

4. Wie lange sind Sie schon in Deutschland? _____ ?

5a 请在下列祈使句中加上 *doch*。

1. Machen Sie bitte das Fenster auf. _Machen Sie doch bitte das Fenster auf._

2. Nehmen Sie noch ein Stück Kuchen. _____ .

3. Schreibt bitte eure Adresse auf. _____ .

4. Geh joggen. _____ .

5b 请在下列祈使句中加上 *mal*。

1. Ruf an. _Ruf mal an._

2. Probier die Suppe. _____ .

3. Kommen Sie ins Sekretariat. _____ .

4. Geht ins Kino. _____ .

6 请判断下列 *doch* 和 *denn* 是什么词类（小品词，否定词还是连词）。

1. ◀ Beruhige dich doch (= _小品词_), es ist doch (= _____) nichts passiert.

   ◀ Doch (= _否定词_), guck mal, das Kleid ist kaputt!

2. ◀ Wie geht's dir denn (= _____), Daniel?

   ◀ Wunderbar, ich kann lange schlafen, denn (= _____) wir haben Ferien.

3. Komm doch (= _____) morgen vorbei, dann können wir zusammen einen Kaffee trinken.

4. ◀ Wo warst du denn (= _____) gestern? Du wolltest doch (= _____) zu mir kommen.

   ◀ Ich konnte nicht, denn (= _____) meine Tante ist gekommen.

   ◀ Kannst du dann heute auch nicht kommen?

   ◀ Doch (= _____), meine Tante ist schon wieder weg.

请和搭档共同完成。
A使用第108页，B使用第109页。
红色: 请根据给出的句子成分提问和回答。
灰色: 请纠正对方的表达。

例:

Warum • er • bis 14 Uhr • schlafen?
提问:

> *Warum schläft er bis 14 Uhr?*

Emil *Marianne* *Anette*

	weil	wenn	dass
Emil	Warum • er • bis 14 Uhr • schlafen? Weil er auf einer Party war.	Was macht er, wenn er auf einer Party ist? Er • tanzen • lachen • und trinken.	Was • über Partys • er • denken? Er denkt, dass eine Party immer super ist.
Marianne	Warum steht sie um 7 Uhr auf? Weil • arbeiten • sie • müssen.	Was macht sie, wenn • müde • sein • sie? Sie trinkt fünf Espresso.	Was denkt sie über ihre Arbeit? Sie denkt, dass • die Arbeit • beginnen • zu früh.
Anette	Warum • sie • jeden Tag • drei Stunden • spazieren gehen? Weil sie einen Hund hat.	Was macht sie, wenn sie nervös ist? Sie • mit dem Hund • spazieren gehen.	Was • über Tiere • sie • denken? Sie denkt, dass Tiere besser als Menschen sind.
Carola und Norbert	Warum tanzen sie auf dem Tisch? Weil • im Lotto • sie • gewonnen • haben.	Was machen sie, wenn • sie • eine Million Euro • haben? Sie machen eine Weltreise.	Was denken sie über Geld? Sie denken, dass • Geld • manchmal • glücklich machen.
Jenny 4 Jahre alt	Warum • sie • das Mittagessen • nicht essen? Weil sie vorher sechs große Eis gegessen hat.	Was macht sie, wenn sie ins Bett gehen muss? Sie • protestieren • weinen • fernsehen möchten.	Was • sie • denken • über ihre Mama? Sie denkt, dass ihre Mama lieb, aber zu streng ist.
Jonas	Warum steht er jeden Tag acht Stunden vor dem Spiegel? Weil • Frisör • sein • er.	Was macht er, wenn • mit der Arbeit • er • aufhören? Er geht zum Frisör oder einkaufen.	Was denkt er über das Leben? Er denkt, dass • das Leben • Spaß machen • müssen.

Carola und Norbert *Jenny* *Jonas*

请和搭档共同完成。
A使用第108页，B使用第109页。
红色: 请根据给出的句子成分提问和回答。
灰色: 请纠正对方的表达。

例:

Warum schläft er bis 14 Uhr?

weil · er · war · auf einer Party

据此校正搭档的答案，如果正确，回答:

> *Weil er auf einer Party war.*

Emil · *Marianne* · *Anette*

	weil	wenn	dass
Emil	Warum schläft er bis 14 Uhr? Weil · er · war · auf einer Party.	Was macht er, wenn · auf einer Party · er · sein? Er tanzt, lacht und trinkt.	Was denkt er über Partys? Er denkt, dass · eine Party · immer super · sein.
Marianne	Warum · sie · um 7 Uhr · aufstehen? Weil sie arbeiten muss.	Was macht sie, wenn sie müde ist? Sie · fünf Espresso · trinken.	Was · sie · über ihre Arbeit · denken? Sie denkt, dass die Arbeit zu früh beginnt.
Anette	Warum geht sie jeden Tag drei Stunden spazieren? Weil · einen Hund · sie · haben.	Was macht sie, wenn · sie · nervös · sein? Sie geht mit dem Hund spazieren.	Was denkt sie über Tiere? Sie denkt, dass · Tiere · besser als Menschen · sein.
Carola und Norbert	Warum · auf dem Tisch · sie · tanzen? Weil sie im Lotto gewonnen haben.	Was machen sie, wenn sie eine Million Euro haben? Sie · eine Weltreise · machen.	Was · über Geld · sie · denken? Sie denken, dass Geld manchmal glücklich macht.
Jenny 4 Jahre alt	Warum isst sie das Mittagessen nicht? Weil · vorher · sechs große Eis · sie · hat · gegessen.	Was macht sie, wenn · ins Bett · sie · gehen · müssen? Sie protestiert, weint, möchte fernsehen.	Was denkt sie über ihre Mama? Sie denkt, dass · ihre Mama · sein · lieb, aber zu streng.
Jonas	Warum · er · jeden Tag · 8 Stunden · vor dem Spiegel · stehen? Weil er Frisör ist.	Was macht er, wenn er mit der Arbeit aufhört? Er · zum Frisör · oder einkaufen · gehen.	Was · denken · über das Leben · er? Er denkt, dass das Leben Spaß machen muss.

Carola und Norbert · *Jenny* · *Jonas*

45 Kinderarzt oder Arztkinder?
复合词 (Komposita)

der Schirm

der Regen

der Regenschirm

die Kinder

der Kinderschirm

die Sonne

der Sonnenschirm

词1	+ 词2	= 词3
der Kaffee	+ die Tasse	= die Kaffeetasse

词2是基本词，词1是限定词。
复合词的词性由最后一个词决定。

复合词的重音一般在词1上：die Kaffeetasse

⚠ 有时词1和词2间需加上连接音 n (Familienname) 或 s (Sonntagszeitung)。

在德语中可以将多个词连在一起构成复合词。如：
die Kinder (Pl.) + der Garten + die Tasche = die Kindergartentasche

---

1 请写出复合词。

1. der Käse + der Kuchen = _der Käsekuchen_

2. die Kinder + der Arzt = _____

3. der Tisch + das Bein = _____

4. das Haar + die Farbe = _____

5. der Lehrer + das Zimmer = _____

6. das Haus + die Nummer = _____

7. der Fuß + der Ball + der Platz = _____

8. das Haus + die Tür + der Schlüssel = _____

2 请写出复合词，别忘记在词1和词2之间加上连接音 n。

1. die Straße + der Name = _____

2. die Toilette + die Brille = _____

3. die Dame + der Schuh = _____

3 请写出复合词，别忘记在词1和词2之间加上连接音 s。

1. die Zeitung + der Kiosk = _____

2. der Vertrag + der Partner = _____

3. die Übernachtung + der Preis = _____

4. die Geburt + der Tag = _____

4 请将以下复合词中表示食物的名词用下划线标出。

der <u>Kopf</u>salat   der Suppenteller   das Pausenbrot   das Fischgeschäft   die Frühstückspause

die Frühlingssuppe   der Pfannkuchen   der Apfelbaum   der Blattsalat   die Butterdose

das Wachtelei   das Hähnchenfleisch   das Dosengemüse   das Gartenobst   der Obstgarten

5 请用下列词汇写出复合词。

die Tasche(+n) + die Lampe = die Taschenlampe

der Ball

die Uhr

die Lampe(n)

das Telefon

der Regen

die Sonne(n)

die Hand

das Buch

der Fuß

der Schirm

die Tasche(n)

Nicht alle *Arztkinder* **werden** *Kinderarzt.*

6 请找到与图对应的名词。

- A Handtuch
- B Betttuch
- C Kopftuch
- D Halstuch
- E Taschentuch
- F Duschtuch
- G Tischtuch

-chen, -lein, -er, -in, -ung
派生词和词类转换 (Aus Wörtern neue Wörter machen)

名词 + -chen, -lein	后缀 -chen 和 -lein 可以让名词变 "小" （小化词）。 一律为中性， 单复数同形。 元音往往需要变音。	das Haus – das Häuschen das Haus – das Häuslein
动词词根 + -er	男性 机器/设备 一律为阳性， 单复数同形。 元音往往需要变音。	Fußball spielen – der Fußballspieler rechnen – der Taschenrechner
国名 + -er	拥有某国国籍的男性 元音往往需要变音	das Ausland – der Ausländer die Schweiz – der Schweizer
男性 + -in	女性 一律为阴性， 复数词尾 -nen。	der Ausländer – die Ausländerin der Physiker – die Physikerin der Pole – die Polin ⚠ der Deutsche – die Deutsche der Gast (hat keine weibliche Form)
动词词根 + -ung	阴性名词 复数词尾一律为 -en。	einladen – die Einladung sich verspäten – die Verspätung
动词不定式作名词	一律为中性。 没有复数。 常常以零冠词的形式出现，或与介词连用。	tanzen – das Tanzen Ich finde Tanzen toll. Beim Tanzen bin ich glücklich. Zum Tanzen brauche ich gute Musik.

---

1 请写出以下名词的 "小化" 的形式，用 -chen 做后缀并在必要时变音。

1. die Stadt – *das Städtchen*　　**3.** das Kleid – _____　　**5.** der Finger – _____

2. der Baum – _____　　**4.** der Hund – _____　　**6.** das Kind – _____

2 请将下列名词按性别归类，并写出它们的单复数形式。

> Ausländerinnen • Piloten • Mathematiker • Verkäuferin • Studenten • Studentin • Freunde • Freundin

Frauen	*Männer*
die Ausländerin, –nen	*der Pilot, –en*

3 请写出相应的设备名称。

1. Mit dem Apparat kann man fernsehen: Das ist ein _____.

2. Mit dem Apparat kann man Reis kochen: Das ist ein _____.

3. Mit dem Apparat kann man Wäsche trocknen: Das ist ein _____.

4 请用下列动词构成以 *-ung* 结尾的名词并加上冠词。

1. lösen – _____

2. wohnen – _____

3. meinen – _____

4. vorbereiten – _____

5. erinnern – _____

6. erklären – _____

5 选词填空。

1. erklären • die Erklärung

   Die _____ von Herrn Schmidt habe ich nicht verstanden. Herr Müller kann viel besser

   _____ , bei ihm verstehe ich immer alles.

2. wohnen • die Wohnung

   Wo _____ Sie? – In der Hauptstraße 3, unsere _____ liegt im 3. Stock.

3. lösen • die Lösung

   Ich kann die Aufgabe nicht _____ . Guck doch mal hinten im Buch auf Seite 118, da steht

   die _____ .

6 **Was machen Sie im Unterricht gerne, was können Sie gut?** 请选择合适的动词并用其名词化不定式形式
填空。

> ~~hören~~ • lesen • sprechen • schreiben

1. Ich mag gerne CDs. _Das Hören_ finde ich am besten.

2. Ich bin sehr kommunikativ und spreche gerne mit anderen Leuten. _____ finde ich leicht.

3. Ich möchte gerne deutsche Zeitungen lesen. Deshalb ist _____ für mich wichtig.

4. Ich brauche ein bisschen Zeit und arbeite gerne alleine. Deshalb gefällt mir _____ am besten.

7 请选择正确的名词填空。

> ~~Lesen~~ • Fernsehen • Einkaufen • Duschen • Schreiben • Joggen

1. Zum _Lesen_ brauche ich eine Brille.

2. Zum _____ brauche ich das Auto.

3. Beim _____ esse ich Popcorn.

4. Beim _____ singe ich.

5. Beim _____ höre ich Musik.

6. Zum _____ nehme ich einen Stift.

47 Ich bin dann mal weg
复合动词 (Zusammengesetzte Verben)

aus sein
(= ausgeschaltet sein) **an sein**
(= eingeschaltet sein)

Der Fernseher ist aus. Der Fernseher ist an.

zu sein
(= geschlossen sein) **auf sein**
(= geöffnet sein)

Die Tür ist zu. Die Tür ist auf.

da sein
(= anwesend sein) **weg sein**
(= verschwunden sein)

Das Geld ist da. Das Geld ist weg.

dafür sein
(= einverstanden sein,
etwas gut finden) **dagegen sein**
(= nicht einverstanden sein,
etwas nicht gut finden)

Ich bin dafür. Ich bin dagegen.

los sein	(= 有活动)	Abends ist hier viel los.
dabeihaben	(= 带在身边)	Haben Sie die Dokumente dabei?
anhaben	(= 穿在身上)	Du hast eine schöne Jacke an.

这类动词常用于口语，书面语中并不常见。

	第二位		句末
Die Tür	ist	schon wieder	auf.
Ich	habe	alle Dokumente	dabei.

---

1 请用 *auf, an, zu* 或 *aus* 填空。

1. Ich schalte das Radio ein. Jetzt ist es _____.

2. Er schaltet das Radio wieder aus. Jetzt ist es _____.

3. Er öffnet die Tür. Jetzt ist sie _____.

4. Sie schließt das Fenster. Jetzt ist es _____.

2 请用 *da* 或 *weg* 填空。

1. Nein, das darf doch nicht wahr sein! Mein Auto ist _____. Ich gehe sofort zur Polizei.

2. Hallo, Ulrike. Klaus ist wieder _____. Er ist gestern Abend aus dem Urlaub zurückgekommen.

3. Ich verliere alles. Mein Schlüssel ist wieder _____, ich habe ihn in meiner Jackentasche gefunden.

   Aber jetzt ist mein Handy _____! Wo kann es nur sein?

3 请用 *dafür* 或 *dagegen* 填空。

1. ◖ Sollen wir ins Kino gehen? ◖ Ja, ich bin _____.

2. ◖ Bist du für oder gegen nukleare Energie? ◖ Ich finde das zu gefährlich, ich bin _____.

3. ◖ Sollen wir ein Geschenk für Lukas und Merle kaufen? ◖ Ja, ich bin _____.

4 请用 *nichts los* 或 *viel los* 填空。

1. Ich wohne in einem kleinen Dorf. Am Wochenende ist hier _____.

2. Im Urlaub war es toll. Jeden Abend war Disko! Es war immer _____.

3. Berlin ist die Hauptstadt. Da gibt es viele Angebote. Es ist immer _____.

4. Im Sommer sind hier viele Touristen. Aber im Winter ist hier _____.

5 请用 *an* 或 *dabei* 填空。

1. Er hat heute sein Handy nicht _____. Es liegt hier auf dem Tisch.

2. Er hat eine schicke Hose _____. Er sieht gut aus.

3. Haben Sie Ihren Pass _____? Dann können Sie sofort den Antrag stellen.

4. Stell dir vor, sie hatte in der Oper eine Jeans _____!

6 请选择正确的词填空。

auf • aus • weg • los • zu • an • dabei • dagegen

1. Heute Abend ist hier nichts _____.

2. Tut mir leid, das Buch habe ich nicht _____.

3. Es ist eiskalt! Warum ist denn schon wieder das Fenster _____.

4. Das ist Pech. Das Geschäft hat Mittwochnachmittag immer _____.

5. ◖ Sollen wir uns ein neues Auto kaufen? ◖ Nein, ich bin _____, das ist zu teuer.

6. Meine Tasche ist _____! Das ist ärgerlich. Alle meine Dokumente sind in der Tasche.

7. Es ist zu dunkel. Das Licht ist _____. Mach es doch bitte an.

8. Was hast du denn _____? Die Hose sieht unmöglich aus!

7 请参照例句改写下列句子。
1. Luise trägt ein rotes Kleid.
2. Was ist passiert?
3. Läuft der Fernseher?
4. Sie hat die Augen geschlossen.
5. War Helmi gestern im Kurs?
6. Hast du das Buch mitgebracht?
7. Das Licht ist nicht eingeschaltet.

1. Luise hat ein rotes Kleid an.

48 Der, die *oder* das?
名词的性的规律 (Genusregeln)

der (阳性):	酒、含酒精饮料	der Gin, der Wodka ⚠ das Bier
	汽车品牌	der BMW, der Honda ⚠ das Auto
	时间段	der Tag, der Monat, der Januar, der Mittwoch, der Frühling ⚠ die Woche, das Jahr, die Nacht
	天气	der Regen, der Schnee ⚠ das Gewitter, die Sonne
die (阴性):	以 *-eit* 结尾	die Krankheit, die Höflichkeit
	以 *-ung* 结尾	die Ausbildung, die Beratung
	以 *-ion* 结尾	die Rezeption, die Information
	以 *-in* 结尾	die Lehrerin, die Freundin
	机动车品牌	die Kawasaki, die BMW
	以 *-e* 结尾 (80 %)	die Tasche, die Batterie ⚠ der Name, der Buch- stabe, das Auge, das Ende 以及所有男性及雄性 动物名词 (der Junge, der Hase)
das (中性):	以 *-chen* 结尾	das Mädchen, das Brötchen
	以 *-lein* 结尾	das Äuglein, das Brötlein
	以 *-o* 结尾	das Kino ⚠ die Disko
	以 *Ge-* 开头 (90 %)	das Gemüse, das Gesicht ⚠ die Gesundheit, die Gebühr

---

1 请将下列名词归类。

> Schönheit · Emotion · Opel · Büro · Frühling · Fähnchen · Ferrari · Häuschen · Gefühl · Liebe ·
> Tequila · Konzentration · Häuflein · Abteilung · Farbe · Schnee · Herbst · Arbeiterin

der	*die*	*das*

2 请用 *der, die* 或 *das* 填空。

1. _____ Freitag, August, Sommer, Morgen

2. _____ Hähnchen, Fräulein, Brötchen, Lädchen

3. _____ Wein, Rum, Martini, Sekt

4. _____ Portion, Kreuzung , Variation, Mitteilung

5. _____ Reise, Nase, Sahne, Küche

6. _____ Wind, Schnee, Hurrikan, Sturm

3 请写出以下名词的冠词，并在括号里写出判断依据。

1. *das* Geschäft (以 Ge-开头 _____)
2. ____ Funktion (_____)
3. ____ Wind (_____)
4. ____ Männlein (_____)
5. ____ Entschuldigung (_____)
6. ____ Monat (_____)
7. ____ Mercedes (_____)
8. ____ Feindin (_____)
9. ____ Vase (_____)
10. ____ Freiheit (_____)
11. ____ Fläschchen (_____)
12. ____ Yamaha (_____)
13. ____ Rum (_____)
14. ____ Konto (_____)

4 请写出以下名词的单数形式及冠词。

1. die Ausstellungen – *die Ausstellung* _____
2. die Päckchen – _____
3. die Portionen – _____
4. die Nachbarinnen – _____
5. die Kawasakis – _____
6. die Geschenke – _____
7. die Lampen – _____
8. die Radios – _____
9. die Kindlein – _____
10. die Möglichkeiten – _____
11. die Mitsubishis – _____
12. die Monate – _____

5 请写出下列名词的冠词并标出每组中的例外。

1. *der* Rotwein
   der Champagner
   ⚠ *das* Bier
   der Schnaps

2. ____ Abend
   ____ Nacht
   ____ Tag
   ____ Monat

3. ____ Wärme
   ____ Rosine
   ____ Name
   ____ Rose

4. ____ Auto
   ____ Ford
   ____ Trabant
   ____ Renault

5. ____ Gepäck
   ____ Gericht
   ____ Geschichte
   ____ Geschirr

6. ____ Herbst
   ____ Woche
   ____ Nachmittag
   ____ Winter

7. ____ Schnee
   ____ Wind
   ____ Gewitter
   ____ Regen

8. ____ Kino
   ____ Foto
   ____ Radio
   ____ Disko

117

Er kam, sah und sagte

过去时 (Präteritum) 🔊)) 48–59

> *Es waren einmal zwei Geschwister.*
> *Sie hießen Hänsel und Gretel.*
> *Ihre Eltern arbeiteten im Wald ...*

	规则动词	不规则动词
ich	sagte	kam
du	sagtest	kamst
er/sie/es/man	sagte	kam
wir	sagten	kamen
ihr	sagtet	kamt
sie/Sie	sagten	kamen

⚠ denken – dachte
   bringen – brachte
   nennen – nannte
   wissen – wusste

⚠ *baden – bad̲ete, arbeiten – arbeit̲ete*

不规则动词请见214页起的不规则动词变位表，这些动词需要记忆。

过去时一般用于书面记叙过去（口语、书信或 email 中用的是现在完成时）。
⚠ 情态动词 *sein* 和 *haben* 基本只用过去时（参见第23、27和28章）；
wusste, fand, es ging, es gab 在口语中也经常以过去时的形式出现。

---

1   请写出下列动词的不定式形式。

traf – *treffen*   gewann – _____   lief – _____

blieb – _____   fuhr – _____   schlief – _____

zog an – _____   kam – _____   dachte – _____

hieß – _____   fing an – _____   brachte mit – _____

ging – _____   verlor – _____   wusch – _____

2   请用括号中规则动词的过去时形式填空。

Ein Mann und eine Frau _____ (*lieben*) sich und _____ (*heiraten*). Sie _____

(*leben*) in einer kleinen Wohnung. Die Frau _____ (*arbeiten*) sehr viel und ihr Mann _____

(*freuen*) sich und _____ (*einkaufen*). Die Frau _____ (*verdienen*) mehr Geld und sie _____

(*kaufen*) ein Haus, aber der Mann _____ (*suchen*) eine Villa. Die Frau _____ (*verkaufen*) ihren

Mercedes, aber der Mann _____ (*wünschen*) sich ein schönes Auto und ein noch größeres Haus.

Da _____ (*suchen*) sich die Frau einen sparsamen Mann.

3 请用括号中不规则动词的过去时形式填空。

Mit zwölf _____ (*bekommen*) ich zum Geburtstag einen Hund. Da _____ (*beginnen*) eine

glückliche Zeit. Ich _____ (*verbringen*) jede freie Minute mit dem Hund und _____ (*gehen*)

täglich mit ihm spazieren. In der Nacht _____ (*liegen*) er in meinem Zimmer und _____

(*schlafen*) neben meinem Bett. Es _____ (*geben*) nichts Schöneres für mich!

4 **Aus der Zeitung.** 请用括号中动词的过去时形式填空。

5-Jähriger stiehlt Auto seines Vaters

Am Sonntagmorgen _____ der 5-jährige Kevin M. _____ (*aufstehen*), als seine Eltern

noch _____ (*schlafen*). Er _____ (*finden*) die Autoschlüssel und _____ (*setzen**)

sich in den Golf seines Vaters. Das Kind _____ (*starten**) das Auto und _____ (*fahren*)

vier Kilometer weit bis ins nächste Dorf. Dort _____ (*bleiben*) es an einem kleinen Berg

stehen. Eine Frau _____ (*finden*) den Jungen und _____ (*rufen*) die Polizei. Als die

Polizisten das Kind nach Hause _____ (*bringen*), _____ (*schlafen*) die Eltern noch

immer.

5 **Das Märchen vom Aschenputtel.** 请用括号中动词的过去时形式填空。

Es _____ (*sein*) einmal ein Mädchen. Es _____ (*heißen*)

Aschenputtel. Seine Mutter _____ (*sein*) tot. Sein Vater

_____ (*heiraten**) eine neue, böse Frau. Die Frau _____

zwei böse Töchter _____ (*mitbringen*). Aschenputtel _____

(*müssen*) viel arbeiten. Aschenputtel _____ (*kochen**),

_____ (*waschen*) und _____ (*putzen**). Eines Tages

_____ (*geben*) es ein großes Fest beim Prinzen. Aschenputtel

_____ (*gehen*) heimlich auf das Fest. Der Prinz _____

(*tanzen**) mit Aschenputtel. Er _____ (*verlieben**) sich in

Aschenputtel. In der Nacht _____ (*laufen*) Aschenputtel

schnell weg. Sie _____ (*verlieren*) einen Schuh. Der Prinz

_____ (*wollen*) Aschenputtel heiraten. Er _____ (*haben*) den

Schuh und _____ (*suchen**) Aschenputtel. Die bösen

Schwestern _____ (*sagen**): „Ich habe gestern mit Ihnen

getanzt, werter Prinz". Aber der Schuh _____ (*passen**)

ihnen nicht. Der Schuh _____ (*passen**) Aschenputtel.

Der Prinz und Aschenputtel _____ (*leben**) glücklich bis

zum Ende.

*规则动词

119

Ich hatte zu lange geschlafen

过去完成时 (Plusquamperfekt)

> Ich bin zu spät gekommen, denn ich hatte zu lange geschlafen. Da war der Zug schon abgefahren.

Der Zug war schon abgefahren.

过去完成时

Ich bin zu spät gekommen.

现在完成时，过去时

现在完成时	过去完成时
Der Zug ist schon abgefahren.	Der Zug war schon abgefahren.
Ich habe zu lange geschlafen.	Ich hatte zu lange geschlafen.

词序

	第二位 **sein** 或 **haben** 的过去时		句末 过去分词
Der Zug	war	schon	abgefahren.
Ich	hatte	zu lange	geschlafen.

过去完成时由助动词 *sein* 或 *haben* 的过去时加上实义动词的过去分词构成，常用于 *nachdem* 后的从句中（参见第73章）。

过去完成时只和过去时同时出现：

Ich hatte vorgestern gerade die Treppe geputzt, da kamen die Kinder mit schmutzigen Schuhen ins Haus.

现在完成时中需用 *sein* 做助动词的情况同样适用于过去完成时（参见第25章）。

---

1 请用下列动词的过去完成时造句。

1. ich • machen
2. er • fahren
3. wir • geben
4. Sie • verlieren
5. ihr • gehen
6. sie (Pl.) • arbeiten
7. sie (Sg.) • vergessen
8. du • bringen
9. es • bleiben

2 请将有承接关系的两句话连线，并用下划线标出过去完成时。

Sie ist zu spät aufgestanden. 1 ○   ○ A Der Wecker hat nicht geklingelt.

Sie hatte vergessen, den Wecker anzustellen. 2 ○   ○ B Sie war am Tag vorher nicht einkaufen gegangen.

Das Portemonnaie war unter den Schrank gefallen. 3 ○   ○ C Der Wecker hatte nicht geklingelt.

Sie hatte nichts zu essen zum Frühstück. 4 ○   ○ D Sie hat ihr Portemonnaie wiedergefunden.

3 请选择下列句子成分，写成合适的过去完成时句子填在横线上。

die ganze Nacht • feiern

alle • mithelfen

sich sehr gut • vorbereiten

den Anfang • verpassen

seine Freunde • wegfahren

Rotwein • über das Kleid • schütten • er

Er war traurig. _____

Er hat die Prüfung bestanden. _____

Die Arbeit war fertig. _____

Ich war müde. _____

Sie hat den Film nicht richtig verstanden. _____

Sie war stinksauer. _____

4a **Der Umzug.** 请参照例句将下列句子成分写成现在完成时和过去完成时句子。

1. eine neue Wohnung finden • das Umzugsunternehmen bestellen
2. das Umzugsunternehmen bestellen • alle Sachen in Kisten einpacken
3. alle Sachen in Kisten einpacken • die Kisten und Möbel in das Umzugsauto tragen
4. alles in das Umzugsauto einladen • zur neuen Wohnung fahren
5. an der neuen Wohnung ankommen • alles in die Wohnung tragen
6. alles in die Wohnung tragen • alle Helfer zum Essen einladen

> 1. Wir hatten eine neue Wohnung gefunden. Wir haben das Umzugsunternehmen bestellt.

4b 请将 4a 中的句子用 *nachdem* 连接起来。

5 现在完成时还是过去完成时？请用 *sein* 和 *haben* 的正确形式填空。

1. Ich _____ zu spät gekommen, sie _____ schon weggegangen. Ich _____ mich total geärgert, denn ich

   _____ mich beeilt. Ich _____ sogar über eine rote Ampel gefahren.

2. Nachdem er sein Abitur gemacht _____, _____ er zum Studium nach Berlin gegangen und _____ dort

   seine jetzige Frau kennengelernt. Sie _____ drei Jahre vorher aus Russland nach Berlin gekommen und

   _____ eine Woche vorher in Berlin ihre Ausbildung als Krankenschwester beendet.

3. Er _____ seine Mails gerade fertig geschrieben, als sein Kollege ihn gefragt _____, ob er mit in die

   Kantine gehen wollte. Nachdem sie gegessen _____, _____ sie noch einen Kaffee getrunken.

6a 请按时间顺序将相对应的部分连接起来。

auf den Wecker sehen	1 ○	○ A	dem Taxifahrer ein Extra-Trinkgeld geben
einen schnellen Kaffee trinken	2 ○	○ B	ein Taxi rufen
lange auf den Bus warten	3 ○	○ C	schnell aufstehen
das Taxi endlich kommen	4 ○	○ D	den Mantel anziehen und die Arbeitstasche nehmen
über mehrere rote Ampeln fahren	5 ○	○ E	merken, dass Sonntag ist
Taxifahrer wieder wegfahren	6 ○	○ F	schnell zur Firma kommen

6b 请以 *ich* 作主语将上题写成完整的句子，需用 *nachdem* 连接两个事件，并使用现在完成时和过去完成时。

Ich wasche mir die Hände
反身代词的第三格形式
(Reflexivpronomen im Dativ) 🔊⟩⟩ 60

Ich wasche mich.

Ich wasche mir die Hände.

当句子里有第四格宾语时，反身代词以第三格形式出现。

反身代词

	第四格	第三格
ich	mich	mir
du	dich	dir
er/sie/es/man	sich	sich
wir	uns	uns
ihr	euch	euch
sie/Sie	sich	sich

有些动词的反身代词始终是第三格（因为这类动词需支配第四格或者从句）。如：*sich etwas kaufen, sich etwas wünschen, sich etwas aussuchen, sich etwas vorstellen, sich etwas vornehmen*.

---

1 请填上正确的反身代词。

1. Ich kämme _____.   Ich kämme _____ die Haare.

2. Zieh _____ doch bitte an.   Zieh _____ doch einen Mantel an.

3. Er wäscht _____.   Er wäscht _____ das Gesicht.

4. Katzen putzen _____ häufig.   Katzen putzen _____ häufig die Ohren.

5. Wasch _____.   Wasch _____ die Hände.

6. Wir ziehen _____ aus.   Wir ziehen _____ die Jacke aus.

7. Vorsicht, schneidet _____ nicht!   Schneidet _____ die Fingernägel vorsichtig.

8. Beim Sport habe ich _____ verletzt.   Beim Sport habe ich _____ die Hand verletzt.

2 请将相对应的部分连接起来。

Ich kaufe	1 ○	○ A	mir die Hand verletzt.
Warum wünschst du	2 ○	○ B	mir nicht vorstellen, dass immer die Sonne scheint.
Letztes Jahr habe ich	3 ○	○ C	dir immer zu viel vor.
Such	4 ○	○ D	mir bald ein neues Auto.
Ich kann	5 ○	○ E	dir aus, was du haben willst.
Du nimmst	6 ○	○ F	dir schon wieder ein neues Handy?

3 请将以下各句中的第四格宾语标出。

1. Hast du dir schon eine Zeitung gekauft?
2. Beim Volleyball hat er sich den Finger gebrochen.
3. Warum machst du dir Sorgen?
4. Bei uns zu Hause ziehen wir uns immer die Schuhe aus.
5. Er wünscht sich zum Geburtstag ein neues Fahrrad.
6. Was wünscht er sich zum Geburtstag?

4a 请用下划线标出反身代词，并判断其是**第三格**还是**第四格**。

1. Er wünscht sich ein Pferd.
2. Er hat sich geschnitten.
3. Er kauft sich einen BMW.
4. Er macht sich keine Sorgen.
5. Er unterhält sich gut auf der Party.
6. Er lässt sich für ein paar Tage krankschreiben.
7. Er nimmt sich immer viele Dinge vor.
8. Er kann sich nicht vorstellen, dass es bald Sommer wird.

4b 请参照例句将 4a 中的句子改写成 ich 作主语的句子。

> 1. Ich wünsche mir auch ein Pferd.

5 *sich vorstellen* 还是 *sich etwas vorstellen*？请用正确的反身代词填空。

1. Guten Tag, ich möchte _____ erst einmal vorstellen: Mein Name ist Meier.
2. Ich war noch nie in den Alpen. Ich kann _____ nicht vorstellen, wie die Leute dort leben.
3. Stell _____ vor, gestern war das totale Chaos in der Stadt.
4. Soll ich _____ vorstellen, oder machst du das lieber selbst?

> ich stelle mich vor =
> ich sage meinen Namen
>
> ich stelle mir etwas vor =
> ich habe eine Idee von etwas

6 请用给出的句子成分写出正确的句子。

1. sich Sorgen machen: wir · um unsere Tochter
2. sich machen lassen: sie · eine neue Frisur
3. sich bestätigen lassen: ich · den Termin
4. sich ausstellen lassen: ich · einen internationalen Führerschein
5. sich genau durchlesen sollen: man · einen Vertrag · immer
6. sich krankmelden müssen: man · schon am ersten Tag
7. sich die Hände waschen müssen: Krankenschwestern · häufig

7 请填上正确的反身代词。

1. Erinnert ihr _____ an die letzte Party?
2. Klar, ich hatte _____ so gut vorbereitet. Ich hatte _____ schick gemacht, ich hatte _____ die Fingernägel knallrot lackiert und hatte _____ eine tolle Frisur gemacht.
3. Und dann habe ich _____ verlaufen und bin zu spät gekommen.
4. Als ich um elf Uhr ankam, hast du _____ gerade so gut mit Laura unterhalten.
5. Inka und Tamara haben _____ über die Musik gestritten.
6. Ich habe _____ Sorgen gemacht, dass sie schlechte Laune bekommen.
7. Aber sie haben _____ dann entschuldigt und haben zusammen zu der Musik getanzt.
8. Benno hat _____ in Anna-Maria verliebt und hat _____ den ganzen Abend nicht mehr von ihr getrennt.
9. Ich kann _____ vorstellen, wie glücklich die beiden waren.
10. Wir haben _____ wirklich gut amüsiert.

只有第一人称和第二人称单数的反身代词存在第三格和第四格不同形的现象。

123

52 Kaufe ich ein oder bestelle ich Pizza?
可分动词与不可分动词
(Trennbare und untrennbare Verben)

这些前缀均为不可分前缀：

	可分动词	不可分动词
现在时	Ich kaufe heute Essen ein.	Ich bestelle heute Pizza.
现在完成时	Ich habe gestern eingekauft.	Ich habe gestern Pizza bestellt.
过去时	Ich kaufte gestern ein.	Ich bestellte auch gestern Pizza.
与情态动词连用	Ich möchte heute einkaufen.	Ich möchte heute Pizza bestellen.
在从句中	Ich habe keine Zeit, weil ich heute einkaufe.	Ich habe viel Zeit, weil ich heute Pizza bestelle.
带 *zu* 不定式	Ich habe Zeit, heute einzukaufen.	Ich habe Lust, Pizza zu bestellen.
命令式	Kauf doch auch mal ein!	Bestell dir doch eine Pizza!

不可分动词的过去分词不加 -ge。

1a 请用下划线标出不可分动词。

> anrufen · verbieten · ausmachen · einladen · empfehlen · bezahlen · aufräumen · erzählen

1b 请与 1a 中的动词搭配造句。

> die Rechnung · ~~die Nachbarin zum Essen~~ · die Firma · das Zimmer · dem Kind das Fernsehen ·
> der Kollegin ein Restaurant · die Geschichte · die Lampe

> *Ich lade meine Nachbarin zum Essen ein.*

2 请用括号中动词的过去分词形式填空。

Ich bin in mein Auto _eingestiegen_ (einsteigen), aber das Auto ist nicht _____

(anspringen). Ich bin wieder _____ (aussteigen). Ich habe mich _____

(entscheiden), die Straßenbahn zu nehmen und habe eine Fahrkarte _____

(bezahlen). Da ist die Straßenbahn vor meiner Nase ohne mich _____ (abfahren).

Also habe ich bei der Arbeit _____ (anrufen) und habe _____ (mitteilen),

dass ich später komme. Mein Chef war sauer. Ich habe _____ (versuchen), ein Taxi

zu bekommen, aber es hat kein Taxi _____ (anhalten). Ich bin 20 Minuten zu spät bei der Arbeit

_____ (ankommen) und habe meinem Chef noch einmal alles _____ (erklären).

Da hat er mich _____ (verstehen) und ich habe mich wieder _____ (entspannen).

> **不规则动词**
> steigen – gestiegen
> springen – gesprungen
> scheiden – geschieden
> fahren – gefahren
> halten – gehalten
> kommen – gekommen
> stehen – gestanden

3 请将下列句子用 *wenn* 连接起来。
1. Ich habe viel Spaß. Ich sehe fern.
2. Es ist gut. Du ziehst die Schuhe aus.
3. Ich finde es toll. Ihr bringt Essen zur Party mit.
4. Man ist glücklich. Man gewinnt im Lotto.
5. Ich hasse es. Ich schlafe im Büro ein.
6. Man hat Stress. Man bewirbt sich um einen neuen Job.

> 1. Ich habe viel Spaß, wenn ich fernsehe.

4 **Frau Meier hat keine Lust.** 请用方框里的词组将句子补充完整。

einkaufen • die Wohnung aufräumen • meine Arbeit beginnen • die Waschmaschine anmachen • die Kleidung aus der Reinigung abholen • das Essen vorbereiten • die Kinder erziehen • aufstehen • meinem Mann die Situation erklären

> Ich habe keine Lust, einkaufen zu gehen.

> Ich habe keine Lust, ...

5 请用动词的正确形式填空（带 *zu* 不定式、过去分词或现在时）。

Ich habe immer große Lust _____ (verreisen). Also habe ich mich

_____ (entscheiden), bald _____ (wegfahren).

Meine Nachbarin hat mir einen Urlaub in der Türkei _____

(empfehlen). Ich habe gleich _____ (anfangen), im Internet nach

attraktiven Angeboten zu suchen. Es gab eine tolle Reise nach Alanya, die ich gleich gebucht habe. Ich habe

gedacht: „Dort _____ ich _____ (ausschlafen) und _____ (erholen) mich.

Und wenn das langweilig wird, _____ ich _____ (ausgehen) und _____

(besichtigen) Sehenswürdigkeiten. Als ich _____ (abfahren) bin, habe ich ganz früh meine

Wohnung _____ (verlassen). Als ich im Taxi zum Flughafen saß, habe ich bemerkt, dass ich

mein Geld _____ (vergessen) hatte. Also sind wir _____ (zurückfahren). Aber zu

Hause habe ich mein Geld nicht gefunden. Dann habe ich mich _____ (erinnern), dass ich mein

Geld doch _____ (mitnehmen) hatte. Es war im Koffer. Wir sind wieder zum Flughafen

_____ (losfahren), aber ich hatte den Flug _____ (verpassen)! Wenn ich das nächste

Mal _____ (wegfahren), _____ ich _____ (aufpassen),

dass ich alles _____ (mitnehmen).

> be-, emp-, ent-, er-, ge-, ver-, zer- =
> 不可分

53 Sie freut sich über die Blumen
支配介词宾语的动词
(Verben mit Präpositionen) 🔊 62

Er | kauf | einen Blumenstrauß.
　　　第四格

很多动词会有一个第四格宾语。

Er | gibt | ihr den Blumenstrauß.
　　第三格　第四格

很多动词会有一个第三格宾语（人）
和一个第四格宾语。

Die Blumen | gefallen | ihr.
　　　　　第三格

有些动词只有一个第三格宾语（人）。

支配介词宾语的动词

主语　　动词　　介词宾语

Sie | freut sich | über die Blumen.

很多动词支配介词宾语。
这些动词和介词的搭配需成对记忆。

重要的动词介词搭配请见第213页。

Worauf? – Auf den Bus.

Auf wen? – Auf ihren Mann.

提问对象为人：介词+疑问词，例如：*Für wen?, Von wem?* ...

提问对象为物：*wo(r)* + 介词，例如：*wofür,* ...
当介词以元音开头时，+ "*r*"，例如：*Worauf?*

口语中德国人也会用介词 + *was* 的形式提问，例如：*Für was?*

---

1 请将合适的句子成分连线。

Er interessiert sich 　1 ○ 　　○ A 　auf eine Antwort.
Ich träume 　2 ○ 　　○ B 　an dich.
Sie wartet schon lange 　3 ○ 　　○ C 　nach seiner Handynummer.
Frag doch mal bitte 　4 ○ 　　○ D 　für Politik.
Wir denken oft 　5 ○ 　　○ E 　von einem wunderbaren Urlaub.

2 请为下列每题加上缺失的介词，并写出完整的句子。

1. Er • sich ärgern • der Stau • .
2. Wir • sprechen • eine Party • .
3. Wir • sprechen • unsere Nachbarn • .
4. Er • telefonieren • seine Freundin • .
5. Sie • teilnehmen • der Deutschkurs • .
6. Sie • sich kümmern • die kranke Nachbarin • .

介词支配第四格

sich ärgern über
denken an
sich interessieren für
warten auf
diskutieren über (Thema)
sprechen über (Thema)
sich anmelden für
sich kümmern um
...

介词支配第三格

träumen von
fragen nach
sich beschäftigen mit
telefonieren mit
sprechen mit (Person)
teilnehmen an
diskutieren mit (Person)

3 请将表格补充完整。如添加了 r，请标出。

动词	+ 介词	问物	问人
warten	auf	Worauf?	Auf wen?
träumen	von	Wovon?	Von wem?
denken			
fragen			
diskutieren			
sich interessieren			

4 请将相对应的问句和答句连接起来。

Mit wem telefoniert sie?	1 ○		○ A	Mit dem Polizisten.
Womit telefoniert sie?	2 ○		○ B	Über den Strafzettel.
Mit wem diskutiert der Autofahrer?	3 ○		○ C	Für die Urlaubsfotos.
Worüber diskutieren sie?	4 ○		○ D	Mit ihrer Freundin.
Für wen interessieren Sie sich?	5 ○		○ E	Mit meinem Handy.
Wofür interessieren Sie sich?	6 ○		○ F	Für den Popstar.

5 请针对句中的介词宾语提问。

1a. Wir warten schon lange auf eine Antwort.
1b. Wir warten schon lange auf Luis.
2a. Kinder freuen sich auf Weihnachten.
2b. Die Kinder freuen sich auf ihre Oma.

3a. Wir beschäftigen uns mit Musik.
3b. Wir beschäftigen uns mit ihm.
4a. Keiner hat an den Schlüssel gedacht.
4b. Keiner hat an die Nachbarn gedacht.

6 请找出每句中的动词介词搭配。

1. Wir gratulieren dir zum Führerschein! (*gratulieren zu + Dativ*)

2. Kannst du dich noch an deinen sechsten Geburtstag erinnern? (_____)

3. Meine Großmutter erzählt gerne von früher. (_____)

4. Auf die Abschlussprüfung muss ich mich gut vorbereiten. (_____)

5. Ich möchte mich über meine Nachbarn beschweren. (_____)

7 *sich freuen auf* 还是 *sich freuen über*? 请用正确的介词或疑问词填空。

1. Joni heiratet nächste Woche. Ich freue mich schon _____ die Hochzeitsfeier.

2. Du hast so viele Geschenke bekommen. _____ hast du dich am meisten gefreut?

3. Freitagnachmittag, bald ist Wochenende. _____ freust du dich am meisten?

4. In den Ferien fahren wir nach Griechenland. Ich freue mich schon _____ das Meer.

> 介词支配第四格
> sich freuen auf (未来)
> sich freuen über (过去 + 现在)

8 **Männer und Frauen.** 请用正确的介词填空。

Der Mann interessiert sich nur _____ Fußball. Aber heute will er mit seiner Frau ins Kino gehen. Sie

wartet schon eine Stunde _____ ihn. Er kommt immer noch nicht. Sie ärgert sich _____ ihn und

träumt _____ einem Mann, der immer für sie da ist. Sie telefoniert _____ ihrer Freundin und spricht

_____ ihr _____ ihren Mann. Die Freundin gibt ihr einen guten Rat: „Melde dich doch _____

einen Tanzkurs an." Sie findet die Idee gut und geht zu einem Tanzkurs. Dort interessieren sich viele

Männer _____ sie. Da nimmt ihr Mann auch _____ dem Tanzkurs teil. Vielleicht interessiert er sich

doch mehr _____ sie als _____ Fußball?

Daneben, danach, dafür ...
代副词
(Präpositionaladverbien und -pronomen) 🔊 63

作副词指代时间或地点说明语

地点说明语（地点为物）

Du gehst die Straße geradeaus bis zu <u>einer Apotheke</u>, und links <u>daneben</u> (= neben der Apotheke) ist das Kino.

时间说明语

Sollen wir ins Kino gehen? – Nein, ich muss erst <u>etwas essen</u>, <u>danach</u> (= nach dem Essen) können wir gehen.

作代词指代介词宾语（宾语为物）

Interessierst du dich <u>für Filme</u>? – Ja, ich interessiere mich sogar sehr <u>dafür</u> (= für Filme).

Daneben, dafür ... 只能用指代物，指代人应使用介词+代词的形式：
Interessierst du dich für Woody Allen? Ja, ich interessiere mich sogar sehr <u>für ihn</u>.

引导从句

Interessierst du dich <u>dafür</u>, welche Filmstars zum Filmfestival nach Berlin kommen?

---

1 请选择正确的代副词填空。

> davor • daneben • daran • dahinter • daneben

In der Mitte steht der Bildschirm.

1. Links _____ liegt ein Buch.

2. _____ steht eine Lampe.

3. _____ ist die Tastatur.

4. Rechts _____ liegen viele Papiere. _____ hängt ein Notizzettel.

2 请参照例句，用代副词改写句子。
1. Ich muss jetzt das Mittagessen kochen. Beim Kochen höre ich immer Radio.
2. Ich räume erst noch auf. Nach dem Aufräumen können wir Kaffee trinken.
3. Ich will jetzt noch nicht putzen. Vor dem Putzen möchte ich mich noch ausruhen.
4. Lukas will Fußball spielen gehen. Vor dem Fußballspielen muss er seine Hausaufgaben machen.
5. Erzähl mir doch von deinem Wochenende. Wir können beim Erzählen gemütlich einen Kaffee trinken.

> *1. Ich muss jetzt das Mittagessen kochen. Dabei höre ich immer Radio.*

3 请将表格补充完整，并将添加的 -r 标出来。

介词	物		人	
	疑问词	代副词	疑问词	介词 + 人称代词
über	Worüber?	darüber	über wen?	über mich, dich, ihn/den …
um				
mit				
bei				
von				
vor				
für				
auf				

4 请用疑问词 (*wo-*) 或代副词 (*da-*) 填空。

1. Ich interessiere mich für Politik. Interessierst du dich auch _____ oder _____ interessierst du dich?

2. Ich freue mich auf das Wochenende. Freut Ihr euch auch _____ oder _____ freut ihr euch?

3. Ich beschäftige mich gerne mit meinem Haushalt und Garten. Beschäftigen Sie sich auch gerne _____ oder _____ beschäftigen Sie sich gerne?

5 请用介词、疑问词或人称代词填空。

1. Sie telefoniert viel mit ihrer Mutter. Telefonieren Sie auch viel _____ _____ oder _____ _____ telefonieren Sie viel?

2. Der junge Mann hat nach meiner Schwester gefragt. Hat die junge Frau auch _____ _____ gefragt oder _____ _____ hat sie gefragt?

3. Ich warte auf den Chef. Wartest du auch _____ _____ oder _____ _____ wartest du?

6 请参照例句，回答下列问题。
1. Interessieren Sie sich für den neuesten Kinofilm?
2. Interessieren Sie sich für die Popsängerin Lady Gaga?
3. Ärgern Sie sich über ein verlorenes Fußballspiel?
4. Ärgern Sie sich über Politiker?
5. Können Sie sich auf Ihre Freunde verlassen?
6. Können Sie sich an das Leben in Deutschland gewöhnen?

> 1. Ja, ich interessiere mich dafür.

7 请用正确的代副词填空。

1. Erinnern Sie sich noch _____, wie es war, als Sie nach Deutschland gekommen sind?

2. Haben Sie sich _____ geärgert, dass es so viele bürokratische Probleme gibt?

3. Erzählen Sie doch _____, wie Sie eine Wohnung gefunden haben.

4. Wenn man mit seiner Familie in ein fremdes Land zieht, ist es wichtig _____ zu achten, dass die Kinder schnell die neue Sprache lernen.

5. Ich möchte mich _____ engagieren, dass Migranten sich in der neuen Umgebung schnell zurechtfinden.

> sich erinnern an + A
> sich ärgern über + A
> erzählen von + D
> achten auf + A
> sich engagieren für + A

55

Wäre, hätte, würde …

第二虚拟式：形式

(Konjunktiv 2: Formen) 64+65

werden 的第二虚拟式形式	
ich	würde
du	würdest
er/sie/es/man	würde
wir	würden
ihr	würdet
sie/Sie	würden

Speech bubbles:

Wenn ich tanzen könnte, würde ich sie fragen.

Wenn er mich fragen würde, wäre ich glücklich.

Wenn ich den Mut hätte, …

	第二位 würd-		句末 不定式	
Ich	würde	Sie	fragen,	wenn
Ich	würde	heute gerne mit ihr	tanzen.	Aber …

大多数动词的第二虚拟式由 *würde-* + 不定式构成。

sein, haben 及情态动词的第二虚拟式比较特别：

Ich würde gerne glücklich sein. ➜ Ich **wäre** gerne glücklich.

Wenn ich den Mut haben würde, … ➜ Wenn ich den Mut **hätte**, …

Wenn ich tanzen können würde, … ➜ Wenn ich tanzen **könnte**, …

	sein	haben
ich	wäre	hätte
du	wär(e)st	hättest
er/sie/es/man	wäre	hätte
wir	wären	hätten
ihr	wär(e)t	hättet
sie/Sie	wären	hätten

	können	wollen	müssen	dürfen	sollen
ich	könnte	wollte	müsste	dürfte	sollte
du	könntest	wolltest	müsstest	dürftest	solltest
er/sie/es/man	könnte	wollte	müsste	dürfte	sollte
wir	könnten	wollten	müssten	dürften	sollten
ihr	könntet	wolltet	müsstet	dürftet	solltet
sie/Sie	könnten	wollten	müssten	dürften	sollten

---

1   请用动词的第二虚拟式形式填空。

1. Ich _____ gerne auf den Mond _____ (*fliegen*). _____ du _____ (*mitkommen*)?

2. Sie _____ am liebsten alles _____ (*kaufen*), aber sie haben nicht genug Geld dabei.

3. _____ ihr mir _____ (*helfen*)?

4. Er _____ lieber in eine eigene Wohnung _____ (*ziehen*), aber seine Eltern wollen das nicht.

2 请用 *sein* 或 *haben* 第二虚拟式形式填空。

1. Ohne die Hilfe von deinem Bruder _____ (*haben*) du keinen Führerschein.

2. Ohne seine Freunde _____ (*sein*) er am Wochenende immer allein.

3. Ohne die Unterstützung von meinen Eltern _____ (*haben*) wir kein Haus.

4. Ohne die Panne _____ (*sein*) sie schon lange wieder zu Hause.

5. Ohne meine Kinder _____ (*sein*) ich nicht glücklich.

3 请用情态动词的第二虚拟式形式填空。

1. Sie _____ (*müssen*) jetzt eigentlich Hausaufgaben machen, aber sie haben keine Lust.

2. Er _____ (*können*) in unserem Team mitspielen, aber er hat keine Zeit.

3. Die Kinder _____ (*dürfen*) ins Theater gehen, aber sie wollen nicht.

4. Ich _____ (*können*) natürlich den Marathon mitlaufen, aber ich habe meine Schuhe vergessen.

5. Sie hat kein Geld, sie _____ (*sollen*) nicht schon wieder shoppen gehen.

4 请用括号里动词的第二虚拟式形式将句子补充完整。
Wenn es vier Monate regnen würde,

_____ alle Straßen nass. (*sein*)

_____ man immer Regenjacke und Gummistiefel _____. (*müssen/tragen*)

_____ wir zur Arbeit _____. (*können/schwimmen*)

_____ alle Leute schlechte Laune. (*haben*)

_____ ich gerne _____. (*auswandern*)

Wenn mein Handy kaputt wäre,

_____ ich am Anfang sehr froh. (*sein*)

_____ ich viel Ruhe. (*haben*)

_____ ich keine SMS von meinen Freunden mehr _____.(*bekommen*)

_____ ich nicht _____, was los ist. (*wissen*)

_____ ich schnell ein neues Handy _____. (*kaufen*)

5 请参照例句将下列句子改写成第二虚拟式。
1. Ich habe nicht viel Geld und kann keine Weltreise machen. Aber wenn …
2. Seine Freunde sind alle in einer anderen Stadt und er ist viel allein. Aber wenn …
3. Sie ist kein Sprachgenie und muss neue Wörter sehr oft wiederholen. Aber wenn …
4. Er ist sehr alt und kann deshalb nicht so schnell laufen. Aber wenn …
5. Sie haben kein Auto und müssen mit dem Fahrrad fahren. Aber wenn …

1. Aber wenn ich viel Geld hätte, könnte ich eine Weltreise machen.

6 请判断下列动词是第二虚拟式还是过去式，并写在括号中。

1. Wenn ich nicht so müde wäre, könnten wir noch ausgehen. (第二虚拟式 / 第二虚拟式)

2. Warst du gestern bei Anna? – Nein, ich hatte keine Zeit. (_____ / _____)

3. Sie hätte gerne ein Abendkleid. (_____)

4. Wir konnten leider nicht kommen, wir mussten noch arbeiten. (_____ / _____)

5. Ich würde morgen kommen, wenn ich nicht arbeiten müsste. (_____ / _____)

56

Wenn ich viel Geld hätte, ...

第二虚拟式：用法 (Konjunktiv 2: Gebrauch)

含义		例句
愿望		*Er hätte **gerne** einen Porsche.* *Er wäre **gerne** Olympiasieger.* 表示愿望时，第二虚拟式常与 **gerne** 的某种形式 (**lieber, am liebsten**) 同时出现。
非现实条件		*Wenn ich viel Geld hätte, wäre ich glücklich.* 主、从句均为第二虚拟式。
礼貌		*Entschuldigung, könnten Sie mir bitte helfen?* *Entschuldigung, würden Sie mir bitte helfen?* 第二虚拟式让请求听起来更加礼貌。
劝告		*Du solltest früher schlafen gehen.* 提建议时可用 **sollen** 的第二虚拟式形式。
提议		*Wir könnten ins Kino gehen.* 提议时可用 **können** 的第二虚拟式形式。

---

1   请用第二虚拟式写出以下愿望。

1. Er ist klein. (*größer*)
2. Sie hat ein normales Fahrrad. (*Elektro-Fahrrad*)
3. Wir haben ein altes Auto. (*neues Auto*)
4. Sie bleiben immer zu Hause. (*reisen*)
5. Er tanzt nicht gut. (*besser tanzen*)

> *1. Er wäre gerne größer.*

2   连线，并参照例句用第二虚拟式写出非现实条件句。

Blumen können sprechen.	1 ○	○ A	Viele Bäume sind kaputt.
Katzen sind Vegetarier.	2 ○	○ B	Kinder müssen nicht zur Schule gehen.
Autos können fliegen.	3 ○	○ C	Menschen haben immer Freizeit.
Deutschland liegt in Afrika.	4 ○	○ D	Mäuse haben keine Angst.
Elefanten können klettern.	5 ○	○ E	Es ist wärmer und es regnet nicht so viel.
Roboter können alle Arbeit machen.	6 ○	○ F	Es gibt keine Weltmeisterschaft.
Babys können lesen und schreiben.	7 ○	○ G	Es ist laut im Garten.
Alle Menschen können gleich gut Fußball spielen.	8 ○	○ H	Es gibt keinen Stau auf der Straße.

> *1G: Wenn Blumen sprechen könnten, wäre es im Garten laut.*

3 请用 *können* 的第二虚拟式将下列请求改写得更为礼貌。

> mir Geld wechseln
> das Fenster schließen
> mir ein Glas Wasser geben
> mir mit dem Kinderwagen helfen
> mich vorbeilassen
> mir sagen, wie spät es ist

Könnten Sie mir bitte Geld wechseln?

_____

_____ _____

_____ _____ _____

4 请参照例句，提出劝告。

1. Ich habe kein Geld. (*weniger Schuhe kaufen*)

2. Ich habe keine Zeit. (*weniger Computerspiele spielen*)

3. Ich habe keine Lust dazu. (*es trotzdem machen*)

4. Ich habe Angst vor der Prüfung. (*sich gut vorbereiten*)

5. Ich kann nicht tanzen. (*einen Tanzkurs machen*)

> *1. Du solltest weniger Schuhe kaufen.*

5 请参照例句，写出提议。

1. Langweilst du dich? *Du könntest ins Kino gehen.* _____ (*du • ins Kino gehen*)

2. Wollt ihr essen gehen? _____ (*wir • zum Inder gehen*)

3. Was machen wir heute Abend? _____ (*wir • zu Hause fernsehen*)

4. Du musst das nicht alleine machen. _____ (*ich • dir helfen*)

5. Sollen wir zusammen arbeiten? _____ (*du • zu mir kommen*)

6. Hast du dein Portemonnaie vergessen? _____ (*ich • dir Geld leihen*)

6 下列句子中第二虚拟式分别表示什么意思？请将正确的序号写在括号中。

> A) 愿望 • B) 非现实条件 • C) 礼貌 • D) 劝告 • E) 提议

1. Würden Sie bitte das Fenster öffnen? (____)

2. Sie sollten lieber noch eine Jacke anziehen. (____)

3. Wir könnten heute eine Fahrradtour machen. (____)

4. Ich würde mir gerne diese Schuhe hier kaufen. (____)

5. Wenn ich jetzt Urlaub hätte, würde ich dich besuchen. (____)

6. Er würde gerne länger bleiben. (____)

57

Das Auto wird gebaut
被动态1 (Passiv Teil 1) 66+67

Der Mechaniker montiert den Motor.   Der Motor wird **montiert**.   Hier muss Lärmschutz **getragen** werden.

主语	第二位 werden		句末 过去分词
Der Motor	wird	jetzt	**montiert**.

被动态由 *werden* + 过去分词构成。
被动态中动作本身比施动者重要。

	werden
ich	werde
du	wirst
er, sie, es, man	wird
wir	werden
ihr	werdet
sie, Sie	werden

Der Mechaniker montiert den Motor.
   主语   第四格宾语

Der Motor wird (von dem Mechaniker) montiert.
   主语

主动态中的第四格宾语在被动态中成为主语。原主动态句中的主语往往被省略，若要呈现该主语，可用 *von* +
第三格形式。

带情态动词的被动态

	第二位 情态动词		句末 过去分词 + werden （不定式）
Hier	muss	Lärmschutz	**getragen** werden.

---

1   请将下列给出的成分写成被动句。

1. ein Paket • senden
2. ich • operieren
3. die Getränke • verkaufen
4. ihr • informieren
5. Sie • abholen
6. du • nach Hause bringen
7. der Olympiasieg • feiern
8. die Pizza • bestellen
9. wir • vom Arzt behandeln

> *1. Das Paket wird gesendet.*

2 请将下列句子成分写成带情态动词的被动句。

1. ich • müssen • operieren
2. die Bremsen vom Auto • müssen • kontrollieren
3. du • wollen • vom Arzt behandeln
4. wir • müssen • untersuchen
5. Eis • dürfen • hier nicht essen

> 1. Ich muss operiert werden.

3 **Was wird vor einer längeren Reise gemacht?** 请将下列句子成分写成语序正确的句子。

1. in Koffer und Taschen • die Kleidung • wird • eingepackt • .
2. zu den Nachbarn • gebracht • werden • die Blumen und der Haustürschlüssel • .
3. wird • und abgestellt • leer geräumt • der Kühlschrank • .
4. die Fenster • in allen Räumen • geschlossen • werden • .
5. ausgestellt • werden • die elektrischen Geräte • .
6. werden • gepackt • ins Auto • die Taschen und Koffer • .

> 被动态 = *werden* + 过去分词

4 **Essgewohnheiten.** 请参照例句，将下列句子改写成主动态。

1. In Deutschland werden viele Kartoffeln gegessen.
2. In Baden werden auch häufig Spätzle und Knödel gegessen.
3. In Wien kann Sachertorte probiert werden.
4. In Argentinien wird viel Rindfleisch gegessen.

> 1. In Deutschland isst man viele Kartoffeln.

5a **Trinkgewohnheiten.** 请参照例句，将下列句子改写成被动态。

1. In Norddeutschland und in Bayern trinkt man viel Bier.
2. In der Pfalz und in Baden-Württemberg trinkt man Wein.
3. In Hessen kann man Apfelsaft und Apfelwein trinken.
4. Zum Frühstück trinken die meisten Leute in Deutschland Kaffee.

> 1. In Norddeutschland und in Bayern wird viel Bier getrunken.

5b 请将 *dass* 后的从句补充完整。

1. Ich wusste (nicht), dass in Norddeutschland und Bayern _viel Bier getrunken wird_ .

2. Ich wusste (nicht), dass in der Pfalz und in Baden-Württemberg _____ .

3. Ich wusste (nicht), dass in Hessen _____ .

4. Ich wusste (nicht), dass in Deutschland zum Frühstück meistens _____ .

6 **Verbote.** 请参照例句，分别用两句话描述标识牌所表达的内容。

> kein Eis essen
> keine Schuhe tragen
> das Handy nicht anschalten
> das Auto nicht parken

1. _Hier darf kein Eis gegessen werden._   5. _____

2. _Hier darf man kein Eis essen._   6. _____

Parken verboten!

3. _____   7. _____

4. _____   8. _____

Wann wurde der Kölner Dom gebaut?

被动态2 (Passiv Teil 2) 68

Der Kölner Dom wurde von 1248 bis 1880 gebaut.
Er ist über 600 Jahre lang gebaut worden.
Im 20. Jahrhundert musste er renoviert werden.

werden 的过去时	
ich	wurde
du	wurdest
er/sie/es/man	wurde
wir	wurden
ihr	wurdet
sie/Sie	wurden

被动态的过去时形式

	第二位 wurd-		句末 过去分词
Der Kölner Dom	wurde	von 1248 bis 1880	**gebaut.**

被动态的现在完成时形式

	第二位 sein		句末 过去分词 + worden
Er	ist	lange	**gebaut** worden.

⚠ werden 的过去分词在被动态中没有ge-。

带情态动词的被动态过去时形式

	第二位 情态动词 （过去时）		句末 过去分词 + werden（不定式）
Er	musste	im 20. Jahrhundert	**renoviert** werden.

1a 请分别用被动态的过去时和现在完成时形式写出下列句子。

1. die Zeitung • lesen
2. eine Mail • schreiben
3. ich • operieren
4. du • zur Party einladen
5. wir • gut behandeln
6. diese Kinder • schlecht erziehen
7. Sie • falsch informieren
8. die Bücher • zu einem günstigen Preis anbieten

1. Die Zeitung wurde gelesen.
Die Zeitung ist gelesen worden.

1b 请将下列句子改写为带情态动词的被动态的过去时形式。

1. der Verletzte • müssen • operieren
2. die Bremsen • müssen • reparieren
3. du • müssen • fragen
4. ich • wollen • schnell bedienen
5. der Anruf • nicht können • weiterleiten

1. Der Verletzte musste operiert werden.

2 **Deutsche Geschichte.** 请参照下列信息，用被动态的过去时写出历史上发生的事。

1945	Krieg beenden
nach dem Krieg	Deutschland in zwei Staaten teilen
1949	1. Bundestag wählen
1961	Mauer bauen
am 9. November 1989	Mauer in Berlin öffnen
am 3. Oktober 1990	die beiden deutschen Staaten wiedervereinigen

der Krieg
die Mauer
der Vertrag

1945 wurde der Krieg beendet.

3 请将下列问题写成被动态的现在完成时形式。你知道答案吗？
1. Aspirin • entdecken • wann • ?
2. von wem • Amerika • entdecken • ?
3. wo • erfinden • Buchdruck • ?
4. wie lange • bauen • Kölner Dom • ?
5. wann • das erste Handy • verkaufen • ?
6. wo • schon vor 3500 Jahren • Glas • produzieren • ?

1. Wann ist Aspirin entdeckt worden?

4 请选出合适的动词，并用被动态的现在完成时形式回答问题。

unterschreiben • sortieren • beantworten • bezahlen • kochen • einladen

1. die E-Mails?
2. die Geschäftspartner (Pl.)?
3. die Rechnungen?
4. der Vertrag?
5. die Papiere?
6. der Kaffee?

Die E-Mails?

Die E-Mails sind schon beantwortet worden.

5 **Ein erfolgreicher Existenzgründer. Was musste gemacht werden?** 请用被动态写出句子。

einen Geschäftspartner finden
die Geschäftsidee ausprobieren
eine Finanzierung planen
einen Kredit aufnehmen

einen Laden mieten
die Räume renovieren
Waren kaufen
den Laden eröffnen

Ein Geschäftspartner musste gefunden werden.

6 **Prüfungsvorbereitung.** 请将下列句子改写成被动态。
1. Man musste die Prüfung gut vorbereiten.
2. Man hat die Wörter wiederholt.
3. Man hat mit einem Partner zusammen die Dialoge geübt.
4. Man hat viele Hörtexte gehört.
5. Man konnte in der kurzen Zeit nicht alles perfekt machen.
6. Nach der Prüfung feiert man eine Party.
7. Oft vergisst man alles wieder.

1. Die Prüfung musste gut vorbereitet werden.

7 **Aus der Zeitung.** 请参照例句，用两种不同的被动态形式改写下列标题。
1. **Neuer Saturnmond entdeckt!**
2. **Bank im Zentrum überfallen**
3. **Neues Schwimmbad eröffnet**
4. **Baby von Schwan gebissen**
5. **Präsident mit großer Mehrheit gewählt**

1. Ein neuer Saturnmond ist entdeckt worden.

Ein neuer Saturnmond wurde entdeckt.

59 Der Präsident wird kommen

第一将来时

(Vermutung und Zukunft mit Futur 1)

„Im kommenden Jahr werden die Schulen mehr Geld bekommen."

Glaubst du das? Die Schulen werden wahrscheinlich weniger Geld bekommen.

	第二位 werden		句末 不定式
Die Schulen	werden	nächstes Jahr mehr Geld	bekommen.
Die Schulen	werden	(wahrscheinlich) weniger Geld	bekommen.

第一将来时由 *werden* + 不定式构成。

第一将来时表未来或猜测。
wohl, vielleicht, wahrscheinlich 会加强猜测的意味。

	werden
ich	werde
du	wirst
er, sie, es, man	wird
wir	werden
ihr	werdet
sie, Sie	werden

Der Präsident wird morgen Berlin besuchen.

正式场合：将来时

Guck mal, der Präsident kommt morgen zu uns nach Berlin.

非正式场合：现在时

在非正式场合人们会用现在时代替将来时。

---

1 请将主语和相对应的部分连线。

Paul	1 ○	○ A	wirst wahrscheinlich mit Peter zusammen kommen.
Ich	2 ○	○ B	werden einen wunderschönen Abend zusammen verbringen.
Wir	3 ○	○ C	werden wohl in ein Restaurant gehen.
Du	4 ○	○ D	werde ihm das Foto zeigen.
Ihr	5 ○	○ E	wird wahrscheinlich schon im Park auf mich warten.
Wir	6 ○	○ F	werdet von eurer Reise erzählen.

2 **So könnte es auch sein!** 请将下列句子成分写成正确的句子。

1. Paul • zu spät kommen • wird • wohl wie so oft • .
2. bestimmt sehr ärgerlich auf ihn • ich • werde • sein • .
3. streiten • uns wohl • werden • wir • .
4. wir • ins Restaurant zu gehen • wahrscheinlich keine Lust mehr haben, • werden • .
5. ohne uns • verbringen • werden • einen wunderschönen Abend • unsere Freunde • .
6. ich • werde • sein • wahrscheinlich sehr unglücklich • .

3 请用第一将来时改写下列推测。

1. Ich glaube, dass es gleich schneit.
2. Ich glaube, dass die Straßen glatt sind.
3. Ich glaube, dass es heute viele Unfälle gibt.
4. Ich glaube, dass wir das Auto wahrscheinlich stehenlassen.
5. Ich glaube, dass wir spät nach Hause kommen.

> *1. Es wird wahrscheinlich gleich schneien.*

4 **Was ist das wohl für eine Frau?** 请参照例句，写出您对该女士的推断。

1. viel Geld haben
2. ungefähr 30 Jahre alt
3. verheiratet sein
4. Kinder haben
5. Lehrerin oder Ärztin sein

> *1. Ich glaube, dass sie viel Geld hat. / Sie wird wohl viel Geld haben.*

5 请判断下列句子属于正式场合还是非正式场合。

	A In der Zeitung	B Paul zu Barbara
1a Hast du schon gehört, morgen kommt Peter Fox?		X
1b Am kommenden Freitag wird Peter Fox zu einem Konzert in der Jahrhunderthalle kommen.		
2a Die Olympischen Spiele werden am nächsten Samstag beginnen.		
2b Die Olympischen Spiele fangen am Samstag an. Ich freue mich schon!		
3a Das städtische Schwimmbad wird wegen Reparaturarbeiten vom 4. 6. bis 6. 6. geschlossen sein.		
3b Das Schwimmbad ist am nächsten Dienstag, Mittwoch und Donnerstag zu.		

6 **Das macht Erkan in der Zukunft.** 请用现在时叙述未来会发生的事。

1. morgen: mit Freunden treffen
2. nächste Woche: umziehen
3. nächsten Monat: neue Arbeit anfangen
4. in einem halben Jahr: heiraten
5. nach der Hochzeit: eine Hochzeitsreise nach Südamerika machen
6. in zehn Jahren: zwei Kinder haben

> *1. Morgen trifft er sich mit Freunden.*

7 **Nachrichten.** 请用第一将来时描述以下情况。

1. Am kommenden Montag: die Präsidentin • im Parlament • sprechen
2. Morgen: der König • zu einem offiziellen Besuch • in die Schweiz • fliegen
3. Nächstes Jahr: die Deutschen • ein neues Parlament • wählen
4. Nächsten Monat: die Weltmeisterschaften • in Wien • stattfinden

> *1. Am kommenden Montag wird die Präsidentin im Parlament sprechen.*

60 Werden, werden, werden ...

werden 的用法 (Funktionen von *werden*)

 B1

变化过程	*Wenn ich groß bin, werde ich Arzt! Ich werde reich!*	实义动词 *werden* + 名词 *werden* + 形容词	Ich werde Arzt. Ich werde reich. 完成时: Ich bin Arzt **geworden.** Ich bin reich **geworden.**
被动态		被动态: *werden* + 过去分词	Der Motor wird montiert. 完成时: Der Motor ist montiert **worden.**
未来 猜测		将来时: *werden* + 不定式	Die Schulen werden mehr Geld bekommen. Die Schulen werden wohl weniger Geld bekommen.

1 请判断下列句子中 *werden* 的用法，并在相对应的方框里打 × 。

	变化过程	被动态	未来/猜测
1. Mein Sohn möchte Pilot werden.			
2. Morgen wird es wohl regnen.			
3. Wenn das so weitergeht, werde ich noch verrückt.			
4. Das Treffen der Minister wird morgen stattfinden.			
5. Der Salat wird gewaschen.			
6. Das Baby muss gefüttert werden.			

2a 请用括号中动词的正确形式填空。

1. Der Präsident _____ nächste Woche China _____ . (*werden · besuchen*)

2. Wenn ich weiter so viel Schokolade esse, _____ ich immer dicker. (*werden*)

3. Meine Schwester studiert Medizin, denn sie _____ Ärztin _____ . (*wollen · werden*)

4. In den Henschel-Werken _____ monatlich 12–15 Lokomotiven _____ . (*werden · produzieren*)

5. Ich brauche keinen Wecker. Wenn es hell _____ , wache ich immer auf. (*werden*)

6. Orangen _____ _____ . (*werden · schälen*)

7. Warum _____ er rot? (*werden*)

8. Morgen _____ das Parlament über das neue Gesetz _____ . (*werden · entscheiden*)

9. Das Bad _____ gerade _____ . (*werden · putzen*)

10. Der Zug Nr. 312 aus Brüssel _____ zehn Minuten später _____ . (*werden · ankommen*)

11. Glaubst du, er kommt morgen pünktlich? Ja, er _____ pünktlich _____ . (*werden · kommen*)

2b 请将 2a 中的句子根据句中 *werden* 的用法分别归入以下三栏。

变化过程	被动态	未来/猜测
		1,

3a 请判断以下句子中 *werden* 的用法，如表示变化过程，请用绿色的下划线标出；如构成被动态，则用红色的下划线标出。

1. Ich werde krank. – Der Arzt wird angerufen.
2. Nur Obst wird gegessen. – Man wird schlank.
3. Etwas Unangenehmes wird gesagt. – Man wird rot.
4. Es wird kalt. – Die Heizung wird angestellt.
5. Meine Tochter wird 18 Jahre alt! – Eine große Party wird gefeiert.
6. Man wird immer dicker. – Eine Diät wird gemacht.
7. Er wird sechs Jahre alt. – Er wird eingeschult.

3b 请将 3a 中的句子写成完成时形式。

1. *Ich bin krank geworden. Der Arzt ist angerufen worden.* _____
2. _____
3. _____
4. _____
5. _____
6. _____
7. _____

4 请用 *worden* 或 *geworden* 填空，并在相应的用法下打X。

	变化过程	被动态
1. Zuerst ist die Küche renoviert _____ .		
2. Er hatte Geburtstag. Er ist schon 98 _____ !		
3. Er ist nicht gefragt _____ .		
4. Seit Jahren sind keine Kassetten mehr verkauft _____ .		
5. Ihr Sohn ist Lehrer _____ .		
6. Er ist mit 50 gestorben. Er ist nicht alt _____ .		
7. 2005 ist Angela Merkel Kanzlerin _____ .		
8. Sie ist 2009 zum zweiten Mal gewählt _____ .		

5 请用 *werden, worden* 或 *geworden* 填空。

Als Kind wollte ich unbedingt Arzt _____ . Aber vor jeder Prüfung in der Schule bin ich sehr nervös _____ . Also waren meine Resultate nicht so gut und ich konnte nicht Medizin studieren. Von meinem Vater bin ich sehr kritisiert _____ , aber dadurch ist auch nichts anders _____ , ich war nur unglücklich. Dann habe ich eine Ausbildung zum Installateur gemacht. Ich bin nach meinem Abschluss bei einer guten Firma genommen _____ und Installateure _____ dort fast so gut bezahlt wie ein Arzt. Nun bin ich doch noch glücklich _____ und mein Vater sogar auch!

不带走

Kann ich meine Koffer hier lassen?

完成时: Ich habe meinen Koffer hier **gelassen**.

（不）允许

lassen + 不定式

Ich lasse mein Kind nicht fernsehen.

⚠ 完成时: Ich habe mein Kind nicht fernsehen **lassen**.

不自己做

lassen + 不定式

Ich lasse meine Haare schneiden.

⚠ 完成时: Ich habe meine Haare schneiden **lassen**.

---

1 请参照例句回答下列问题。

1. Regnet es? (*Schirm zu Hause*)
2. Brauche ich meine Brille? (*Brille hier*)
3. Brauchst du deine Bücher? (*Bücher in der Schule*)
4. Nimmst du deine Tasche mit? (*Tasche im Auto*)
5. Wo kann ich das Auto parken? (*Auto vor der Garage*)

> *1. Nein, du kannst den Schirm zu Hause lassen.*

2 请参照例句，改写下列问句。

1. Erlauben Sie Ihrer Tochter in die Disko zu gehen?
2. Erlauben Sie Ihrem Sohn allein in den Urlaub zu fahren?
3. Erlauben Sie Ihrer Sekretärin früher nach Hause zu gehen?
4. Erlauben Sie Ihrem Hund im Bett zu schlafen?
5. Erlauben Sie Ihren Freunden im Auto zu rauchen?

> *1. Lassen Sie Ihre Tochter in die Disko gehen?*

3a 请参照例句回答下列问题。

1. Kocht er seinen Kaffee selbst?
2. Kopiert er die Dokumente selbst?
3. Bereitet er die Präsentation selbst vor?
4. Kauft er die Blumen für seine Frau selbst?
5. Ruft er seine Frau selbst an?

> *1. Nein, er lässt seinen Kaffee kochen.*

3b 请将 3a 中的句子写成完成时形式。

> *1. Er hat seinen Kaffee kochen lassen.*

4 请判断 *lassen* 的意义并在相应方框里打X。

	不带走	（不）允许	不自己做
1. Ich lasse meine schwere Tasche zu Hause.			
2. Ich lasse mein Auto in der Werkstatt reparieren.			
3. Ich lasse meine kleine Tochter nicht fernsehen.			
4. Kann ich meinen Koffer am Flughafen lassen?			
5. Ich muss meine Haare schneiden lassen.			
6. Wir haben den Vogel fliegen lassen.			

5 请选择合适的词（组）填空。

> machen lassen · drucken lassen · untersuchen lassen · schneiden lassen · sagen lassen · lassen

1. Wenn du schlecht siehst, musst du deine Augen _____ .
2. _____ deine Handtasche nicht im Auto. Man kann nie wissen.
3. Warum _____ du deine Tochter nicht ihre eigenen Erfahrungen _____ ?
4. Es kommen etwa 200 Gäste. Am besten _____ wir Einladungskarten _____ .
5. Er glaubt, er hat immer recht. Er _____ sich nichts _____ .
6. Du könntest dir wirklich mal die Haare _____ , die sind viel zu lang.

6a 请用 × 标出句中 *lassen* 的意义: 不带走 (A), 允许 (B), 不自己做 (C)。

1. Ich lasse meine Tasche zu Hause. (☒ A · ○ B · ○ C)
2. Ich lasse mein Kind viel Schokolade essen. (○ A · ○ B · ○ C)
3. Ich lasse mich vom Arzt untersuchen. (○ A · ○ B · ○ C)
4. Ich lasse mein Fahrrad hier. (○ A · ○ B · ○ C)
5. Ich lasse meine Waschmaschine reparieren. (○ A · ○ B · ○ C)
6. Ich lasse meinen Mann lange schlafen. (○ A · ○ B · ○ C)
7. Ich lasse mein Gepäck am Bahnhof. (○ A · ○ B · ○ C)

6b 请将 6a 中的句子写成完成时形式。

> *1. Ich habe meine Tasche zu Hause gelassen.*

Sitzen/Setzen, stehen/stellen, liegen/legen *und* hängen

与方位相关的动词

(Positions- und Direktionsverben) 🔊)) 72+73

方向（动作） 规则动词 （带第四格宾语）	位置 不规则动词 （不带第四格宾语）
(sich) **stellen** (stellte, gestellt)	**stehen** (stand, gestanden)
(sich) **setzen** (setzte, gesetzt)	**sitzen** (saß, gesessen)
(sich) **legen** (legte, gelegt)	**liegen** (lag, gelegen)
hängen (hängte, gehängt)	**hängen** (hing, gehangen)
Wohin?（去哪儿？） (in, an, auf, über, unter, vor, hinter, neben, zwischen + 第四格)	Wo?（在哪儿？） (in, an, auf, über, unter, vor, hinter, neben, zwischen + 第三格)

---

1   请用 liegen, stehen, sitzen 或 hängen 描述以下图片中物体的位置。

1. *Das Buch steht.*

4. _____

7. _____

2. _____

5. _____

8. _____

3. _____

6. _____

9. _____

2 请划去错误的表达，并判断各句描述的是位置还是方向，在相应的方框里打X。

	位置	方向
1. Die Blumen stehen auf dem Tisch • ~~auf den Tisch~~.	X	
2. Er stellt das Auto vor der Garage • vor die Garage.		
3. Die Mutter legt das Baby im Bett • ins Bett.		
4. Der Opa liegt gemütlich auf dem Sofa • auf das Sofa.		
5. Wir sitzen gemütlich am Tisch • an den Tisch.		
6. Sie setzt sich neben dem Freund • neben den Freund.		
7. Der Mantel hängt an der Garderobe • an die Garderobe.		
8. Wir hängen die Lampe über dem Tisch • über den Tisch.		

3 请选择合适的动词填空。

> stell • stehe • stehen • stellen • liegt • sitzen • liegen • lege • liegt • setzen

1. _____ doch das Buch ins Regal! Warum _____ es hier auf dem Esstisch?

2. Sie können sich auf meinen Platz _____ . Im Bus _____ ich lieber.

3. Ich _____ doch meine Brille immer auf den Tisch. Warum _____ sie da jetzt nicht?

4. Wenn du krank bist, solltest du im Bett _____ und nicht auf dem Sportplatz _____ .

5. Komm, wir _____ den Fernseher hier neben den Schrank. Wenn wir auf dem Sofa

   _____ , können wir gut sehen.

4 请划去错误的表达。

1. Sie hat die Kleider auf das Bett gelegen • gelegt.
2. Dann hat sie die Blusen an den Schrank gehängt • gehangen.
3. Ein Koffer hat auf dem Boden gestellt • gestanden.
4. Sie hat sich auf das Bett gesetzt • gesessen.
5. Ihr Mann hat neben ihr auf dem Stuhl gesetzt • gesessen.
6. Neben ihm hat ein Strauß Blumen auf dem Boden gelegt • gelegen.
7. Sein Foto hat noch über dem Bett gehängt • gehangen. ...Sie ist dann doch geblieben.

5 请用动词的现在时或现在完成时形式填空，并在必要的地方填上冠词。

1. Wo _____ dein Fahrrad?   Ich habe es vor _____ Schule _____ .

2. Wohin hast du das Papier _____ ?   Da _____ es doch auf _____ Tisch.

3. Wo _____ die Gläser?   Ich habe sie in _____ Schrank _____ .

4. Wohin _____ du dich gerne im Kino?   Ich _____ am liebsten ganz hinten.

6 请将下列名词介词组合归类到合适的动词下。

> der Teller im Schrank • ~~die Tasse auf dem Tisch~~ • der Stift auf dem Tisch • die Blumen in der Vase • das Kissen auf dem Bett • die Brille auf der Nase • das Buch im Regal • die Kirche im Zentrum • der Vogel auf dem Baum • der Schrank im Zimmer • das Messer auf dem Tisch • der Fernseher auf dem Tisch

stehen	**liegen**	**sitzen**
die Tasse auf dem Tisch		

请用被动态描述图中动作。

例如：**Die E-Mail wird geschrieben.**

搭档会纠正答案并在相应格子上做标记。

如果横向、竖向或对角线上有三格命中，则游戏结束。

die E-Mail schreiben

den Kaffee servieren

ein Paket bringen

den Brief kopieren

den Vertrag unterschreiben

den Ordner holen

die Blumen (Pl.) gießen

die Grafik präsentieren

den Papierkorb ausleeren

现在轮到您来纠正答案和做标记了。同样，横、竖或对角线有三格命中时，游戏结束。

Das Fenster wird geputzt.	Die Nudeln werden gekocht.	Der Müll wird getrennt.
Das Geschirr wird gespült.	Die Wäsche wird gewaschen.	Der Tisch wird gedeckt.
Die Kartoffeln werden geschält.	Das Schnitzel wird gebraten.	Die Salatsoße wird gemacht..

纠正搭档说的被动态句子并在相应格子上做标记。
若横向、竖向或对角线上有三个格子命中，则游戏结束。

Der Ordner wird (aus dem Regal) geholt.	Das Paket wird gebracht.	Der Brief wird kopiert.
Der Kaffee wird serviert.	Die E-Mail wird geschrieben.	Der Vertrag wird unterschrieben.
Die Grafik wird präsentiert.	Der Papierkorb wird ausgeleert.	Die Blumen werden gegossen.

现在轮到您用被动态描写图中动作。例如：**Die Salatsoße wird gemacht.** 同样，搭档会纠正您的答案并做标记。如果横向、竖向或对角线上有三个格子命中，则游戏结束。

die Salatsoße machen	die Wäsche waschen	den Tisch decken
das Schnitzel braten	die Kartoffeln (Pl.) schälen	das Fenster putzen
das Geschirr spülen	den Müll trennen	die Nudeln (Pl.) kochen

63 Das Auto seines Vaters

第二格 (Genitiv) 74

„Du, da fährt David. Ist das sein Auto?"

„Nein, das ist nicht Davids Auto, das ist das Auto seines Vaters."

阳性	中性	阴性	复数
des Vaters	des Kindes	der Mutter	der Eltern
eines Vaters	eines Kindes	einer Mutter	*von Eltern* ⚠
ihres Vaters	unseres Kindes	seiner Mutter	meiner Eltern

第二格复数不能位于不定冠词后（只可能位于形容词后，如 *guter Eltern*）。

阳性和中性名词的单数第二格形式词尾要加上 **s**。
以 **s, ß, sch, x, z** 结尾的名词和大多数单音节（短）名词后需加上 **-es**。
die Nummer des Platzes, das Alter des Mannes

人名的第二格形式：**Davids Auto**

以 *-s* 或 *-x* 结尾的人名后，不加 *-s*，而是加上单引号表示第二格：*Hans' Auto, Beatrix' Auto*

人名 **-s** + 名词（零冠词）

名词的第二格形式：**das Auto des Vaters**

名词 + 第二格名词（有冠词）

第二格可以由 ***von*** + 第三格代替：
Davids Auto = das Auto von David／das Auto seines Vaters = das Auto von seinem Vater

---

1 请在必要处填上正确的词尾。

1. Da steht das Auto mein_*er* Chefin_*x*_.

2. Daneben ist das Fahrrad d____ Sekretärin____.

3. Sie arbeitet heute im Büro d___ neuen Chef____.

4. Der Chef ist der Bruder mein____ Freund____.

5. Mein Freund ist ein guter Kunde d____ Geschäft____.

6. Es gibt auch einen Parkplatz für die Kunden d_*er* Kaufhäuser.

7. Der Name d____ Straße____ ist „Kaufmeile".

2 请参照例句，用第二格写出每件物品分别是谁的。

Das ist Judiths Bilderbuch.

Rudi Susi Tobias Judith

die Puppe, die Pfeife, das Bilderbuch, die Fußballschuhe, der Lippenstift, die Schuhe, das Kleid, die Schultasche

3 请用给出的词构成第二格。

die Seite / das Buch   der Geburtstag / eine Freundin   die Wünsche / Kunden
der Lehrer / die Kinder   der Ring / die Königin   die Hochzeit / das Jahr
die Probleme / Eltern   die Assistentin / ein Arzt   die Größe / der Garten

> *die Seite des Buches*

4 Neid. 请用第二格改写下列句子。

1. Der Freund von meiner Freundin hat schöne Augen.
2. Die Tasche von Luisa ist schöner als meine.
3. Die Äpfel von meinem Chef sind röter als unsere.
4. Das Auto von Thomas ist schneller als mein Motorrad.
5. Die Geschwister von meinen Freunden sind netter als meine.
6. Das Haus von meiner Schwester war teurer als unseres.
7. Die Tür von ihrem Haus ist moderner als die Tür von unserem Haus.
8. Das Gehalt von meinem Schwager ist viel besser als das von meinem Mann.
9. Aber die Probleme von meinen Nachbarn sind größer als meine.

> *1. Der Freund meiner Freundin hat schöne Augen.*

5 请用第二格回答下列问题。

1. Arri? Wer ist das?   (*die Frau / mein Freund*)
2. Wer ist diese Frau?   (*die Besitzerin / das Geschäft*)
3. Bruno? Wer ist das?   (*der Mann / Madeleine*)
4. Wer ist dieser Mann?   (*der Autor / der Bestseller*)
5. Wer ist Frau Blume?   (*die Lehrerin / mein Kind*)
6. Anja? Wer ist das?   (*die Freundin / Leonie*)
7. Wer ist Herr Pilz?   (*der Kollege / mein Mann*)
8. Wer sind Sie?

> *1. Das ist die Frau meines Freundes.*

6 Was ist das? 请用第二格回答下列问题。

1. die Wassertemperatur	6. die Haustür	
2. der Bankdirektor	7. die Haarfarbe	
3. das Tischbein	8. das Reiseprogramm	
4. das Kinderzimmer	9. die Landesgrenze	
5. der Autofahrer	10. die Chefsekretärin	

das Wasser	das Haus
die Bank	das Haar
der Tisch	die Reise
die Kinder (Pl.)	das Land
das Auto	der Chef

7 Alles vergessen? 请用第二格回答下列问题。

1. Weißt du, wie alt der Chef ist? (*das Alter*)
2. Wisst ihr, wie viel die Schuhe gekostet haben? (*der Preis*)
3. Wissen Sie, wie lang der Fluss ist? (*die Länge*)
4. Weißt du, wie der Film heißt? (*der Titel*)
5. Wisst ihr, wo unser Lehrer wohnt? (*die Adresse*)
6. Wissen Sie, wie groß der Schrank ist? (*die Größe*)

> *1. Nein, ich habe das Alter des Chefs vergessen.*

8 请将下列成分连接成句。

Zu Beginn	(der) Kurs	ist für mich der Sommer.
Am Ende	(die) Einwohner (Pl.)	war es ein bisschen langweilig.
In der Mitte	(der) Bahnhof	gibt es viele Hotels.
Die beste Zeit	(der) Abend	ist die Einkaufsstraße.
Fünf Prozent	(das) Jahr	bekommen Sie ein Zertifikat.
In der Nähe	(die) Stadt	haben vier oder mehr Kinder.

有第一个 s，必有第
二个 s：des Vaters

> *Zu Beginn des Abends war es ein bisschen langweilig.*

Kennen Sie den Herrn?
阳性弱变化名词 (N-Deklination)

	名词正常变格	阳性弱变化名词
第一格	der Mann	der Herr
第四格	den Mann	den Herrn
第三格	dem Mann	dem Herrn
第二格	des Mannes	des Herrn

阳性弱变化名词的复数词尾均匀为 -(e)n。只有阳性名词可能有弱变化形式：

以 -e 结尾的男性名词：
der Junge, der Kollege, der Türke, ...
以 -e 结尾的雄性动物名词：
der Löwe, der Rabe, ...

以 -and, -ant, -ent, -at, -ist 结尾的名词：
der Doktorand, der Praktikant, der Student, der Automat, der Christ

一些抽象的阳性名词：
der Friede – des Friedens, der Name – des Namens, der Buchstabe – des Buchstabens:
⚠ 这些名词在第二格时要多加一个 **-s**

少数阳性名词：
der Bär, der Bauer, der Fürst, der Graf, der Held, der Herr, der Architekt, der Mensch, der Nachbar, der Fotograf, der Prinz, der Ungar
⚠ 以及唯一一个中性名词：das Herz

口语中，词尾 *n* 常常被省去不说。

---

1 请用下划线标出下列国籍中的阳性弱变化名词并写出它们的第四格形式。

<u>der Türke</u>, *den Türken* _____ der Italiener, _____

der Schwede, _____ der Spanier, _____

der Ire, _____ der Portugiese, _____

der Finne, _____ der Grieche, _____

der Chinese, _____ der Japaner, _____

2 请用下划线标出下列动物中的阳性弱变化名词并写出它们的第四格形式。

<u>der Löwe</u>, *den Löwen* _____ der Tiger, _____

der Bär, _____ der Affe, _____

die Katze, _____ der Ochse, _____

der Rabe, _____ der Hund, _____

3 请用下划线标出阳性弱变化名词。
1. der Schüler – <u>der Student</u>
2. der Christ – der Moslem
3. der Automat – die Maschine
4. der Präsident – der Kanzler
5. der Mann – der Herr
6. der Kollege – der Freund
7. der König – der Prinz
8. der Arbeiter – der Bauer
9. der Engländer – der Brite

4 请在括号里注明相应名词是单数（**Singular**）还是复数（**Plural**）。

1. Kennst du meine Kollegen (_Plural_)? Ja, den Kollegen (_____) aus der Buchhaltung kenne ich.

2. Hast du mit den Studenten (_____) Volleyball gespielt?

Nein, ich habe mir nur den Ball von den Studenten (_____) geliehen und dann mit meinem

Nachbarn (_____) gespielt.

3. Hast du mit dem Menschen (_____) da gesprochen?

Welchen Menschen (_____) meinst du?

4. Ich kann das Problem des Touristen (_____) verstehen.

Ich denke, die Touristen (_____) haben keine Probleme, nur Spaß.

5. Gehen wir heute zum Griechen (_____) essen?

Nein, keine Lust. Im Studentenwohnheim bei mir wohnen Griechen (_____), die oft kochen.

Ich möchte mal was anderes essen.

5 造句（注意：并非下列所有名词都是阳性弱变化名词）。
1. Die Dame · küssen · der Herr · .
2. Der Herr · küssen · die Dame · .
3. Der Tourist · fotografieren · der Löwe · .
4. Der Prinz · gratulieren · die Königin · .
5. Die Königin · danken · der Prinz · .
6. Der Franzose · einladen · der Chinese · .
7. Der Nachbar · füttern · der Hund · .
8. Der Hund · suchen · der Hase · .
9. Der Lieferant · bringen · der Neffe · ein Elefant · .

6 请在有必要的地方填上 **-n** 或 **-en**。

An
Herr__ Müller
Siemensstraße 13
60587 Frankfurt

Sehr geehrter Herr__ Müller,

vielen Dank__ für Ihren Brief. Ich habe wirklich einen Elefant__ bei Ihnen bestellt. Ich kann mir

vorstellen, dass es nicht leicht ist, einen Lieferant__ zu finden. Aber ich bin Ihr Kunde__, und wenn

Sie Elefant__ anbieten, dann müssen Sie auch einen Weg__ finden, mir das Tier__ zu schicken,

damit Ihre Kunde__ zufrieden sind.

Also, ich erwarte die Lieferung__ mit meinem Elefant__ in den nächsten Tagen.

Mit freundlichen Grüßen
A. Grzimek

Der Jugendliche – ein Jugendlicher

形容词名词化：指人
(Adjektive für Personen als Nomen)

	单数		复数
	男性	女性	男性和女性
第一格	der Jugendliche ein Jugendlicher	die Jugendliche eine Jugendliche	die Jugendlichen Jugendliche
第四格	den Jugendlichen einen Jugendlichen	die Jugendliche eine Jugendliche	die Jugendlichen Jugendliche
第三格	dem Jugendlichen einem Jugendlichen	der Jugendlichen einer Jugendlichen	den Jugendlichen Jugendlichen
第二格	des Jugendlichen eines Jugendlichen	der Jugendlichen einer Jugendlichen	der Jugendlichen Jugendlicher

很多用来修饰人的形容词可以作为名词使用。作名词时应将首字母大写，并像形容词一样变格，并加上相对应的词尾。

der kranke Mann	der Kranke
ein kranker Mann	ein Kranker

---

1 请写出下列形容词的名词形式。

	Mann	Frau	Mann/Frau
angestellt	*ein Angestellter*	*eine Angestellte*	*der/die Angestellte*
verwandt			
bekannt			
arbeitslos			
erwachsen			
krank			
verlobt			
deutsch			
verrückt			
selbstständig			

2 请填上正确的词尾。

1. der Bekannte

Das ist ein Bekannte__ . Siehst du den Bekannte__ ? Was ist mit dem Bekannte__ ?

Da steht das Auto des Bekannte__ .

2. der Deutsche

Da sitzt ein Deutsche__ . Kennst du den Deutsche__ ? Gehst du zu dem Deutsche__ ? Ich bin der Nachbar

des Deutsche__ .

3. die Deutsche

Meine Freundin ist eine Deutsche__ . Wie findest du die Deutsche__ ? Arbeitest du mit der Deutsche__ ?

Ja, ich bin die Kollegin der Deutsche__ .

4. der Verrückte

Er ist wirklich ein Verrückte__ . Magst du den Verrückte__ ? Ich wohne bei dem Verrückte__ . Ich bin der

Untermieter des Verrückte__ .

3 **Selbstständig sein.** 请填上正确的词尾。

Selbstständige__ müssen nicht nur täglich mehr als acht Stunden arbeiten, sondern sie machen meistens

auch weniger Urlaub als ein Angestellte__ . Die Arbeitszeit eines Angestellte__ ist klar, aber ein Angestellte__

muss machen, was sein Vorgesetzte__ sagt. Der Selbstständige__ ist sein eigener Vorgesetzte__ . Ein Arbeits-

lose__ hat viel Freizeit, aber weniger Geld als ein Angestellte__ .

4 请判断下列名词是一般名词还是形容词的名词化形式，并填上正确的词尾。

Was ist der Unterschied zwischen   einem Freund__ und einem Bekannte__ ?

einem Arbeiter__ und einem Angestellte__ ?

einem Bruder__ und einem Verwandte__ ?

einem Kranke__ und einem Arzt__ ?

einem Deutsche__ und einem Schweizer__ ?

5 **Ein Brief.** 请填上正确的词尾。

Lieber Klaus,

gestern war ich auf der Hochzeit einer Bekannte__ . Das war
wirklich hochinteressant. Stell dir vor, sie hatte ihren
Ex-Verlobte__ eingeladen! Ich denke wirklich, sie ist eine Ver-
rückte__ . Die anderen Gäste waren vor allem Verwandte__ , auch
viele Kinder und Jugendliche__ . Ich habe zum Glück einen alten
Bekannte__ getroffen, deshalb habe ich nicht die ganze Zeit
alleine da gesessen wie eine Dumme__ .

Würdest du deine Ex-Verlobte__ zu deiner Hochzeit einladen?
Aber du willst ja gar nicht heiraten.

Viele Grüße
Bettina

66 Alles Gute!

形容词名词化：指事物或抽象概念
(Adjektive als neutrale Nomen) 75

形容词名词化后首字母应大写。

在 *alles* 和 *das* 后的名词化的形容词词尾应加上 -e: alles Gute, das Gute

在 *etwas, nichts, viel, wenig* 和 *ein bisschen* 后名词化的形容词词尾为 -es: **etwas** Gut**es**, **nichts** Schlecht**es**, **wenig** Schlecht**es**, **ein bisschen** Gut**es**, **viel** Gut**es**

---

1 请将下列形容词名词化并加上正确的词尾。

bequem	etwas *Bequemes*	neu	viel	_____
gut	alles _____	teuer	das	_____
negativ	nichts _____	positiv	alles	_____
ärgerlich	wenig _____	hübsch	etwas	_____
alt	etwas _____			

2 请将对应的内容连线。

Ich wünsche dir alles	1 ○	○ A	Beste.
Es ist gesünder, wenn sie wenig	2 ○	○ B	Teures.
Gestern hat in der Zeitung nichts	3 ○	○ C	Gute.
Das Teuerste ist nicht immer das	4 ○	○ D	Süßes essen.
Hoffentlich erlebst du viel	5 ○	○ E	Besonderes gestanden.
Ich bin sparsam. Ich kaufe wenig	6 ○	○ F	Schönes.

3   **Beim Essen.** 请用括号中形容词的名词化形式填空。

Mann: Was ist das _____ (*rot*) da im Essen?

Frau: Da ist nichts _____ (*rot*)!

Mann: Doch, da ist etwas _____ (*rot*).

Frau: Da ist viel _____ (*grün*) und das ist Spinat!

Mann: Ich sehe viel _____ (*grün*) und auch ein

         bisschen _____ (*rot*).

Frau: Das _____ (*wenig*) ist ein bisschen Paprika!

         Kannst du vielleicht auch mal etwas _____

         (*positiv*) über das Essen sagen?

Mann: Oh, Verzeihung! Das _____ (*grün*) und _____ (*rot*) hier ist das _____ (*gut im*

         Superlativ), was ich je in meinem Leben gegessen habe.

4   **Im Geschäft.** 请用括号中形容词的名词化形式填空。

◖   Ich suche ein Geschenk für meine siebzehnjährige Nichte.

    Können Sie mir etwas empfehlen?

◖   Möchten Sie etwas _Teures_ oder etwas _Billiges_ (*teuer / billig*)?

◖   Nein, ich möchte nichts _____ aber auch nichts sehr

    _____ (*billig / teuer*).

◖   Lieber etwas _____ oder etwas

    _____ (*schön / praktisch*)?

◖   Nichts _____, lieber etwas _____ (*praktisch / schön*).

◖   Vielleicht etwas _____ (*dekorativ*)?

◖   Gute Idee!

◖   Welche Farbe denn? Etwas _____ sieht immer gut aus (*rot*).

◖   Nein, lieber etwas _____. In ihrem Zimmer ist wenig

    _____ aber viel _____ und _____

   (*grün / rot / gelb / grün*).

◖   Vielleicht eine Pflanze?

◖   Nein, nichts _____ (*lebendig*).

5   **Träume.** 填空：若是作定语的形容词，请加上正确的词尾，若是名词化的形容词，请别忘记将首字母大
写，并加上正确的词尾。

Viele Menschen träumen davon, etwas _Großes_ (*groß*) zu erreichen, wie zum Beispiel ein _berühmter_

(*berühmt*) Sänger oder eine _____ (*groß*) Sängerin zu werden. Beim Träumen ist es das _____

(*wichtig im Superlativ*), sich nichts _____ (*unrealistisch*) zu wünschen. Dann bedeutet Träumen viel

_____ (*gut*). Es gibt uns ein _____ (*wichtig*) Ziel im Leben und es ist eine _____ (*stark*)

Motivation. Ich wünsche _____ (*schön*) Träume! Und alles _____ (*gut*)!

掷骰子从左边的"**Start（起点）**"开始，前进至右页上方的"**Ziel（终点）**"，注意只走绿色的格子。然后再掷一次骰子，并根据掷出的点数在本页中央的表格中找到对应的名词。将这个名词与您所在的格子上的词用第二格联结起来。

例如：两次都掷出了一点，说：**Das Hobby der Dame.**

由搭档纠正您的答案。轮到对方时，您根据本页上的答案纠正他。

1 Heinrichs ...	8 ... der Studenten	15 ... des Freundes
2 Lukas' ...	9 Michaels ...	16 ... des Onkels
3 ... der Kinder	10 ... des Japaners	17 Manuelas ...
4 ... der Katze	11 Sophias ...	18 ... des Kindes
5 ... der Sekretärin	12 ... der Kollegin	19 ... des Chefs
6 ... des Mädchens	13 ... der Eltern	
7 ... der Schwester	14 Katjas ...	

ZIEL
START

19 der Chef

1 die Dame

18 das Kind

2 Thomas

10 der Japaner

9 Judith

11 Sophia

8 die Nach-barin

12 die Kollegin

7 die Ge-schwister (Pl.)

13 die Eltern

6 Susanne

⚀	das Hobby
⚁	der Wunsch
⚂	der Pullover
⚃	die Freunde
⚄	der Liebling
⚅	das Problem

17 Manuela

16 der Onkel

3 die Tante

15 der Freund

4 das Baby

5 die Freundin

14 Katja

掷骰子从左边的 "Start（起点）" 开始，前进至右页上方的 "Ziel（终点）"，注意只走紫色的格子。然后再掷一次骰子，并根据掷出的点数在本页中央的表格中找到对应的名词。将这个名词与您所在的格子上的词用第二格联结起来。

例如：两次都掷出了一点，说：**Heinrichs Hobby.**

由搭档纠正您的答案。轮到对方时，您根据本页上的答案纠正他。

4 die Katze	5 der Hund	5 die Sekretärin	14 das Paar	6 das Mädchen	13 der Bruder	7 die Schwester
16 der Vater						12 die Lehrer (Pl.)
3 die Kinder (Pl.)						8 die Studenten (Pl.)
17 die Leute (Pl.)			⚀ das Hobby ⚁ der Wunsch ⚂ der Pullover ⚃ die Freunde ⚄ der Liebling ⚅ das Problem			11 Benjamin
2 Lukas						9 Michael
18 Lisa						10 der Spanier
1 Heinrich						
19 Frederik						
ZIEL START						

1 ... der Dame	8 ... der Nachbarin	15 ... des Hundes
2 Thomas' ...	9 Judiths ...	16 ... des Vaters
3 ... der Tante	10 ... des Spaniers	17 ... der Leute
4 ... des Babys	11 Benjamins ...	18 Lisas ...
5 ... der Freundin	12 ... der Lehrer	19 Frederiks ...
6 Susannes ...	13 ... des Bruders	
7 ... der Geschwister	14 ... des Paar(e)s	

Wissen Sie, ob ...?

间接疑问句 (Indirekte Fragen) 🔊))) 76+77

直接疑问句	间接疑问句
Wo ist der Bahnhof?	Wissen Sie, **wo** der Bahnhof **ist**?
Ist es noch weit zum Bahnhof?	Können Sie mir sagen, **ob** es noch weit zum Bahnhof **ist**?

	主句	从句			
		连词	主语		动词
特殊疑问句	Können Sie mir sagen,	wo	der Bahnhof		ist?
	Ich möchte gerne wissen,	warum	das Taxi	nicht	gekommen ist.
	Hast du eine Idee,	auf welchem Gleis	der Zug	heute	abfährt?
一般疑问句	Wissen Sie,	ob	es	noch weit zum Bahnhof	ist?
	Ich habe keine Ahnung,	ob	wir	den Zug	noch erreichen.

间接疑问句为从句，以疑问词或 *ob* 开头，动词位于句末。
间接疑问句是较礼貌的提问方法。

---

1 **Urlaub im Hotel.** 请将下列句子改写成间接疑问句。

1. Wieviel kostet ein Doppelzimmer?
2. Liegt das Hotel zentral?
3. Wie viel kostet das Frühstück?
4. Von wann bis wann kann man frühstücken?
5. Gibt es einen Swimmingpool?
6. Wo kann ich parken?
7. Kann ich meinen Hund mitbringen?
8. Akzeptieren Sie Kreditkarten?
9. Wo ist der Frühstücksraum?

> 1. Können Sie mir sagen, wie viel ein Doppelzimmer kostet?

2 **Party, Party.** 请将下列句子改写为直接疑问句。

1. Weißt du, wann die Party beginnt?
2. Hast du gehört, wie viele Gäste kommen?
3. Weißt du, ob Peter auch eingeladen ist?
4. Hast du eine Ahnung, was es zu essen gibt?
5. Hast du dich schon informiert, wo die Party stattfindet?
6. Weißt du schon, ob du zu der Party gehst?

> 1. Wann beginnt die Party?

3 **Fragen an Frau Stern.** 请参照例句，将下列句子改写为间接疑问句。

1. Wann können wir Ihren nächsten Film sehen?
2. Wovon handelt der Film?
3. Spielen Sie die Hauptrolle?
4. Wie lange haben Sie an dem Film gearbeitet?
5. Wo haben Sie den Film gedreht?
6. Konnten Sie Ihre Tochter zum Set mitnehmen?
7. Wie hat Ihnen die Zusammenarbeit mit dem Regisseur gefallen?
8. Werden Sie für den Oskar nominiert?
9. Wann fangen Sie mit dem nächsten Film an?

> 1. Frau Stern, darf ich Sie fragen, wann wir Ihren nächsten Film sehen können?

4 **Keine Ahnung.** 请用尽可能简短的句子回答下列问题。

1. Weißt du, wo die Band spielt?
2. Hast du eine Ahnung, wann das Konzert anfängt?
3. Weißt du vielleicht, wie lange sie spielen?
4. Kannst du mir sagen, wie viel der Eintritt kostet?
5. Hast du eine Ahnung, welche Band im Vorprogramm spielt?
6. Kannst du mir sagen, wie ich da hinkomme?
7. Weißt du vielleicht, wann der letzte Bus fährt?

> Ich weiß nicht wo.

> 1. Nein, ich weiß nicht wo.

5 请用 *ob* 或 *dass* 填空。

◀ Weißt du, _____ es in Deutschland Palmen gibt?

◀ Ich habe gehört, _____ es zum Beispiel am Bodensee Palmen gibt.

◀ Aber ich frage mich, _____ in Deutschland auch Ananas wachsen?

◀ Oh, ich habe auch keine Ahnung, _____ hier Obst aus südlichen Ländern wächst.

  Aber ich bin sicher, _____ es Äpfel und Birnen gibt.

> *ob*: 间接疑问句
> *dass*: 陈述句

6 请用 *wenn* 或 *ob* 填空。

1. Ich bleibe zu Hause, _____ es regnet. Aber keiner weiß, _____

  es heute noch regnet.

> *wenn*: 条件或时间
> *ob*: 间接疑问句

2. Er wollte wissen, _____ sie mit ins Kino kommt. Aber sie hat gesagt,

  dass sie nur geht, _____ ihre Freundin auch mitkommt.

3. _____ sie dieses Mal wieder nicht zu meiner Party kommt, weiß ich

  nicht, _____ ich sie noch einmal einlade!

4. Es ist die Frage, _____ wir besser mit dem Auto oder mit dem Zug fahren. Ich würde lieber mit

  dem Zug fahren, _____ es nicht so teuer wäre.

5. Ich weiß nicht, _____ er wirklich krank ist.

  Aber _____ er krank ist, sollte er zum Arzt gehen.

一般疑问句的间接提问: ob

68

Es ist schön, zu feiern

带 *zu* 不定式 (Infinitiv mit *zu*) 78

带 *zu* 不定式用于：

es ist + 形容词 *ich finde es* + 形容词	抽象名词	可再跟一个动词的动词
Es ist wunderbar, … Es ist nicht schlecht, … Es ist gefährlich, … Ich finde es gut, … …	Es ist mein Traum, … Ich habe keine Zeit, … Ich habe die Chance, … Es gibt Probleme, … Es macht mir Angst, … …	Ich hoffe, … Ich versuche, … Ich fange an/beginne/höre auf, … Ich rate dir/empfehle dir/schlage dir vor, … …

zu 的位置：

单个动词	Ich fange an **zu** <u>kochen</u>.
可分动词	Ich habe oft versucht, dich <u>anzurufen</u>.
双动词	Es ist gut, oft <u>spazieren</u> **zu** <u>gehen</u>.
带情态动词	Es ist schön, viel Urlaub <u>machen</u> **zu** <u>können</u>.

构成带 *zu* 不定式的动词以不定式的形式位于句末，*zu* 位于该不定式前。若该动词为可分动词，则将 *zu* 插入该不定式，位于可分前缀和主动词的中间。

带 *zu* 不定式没有主语。主句的主语即带 *zu* 不定式的主语。若两者不一致，则应采用 *dass* 从句而非带 *zu* 不定式。

Ich hoffe, pünktlich *zu* kommen.
Ich hoffe, *dass* **er** pünktlich kommt.

---

1   请将对应的主、从句连线。

Ich versuche,	1 ○	○ A	in diesem Sommer in die USA zu reisen.
Es ist nicht schön,	2 ○	○ B	drei Kilogramm abzunehmen.
Ich habe die Chance	3 ○	○ C	auf dem Dach spazieren zu gehen.
Ich finde es gefährlich	4 ○	○ D	zu verlieren.

2　请用带 *zu* 不定式将给出的句子补充完整。

1. Es macht Spaß,

> tanzen • in die Disko gehen • mit Leuten sprechen • Tennis spielen

2. Ich habe Probleme, ...

> um 5.00 Uhr aufstehen • in der Firma anrufen • mit dem Rauchen aufhören

3. Es ist schön, ...

> sonntags nicht arbeiten müssen • lange schlafen können •
> spazieren gehen • gemütlich sitzen bleiben

4. Ich hoffe, ...

> meine Freunde treffen • am Abend fernsehen • besser Deutsch sprechen •
> heute einkaufen können • pünktlich ankommen • mein Auto verkaufen

3　请用带 *zu* 不定式将下列成分写成完整的句子。

1. Ich habe keine Chance, • werden • Millionär • .
2. Ich versuche, • freundlich • sein • zu allen Leuten • .
3. Ich vergesse immer, • mitnehmen • einen Schirm • .
4. Es ist gefährlich, • gehen • spazieren • nachts im Park • .
5. Mein Freund hat nie Zeit, • mit mir • gehen • ins Café • .

4　请将下列句子改写成带 *zu* 不定式形式。

1. Ich möchte jetzt gerne ins Schwimmbad gehen.
2. Ich spiele sehr gerne Volleyball.
3. Er kann nicht gut Tango tanzen.
4. Unser Plan: Morgen ins Kino gehen.
5. Ich fahre im Zentrum nicht mit dem Fahrrad, das ist zu gefährlich.
6. Ich habe nichts zu tun. Ich besuche meine Nachbarn.

> ~~Lust haben~~ • es macht Spaß •
> vorhaben • Probleme haben •
> Angst haben • Zeit haben

> *1. Ich habe jetzt Lust, ins Schwimmbad zu gehen.*

5　请在必要的地方填上 *zu*。

1. Ich empfehle dir　　　dieses ＿＿＿ Restaurant. / in dieses Restaurant ＿＿＿ gehen.

2. Er beginnt jetzt　　　einen Kurs ＿＿＿ machen. / mit dem ＿＿＿ Kurs.

3. Wir versuchen immer　　neue ＿＿＿ Gerichte. / neue Gerichte ＿＿＿ kochen.

4. Es gibt Probleme　　　mit der neuen ＿＿＿ Wohnung. / eine neue Wohnung ＿＿＿ finden.

5. Ich habe keine Zeit　　heute zu dir ＿＿＿ kommen. / für ＿＿＿ dich.

6　**Eltern und Kinder.** 请用带 *zu* 不定式或 *dass* 将下列句子补充完整。

1. Ich habe das Glück, *(drei Kinder haben)*. Ich habe das Glück,
   (meine drei Kinder gesund sein).
2. Wir haben das Glück, *(eine glückliche Familie sein)*.
3. Wir haben den Traum, *(unsere Kinder berühmt und reich werden)*.
4. Meine Nachbarin hat keine Zeit; *(sich um ihre Kinder kümmern)*.
5. Ich schlage ihr vor, *(ihre kleine Tochter morgen zu mir kommen)*.
6. Hier hat sie die Chance, *(in Ruhe ihre Hausaufgaben machen)*.
7. Ich hoffe, *(ihr bei den Hausaufgaben helfen können)*.
8. Ich hoffe, *(meine Nachbarin bald weniger arbeiten müssen)*.

> *1. Ich habe das Glück, drei Kinder zu haben.*

主语相同: 带 *zu* 不定式
主语不同: *dass* 从句

Ich will singen, lass mich singen!
不带 *zu* 不定式 (Infinitiv ohne *zu*) 🔊 79

Ich möchte Sport **treiben**.
Ich lasse das Auto **stehen**.
Ich gehe **schwimmen**.
Ich sehe die Kinder **spielen**.
Ich höre die Nachbarin **singen**.
Aber mein Mann bleibt vor dem Fernseher **sitzen**.

不带 *zu* 的不定式:

1. 情态动词 *müssen, können, dürfen, möchten, sollen, wollen* 后
2. *lassen, gehen, sehen, hören, bleiben* 后
动词 *lernen* 后带 *zu* 或不带 *zu* 不定式均可使用: *Das Kind lernt laufen.* 或: *Das Kind lernt zu laufen.*
大多数不定式都带 *zu*。
请参见第68章: 带 *zu* 不定式。

---

1   请根据图的内容选择对应的动词填空。

> kommen sehen • schwimmen gehen • liegen bleiben • spielen hören •
> liegen lassen • ~~Ski laufen gehen~~ • essen gehen • fahren lernen

1. Der Mann geht *Ski laufen* .

3. Das Publikum _____ den Pianisten _____ .

5. Die Leute _____ das Schiff _____ .

7. Er _____ die Brille _____ .

2. Sie _____ _____ .

4. Er _____ im Bett _____ .

6. Das Paar _____ _____ .

8. Das Kind _____ Fahrrad _____ .

---

2   请在必要的地方填上 *zu*。

1. Es ist verboten, hier _____ essen.   Man darf hier nicht _____ essen.

2. Ich will heute Abend _____ kochen.   Ich habe Lust, heute Abend _____ kochen.

3. Er erlaubt seiner Tochter, den Film _____ sehen.   Er lässt seine Tochter den Film _____ sehen.

4. Wir gehen am Sonntag _____ tanzen.   Wir haben vor, am Sonntag tanzen _____ gehen.

5. Es ist sehr schön, ihn _____ sehen.   Ich sehe ihn _____ kommen.

6. Sie hört ihren Nachbarn Klavier _____ spielen.   Ich liebe es, dich Klavier spielen _____ hören.

3 请用动词 *sitzen* 填空，并在必要的地方加上 *zu*。

1. Ich bin zwar älter als du, aber du musst nicht aufstehen. Bleib _____!

2. Ich lasse dich _____ .

3. Es ist natürlich viel bequemer _____ als zu stehen.

4. Ich empfehle Ihnen _____ .

5. Willst du nicht _____ oder kannst du nicht _____ ?

6. Die Bahn ist voll. Ich habe keine Möglichkeit _____ .

7. Wenn ich an deinem Haus vorbeigehe, sehe ich dich oft auf der Terrasse _____ .

4 请从两个方框内各选出一个动词，并用它们改写句子。

~~hören~~ • lassen • bleiben • sehen • gehen • hören • gehen • sehen • liegen	stehen • ~~kommen~~ • spielen • lassen • essen • tanzen • liegen • kommen • singen

1. Wenn meine Frau nach Hause kommt, ist sie immer sehr laut.
2. Ich nehme das Auto nicht.
3. Wir gehen ins Restaurant.
4. Im Fernsehen spielt Moritz Mecker Tennis.
5. Sie geht in die Disko.
6. Ich habe mein Buch in der Schule vergessen.
7. Meine Tochter singt ein Lied.
8. Heute stehe ich nicht aus dem Bett auf.
9. Da hinten kommt mein Freund.

> *1. Ich höre meine Frau (immer nach Hause) kommen.*

5 请用带 *zu* 或不带 *zu* 不定式填空。

1. Ich möchte am Wochenende immer _____ (*lange schlafen*).

2. Es ist immer schön _____ (*ins Kino gehen*).

3. Ich versuche jetzt _____ (*mit dem Rauchen aufhören*).

4. Wir haben keine Zeit _____ (*die Hausaufgaben machen*).

5. Ich sehe ihn _____ (*kommen*).

6. Meine Tochter bleibt _____ (*immer lange am Computer sitzen*).

7. Das Kind darf nicht _____ (*so viel Eis essen*).

8. Ich hoffe sehr _____ (*drei Kilo abnehmen können*).

9. Willst du wirklich nicht _____ (*deinem Nachbarn 300 € leihen*)?

10. Er hat große Angst _____ (*durch die Prüfung fallen*).

11. Wir lassen unseren Sohn _____ (*abends bis 22 Uhr ausgehen*).

 情态动词和 *lassen, gehen, sehen, hören, bleiben* – 不带 *zu*!

70 Das ist der Mann, der immer meine Nachbarin besucht

关系从句1 (Relativsätze 1) 🔊 80

主语		关系从句		
	关系词	关系代词		动词位于句末
Das ist	der Mann,	der	immer meine Nachbarin	besucht.
Siehst du	den Mann,	der	immer meine Nachbarin	besucht?
Das ist	das Kind,	das	so toll Violine	spielen kann.
Das Rad gehört	dem Kind,	das	so toll Violine	spielen kann.
Das ist	die Frau,	die	das große Motorrad	fährt.
Kennst du	die Frau,	die	das große Motorrad	fährt?
Das sind	die Leute,	die	immer so laut Musik	hören.
Ich spreche nicht mit	den Leuten,	die	immer so laut Musik	hören.

关系从句是个从句，动词位于句末。
关系从句（往往）紧跟关系词，因而会出现在主句中间：Der Mann, der immer meine Nachbarin besucht, kommt heute mit einem großen Blumenstrauß.

---

1 请将合适的主句和关系从句连线。

Das ist die Nachbarin, **1** ○   ○ **A** die jeden Tag einkaufen geht.

Das ist der Student aus dem dritten Stock, **2** ○

Ich kenne den jungen Mann nicht, **3** ○   ○ **B** der so aussieht wie Brad Pitt.

Treffen Sie sich manchmal mit der Frau, **4** ○

Da kommt die Frau mit dem Baby, **5** ○   ○ **C** das nachts immer weint.

Das sind die Jugendlichen, **6** ○

Da ist das kleine Kind, **7** ○   ○ **D** die hier immer Fußball spielen.

Manchmal helfe ich den Schülern, **8** ○

2 **Unordnung.** 请将下列句子成分整理为词序正确的关系从句。

1. Wo ist das Wörterbuch, • immer hier im Regal • das • steht • ?
2. Wo ist mein Kuli, • hat • gelegen • der • gestern hier auf dem Tisch • ?
3. Wer hat meine Jacke gesehen, • die • war • hier auf dem Stuhl • ?
4. Wem gehört das Handy, • auf dem Boden • liegt • das • ?

3 Berühmte Deutsche. 请填上正确的关系代词。

1. Einstein, _____ 1921 den Nobelpreis bekommen hat, war ein großer Physiker.

2. Angela Merkel, _____ als erste Frau Bundeskanzlerin wurde, hat auch Physik studiert.

3. Johann Wolfang von Goethe und Friedrich Schiller, _____ zu den größten deutschen Dichtern gehören, waren viele Jahre lang gut befreundet.

4. Johann Sebastian Bach, _____ in Eisenach geboren ist und nicht weit gereist ist, ist jetzt in der ganzen Welt bekannt.

5. Anne-Sophie Mutter, _____ mit fünf Jahren schon einen ersten Wettbewerb gewonnen hat, ist heute eine weltbekannte Geigerin.

4 Wer oder was ist das? 请将下列句子改写为关系从句。

1. Das ist mein Kollege Herr Schmidt. Er kommt immer schon um 7 Uhr.
2. Das ist das Büro. Das Büro ist immer ab halb neun geöffnet.
3. Das ist die Sekretärin Frau Markus. Sie ist immer sehr hilfsbereit.
4. Das ist Herr Möbius. Er ist erst vor einem halben Jahr zu uns gekommen.
5. Das ist unser Firmenauto. Das Auto steht immer auf diesem Parkplatz.
6. Das sind Herr Meier und Herr Naumann. Sie arbeiten normalerweise in einer anderen Abteilung.

1. Das ist mein Kollege Herr Schmidt, der immer schon um 7 Uhr kommt.

5 请将下列句子改写为关系从句。注意关系从句位于主句中间。

1. Meine Tante kommt morgen zu Besuch. Meine Tante kann sehr gut Kuchen backen.
2. Mein Onkel ist nach Afrika gefahren. Mein Onkel wohnt in Hamburg.
3. Meine Kusinen studieren in Berlin. Meine Kusinen wollen Lehrerinnen werden.
4. Mein Bruder heiratet nächste Woche. Mein Bruder wollte eigentlich immer Single bleiben.
5. Meine Schwester ist in der Klinik. Sie hat gerade ein Baby bekommen.
6. Sie kommt mit dem Baby übermorgen nach Hause. Das Baby ist gesund und munter und total süß.

1. Meine Tante, die sehr gut Kuchen backen kann, kommt morgen zu Besuch.

6 Was ist das? 请根据给出的图形和词写出关系从句。

~~die Schlange~~ · die Giraffe · der Bär · der Mann mit Hut · die Putzfrau	die Treppe putzen · ~~einen Elefanten essen~~ · Fahrrad fahren · auf den Baum klettern · am Fenster vorbeilaufen

1.

2.

3.

4.

5.

1. Das ist eine Schlange, die einen Elefanten gegessen hat.

阳性 ⌒ 第四格

Ist das der <u>Schlüssel</u>, den du seit gestern <u>suchst</u>?

Wer ist die <u>Frau</u>, die das große Motorrad <u>fährt</u>?
Wie heißt das <u>Ding</u>, mit dem man Flaschen <u>öffnen</u> kann.

关系词决定关系代词的性和数：阳性、中性或阴性；单数或复数。
关系代词的格取决于其在从句中的句法成分：第一格、第四格或第三格。当关系代词前有介词时，关系代词的格由介词决定（如 *mit* 后只可能为第三格）。

	阳性	中性	阴性	复数
第一格	der	das	die	die
第四格	den	das	die	die
第三格	dem	dem	der	denen

关系代词与定冠词同形。
例外：第三格复数: denen

1　请填上正确的关系代词。

> tanzen mit
> erzählen von
> spielen mit
> warten auf

1. Das ist der Mann, ＿＿＿＿＿＿ so gut aussieht.

＿＿＿＿＿＿ ich gestern kennengelernt habe.

＿＿＿＿＿＿ ich gerne gefallen möchte.

＿＿＿＿＿＿ ＿＿＿＿＿＿ ich gerne tanzen möchte.

2. Das ist die Frau, ＿＿＿＿＿＿ toll singen kann.

＿＿＿＿＿＿ ich schon zweimal im Radio gehört habe.

＿＿＿＿＿＿ ich Blumen schenken möchte.

＿＿＿＿＿＿ ＿＿＿＿＿＿ ich dir gestern erzählt habe.

3. Das ist das Kind, ＿＿＿＿＿＿ so lustig lacht.

＿＿＿＿＿＿ ich so gern habe.

＿＿＿＿＿＿ ich gestern ein Eis gegeben habe.

＿＿＿＿＿＿ ＿＿＿＿＿＿ mein Sohn gerne spielt.

4. Das sind die Leute, ＿＿＿＿＿＿ immer Party machen.

＿＿＿＿＿＿ ich am Samstag zu meiner Party eingeladen habe.

＿＿＿＿＿＿ ich beim Umzug geholfen habe.

＿＿＿＿＿＿ ＿＿＿＿＿＿ ich jetzt eine halbe Stunde gewartet habe.

2　**Meine Nachbarn.** 请将下列句子改写成两个独立、完整的句子。
1. Die Nachbarn, **mit denen** du gerade gesprochen hast, sind erst zwei Wochen hier.
2. Die Nachbarn, **die** neu eingezogen sind, haben mich zum Essen eingeladen.
3. Die Stadt, **aus der** sie kommen, ist eine richtige Großstadt mit elf Millionen Einwohnern.

4. Die Nachbarn sprechen eine Sprache, **die** ich nicht verstehen kann.

5. Die Kinder, **von denen** die Nachbarn viel erzählt haben, sind noch bei den Großeltern.

6. Der Hausmeister, **dem** die Nachbarn herzlich gedankt haben, war sehr freundlich.

> *1. Die Nachbarn sind erst seit zwei Wochen hier. Du hast mit den Nachbarn gesprochen.*

3 请将下列句子改写成关系从句。

1. Das ist der Mann. Meine Nachbarin hat mir viel **von dem Mann** erzählt.

2. Das ist die Frau. **Die Frau** wohnt seit zwei Jahren in unserem Haus.

3. Das ist das Kind. Ich sehe **das Kind** jeden Tag auf dem Spielplatz.

4. Das sind die Jugendlichen. Die Skaterbahn gefällt **den Jugendlichen** sehr gut.

5. Ich wünsche dem Jungen viel Glück. **Der Junge** muss heute seine Abschlussprüfung machen.

> *1. Das ist der Mann, von dem mir meine Nachbarin viel erzählt hat.*

4 请参照例子，分别写出每个箭头所决定的关系代词的性和格。

阳性　　　　　　　　　第四格

1. Das ist der Tee, den ich am liebsten trinke.

2. Kennst du den Friseur, zu dem ich immer gehe.

3. Ich habe gute Chancen, die Stelle, um die ich mich beworben habe, zu bekommen.

5a **Im Büro.** 请标出关系词和从句里的动词，并填上正确的关系代词。

1. Das Computerprogramm, _____ gestern abgestürzt ist, läuft heute wieder ohne Probleme.

2. Ich arbeite gern mit dem Laptop, _____ ich letzte Woche neu bekommen habe.

3. Der Kollege, _____ ich den Kopierer erklärt habe, hat mich zu einem Kaffee eingeladen.

4. Der Drucker, _____ im Kopierraum steht, funktioniert nicht.

5. Das ist die Tastatur, _____ _____ ich am besten schreiben kann.

5b 如有必要，请在上题你填出的关系代词前加上介词。

6 请用关系从句分别给下列物品下定义。

> Suppe essen (mit) · ~~Kleidung packen (in + Akk)~~ · Frauen und Mädchen tragen · mehr als 300 km/h fahren · vertrauen können (+ Dativ) · schlafen (in + Dativ)

der Koffer (*das Ding*)

der Löffel (*das Ding*)

der Rock (*das Kleidungsstück*)

der ICE (*der Zug*)

der Freund (*der Mensch*)

das Bett (*das Möbelstück*)

> *Ein Koffer ist ein Ding, in das man Kleidung packt.*

Ich gehe, wenn ... / Ich ging, als ...

wenn 或 *als* 引导的时间状语从句

(Temporale Nebensätze mit *wenn* und *als*) 82

> *Wenn ich mit dem Zug nach Hause fahre, lese ich immer.*

> *Als ich letzte Woche nach Hause gefahren bin, hat der Zug auf einmal mitten auf der Strecke gehalten. ...*

wenn: 用于现在或将来的单次性或多次性事件，
若用于过去，只能用于多次性重复事件。

(Immer) wenn ich im letzten Jahr mit dem Zug nach Hause gefahren bin, habe ich gelesen.

als: 用于过去的单次性事件。

---

1 请用 *wenn* 或 *als* 将以下句子成分连接成句。

1. Wenn: du • heute Abend • kommen/wir • können • gleich • ins Kino gehen • .
2. Wenn: Sie • Zeit • haben/möchte • ich • Sie • gerne zu einem Kaffee • einladen • .
3. Wenn: alles • fertig sein/wir • können • nach Hause • gehen • .
4. Wenn: das Auto • kaputt • ist/musst • du • es • schnell in die Werkstatt • bringen • .
5. Als: er • gekommen • ist / sie • hat • sofort • den Raum • verlassen • .
6. Als: neue Stelle • bekommen • hat • sie / mit ihren Freunden eine Party • sie • gemacht • .
7. Als: er • letzte Woche • den Unfall • hatte / musste • das Auto • in die Werkstatt • gebracht werden • .
8. Als: wir • Urlaub • hatten / hat • es • die ganze Zeit • geregnet • .

> *1. Wenn du heute Abend kommst, können wir gleich ins Kino gehen.*

---

2 请用 *wenn* 或 *als* 填空。

1. _____ sie morgen Zeit hat, will sie shoppen gehen.

2. _____ sie gestern Zeit hatte, hat sie die Wohnung aufgeräumt.

3. _____ ich nächste Woche nach Madrid komme, besuche ich dich.

4. _____ ich letzte Woche in Madrid war, habe ich ein tolles Fußballspiel gesehen.

5. _____ er letztes Jahr in unsere Stadt kam, kannte er keinen Menschen.

6. _____ er jetzt in der Stadt spazieren geht, trifft er immer Bekannte.

7. _____ ich vor einer Stunde nach Hause kam, hatte Marlen schon ein Essen gekocht.

8. _____ ich nächste Woche nach Hause komme, bin ich alleine und muss selbst kochen.

3 请将对应的句子用 *wenn* 或 *als* 连成一句话。

Ich freue mich,	**1** ○		○ **A**	es plötzlich an der Tür geklingelt hat.
Gestern hatte ich gerade einen Kaffee gekocht,	**2** ○		○ **B**	ich zehn Jahre alt war.
Kommen Sie doch bitte vorbei,	**3** ○		○ **C**	du im Urlaub zu mir kommst.
Ich bin nach Deutschland gekommen,	**4** ○		○ **D**	Sie Zeit haben.

4 请用 *wenn* 或 *als* 填空。

1. _____ in den letzten Wochen mein Handy geklingelt hat, war ich jedes Mal ganz nervös.

   Aber erst am letzten Freitag war es so weit: _____ mein Handy nachmittags geklingelt hat, war es

   tatsächlich Sophie.

2. _____ er gestern um 7:30 Uhr zur Arbeit kam, waren alle Kollegen schon da. Normalerweise,

   _____ er um acht gekommen ist, war noch keiner da.

3. _____ meine Schwester in die Schule kam, wollte ich auch unbedingt in die Schule gehen.

   Aber ich war erst vier und musste noch in den Kindergarten. Jeden Tag _____ meine Schwester

   morgens mit dem Schulranzen zur Schule ging, wollte ich mit ihr gehen.

4. _____ ich mich zum ersten Mal bei einem Arbeitgeber vorgestellt habe, hatte ich große Angst vor

   dem Vorstellungsgespräch. In den letzten Jahren habe ich häufiger die Stelle gewechselt und habe mich

   daran gewöhnt und war nur ein bisschen nervös, _____ ich mich vorgestellt habe.

5 **Polizeibesuch.** 请用 *wenn* 或 *als* 填空。

Hi Katrin,

wie geht es dir? Mir geht es jetzt wieder gut, aber in der letzten Woche ist etwas passiert, was ich dir

unbedingt erzählen muss. Stell dir vor, _____ ich am letzten Donnerstag zur Arbeit gehen wollte, stand

plötzlich die Polizei vor der Tür. Ich habe erst gedacht, dass sie zu den Nachbarn wollte. Die sind ein

bisschen komisch und ich war nicht überrascht, dass sie Probleme mit der Polizei haben. Aber sie haben

bei mir geklingelt. _____ ich die Tür öffnete, fragten sie nach Anne Meyer. Die Nachbarn sahen natürlich

alle aus den Fenstern. Immer _____ etwas los ist, stehen sie hinter den Gardinen. Es war mir furchtbar

peinlich. Du weißt ja, _____ ich im Mittelpunkt stehe, fühle ich mich nicht wohl. Ich sagte, dass ich

Anne Meyer bin und fragte, was los ist. Sie waren sehr höflich und erklärten mir, dass von meinem

Internetanschluss aus illegale Downloads gemacht wurden. _____ ich das gehört habe, musste ich sofort

an Hannes denken. Mit seinen zwölf Jahren surft er ziemlich viel im Internet. Immer _____ ich ihn

gefragt habe, was er gemacht hat, sagte er, dass er etwas für die Schule machen musste. Aber _____ die

Polizei und ich mit ihm gesprochen haben, hat er erzählt, dass er viel ausprobiert hatte und auch auf

illegale Seiten gekommen war. Oh je, das wird teuer für mich!

Wünsch mir Glück!

Liebe Grüße

Anne

bevor		*bevor* + 事件2， 主句 + 事件1	Bevor ich frühstücke, putze ich meine Zähne.
nachdem		*nachdem* + 事件1， 主句 + 事件2	Nachdem ich gefrühstückt habe, putze ich meine Zähne.
während		主、从句事件同时发生	Während ich frühstücke, höre ich Radio.
seit(dem)		事件始于过去并持续至今	Seitdem ich immer meine Zähne putze, muss ich nicht mehr zum Zahnarzt.

主句	从句			
	连词	主语		动词
Ich putze meine Zähne,	bevor	ich		**frühstücke.**
Ich putze die Zähne,	nachdem	ich		**gefrühstückt habe.**
Ich höre Radio,	während	ich		**frühstücke.**
Ich muss nicht mehr zum Zahnarzt,	seit(dem)	ich	immer die Zähne	**putze.**

nachdem 引导的时间状语从句存在时态差，从句的时态要早于主句的时态。

现在时

现在完成时，过去时

过去完成时

*Nachdem ich **gefrühstückt habe**,* **mache** *ich Gymnastik.*

*Nachdem ich **gefrühstückt hatte**,* **habe** *ich Gymnastik gemacht.*

由 *bevor, nachdem, während* 和 *seitdem* 引导的时间状语从句中，动词位于句末。

---

1 请用 *bevor* 写出时间状语从句。

1. Zähne putzen • ins Bett gehen
2. die Fenster schließen • aus dem Haus gehen
3. Koffer packen • eine Reise machen
4. einkaufen müssen • kochen können
5. Geld abheben • einkaufen gehen
6. meinen Mann küssen • zur Arbeit gehen

> *1. Ich putze mir die Zähne,*
> *bevor ich ins Bett gehe.*
>
> *Bevor ich ins Bett gehe,*
> *putze ich mir die Zähne.*

2　请用 *während* 引导的时间状语从句描述下列图片内容。

> *Während die Frau kocht, liegt der Mann auf dem Sofa und liest Zeitung.*

3a　请将对应的句子连接起来，并写成由 *nachdem* 引导的时间状语从句。

ich • Eintrittskarte kaufen	1 ○	○ A　Bauchschmerzen haben
er • zehn Kilometer joggen	2 ○	○ B　kein Geld mehr haben
wir • 16 Stunden fliegen	3 ○	○ C　ins Kino gehen
du • sechs Stück Kuchen essen	4 ○	○ D　großen Durst haben
sie • lange einkaufen gehen	5 ○	○ E　in Australien ankommen

> *1. Nachdem ich eine Eintritts-karte gekauft habe, gehe ich ins Kino.*

3b　请将 3a 中的句子改写成过去时。

> *1. Nachdem ich eine Eintrittskarte gekauft hatte, bin ich ins Kino gegangen.*

4　请参照例句，将以下句子写成由 *seitdem* 引导的时间状语从句。

1. er hat fünf Kilogramm abgenommen • er isst keine Schokolade mehr
2. er fühlt sich wohler • er hat fünf Kilogramm abgenommen
3. er ist fit und treibt Sport • er ist schlanker
4. er hat eine Freundin gefunden • er ist fit, schlank und sportlich
5. er ist glücklich • er hat eine nette Freundin
6. er möchte heiraten und Kinder haben • er ist glücklich mit seiner Freundin

> *1. Er hat fünf Kilo-gramm abgenommen, seitdem er keine Schokolade mehr isst.*

5　请从方框中选出合适的连词填空。

> während • während • nachdem • bevor • seit(dem)

_____ ich in Deutschland lebe, habe ich mich ganz schön verändert: _____ ich den Tag

beginne, schreibe ich eine Liste, was ich tun möchte. Ich bin sehr effektiv und mache nie nur eine Sache.

_____ ich frühstücke, höre ich die Nachrichten, und _____ ich in der U-Bahn sitze, lerne ich

Vokabeln. Aber am Abend, _____ ich dann alles gemacht habe, bin ich immer todmüde!

6　请用动词的正确形式填空。

Nachdem der Wecker _____ (*klingeln*), ist sie ganz langsam aufgestanden.

Sie frühstückt dann immer, nachdem sie _____ (*duschen*). Heute ist ihr Mann erst

aufgewacht, nachdem sie schon aus dem Haus _____ (*gehen*). Nachdem sie auf der Arbeit

angekommen ist, _____ (*kochen*) sie normalerweise erst mal Kaffee. Heute hat sie

erst um 15 Uhr zu Mittag gegessen, nachdem sie sehr viel Arbeit schon fertig _____

(*machen*). Wenn die Arbeit beendet ist und sie zu Hause ankommt, ist sie erst richtig glücklich, nachdem sie

auch der Katze Futter _____ (*geben*), und alle satt sind.

Um ... zu *und* damit
目的从句 (Finalsätze) 🔊 83

> Ich koche ohne Fett, *damit mein Mann abnimmt.*

> Ich koche ohne Fett, *um abzunehmen.*

主句	从句		
	连词	主语	动词
Ich koche ohne Fett,	um		abzunehmen.
Ich koche ohne Fett,	damit	mein Mann	abnimmt.

um ... zu 和 *damit* 均表示主句行为的目的和企图。提问的疑问词为 *wozu*。

用 *um ... zu* 时，主、从句的主语相同，从句中不出现主语。

如果主、从句主语不同，则用连词 *damit* 引导从句。
Ich koche ohne Fett. **Mein Mann** will/soll abnehmen.
*Ich koche ohne Fett, **damit** mein Mann abnimmt.*

如果主、从句主语相同，既可以用 *damit*，也可以用 *um ... zu*。
*Ich koche ohne Fett. **Ich will** abnehmen.*
*Ich koche ohne Fett, **damit** ich abnehme. / Ich koche ohne Fett, **um abzu**nehmen.*

情态动词 *möchten* 和 *wollen* 的意思已经包含在 *um ... zu* 内，因此不会出现在 *um ... zu* 引导的目的从句中。
情态动词 *sollen, wollen* 和 *möchten* 的意思已经包含在 *damit* 里，因此不会出现在 *damit* 引导的目的从句中。

---

1 请用 *um ... zu* 回答问题。

> Ich möchte sie kennenlernen. • Ich möchte meinen deutschen Mann verstehen. • Wir wollen unser Gehirn trainieren. • Sie will Karriere machen. • Ich fahre zur Arbeit. • ~~Ich möchte mich informieren.~~

1. Wozu lesen Sie Zeitung?
2. Wozu lernen Sie Deutsch?
3. Wozu arbeitet sie so viel?

4. Wozu brauchen Sie Ihr Auto?
5. Wozu laden Sie Ihre Nachbarn ein?
6. Wozu spielen Sie Schach?

> 1. Ich lese Zeitung, um mich zu informieren.

2 请用 *damit* 将左右两边合适的句子连成一句话。

Wozu ziehen Sie aufs Land?	1 ○	○ A	Seine Frau soll ihn wieder attraktiv finden.
Wozu ist er ganz leise?	2 ○	○ B	Mein Kind soll in der Natur aufwachsen.
Wozu arbeitet er so viel?	3 ○	○ C	Ich will informiert sein.
Wozu geht Frau Meier zum Zahnarzt?	4 ○	○ D	Sein Kind soll nicht aufwachen.
Wozu geht er ins Fitness-Studio?	5 ○	○ E	Er will ein besseres Leben haben.
Wozu kaufen Sie sich ein teures Auto?	6 ○	○ F	Er soll ihr einen Zahn ziehen.
Wozu lesen Sie Zeitung?	7 ○	○ G	Meine Nachbarn sollen denken, dass ich reich bin.

> 1. Ich ziehe aufs Land, damit mein Kind in der Natur aufwächst.

3a 请用下划线标出句子中的主语。

1. Ich nehme an einem Aerobic-Kurs teil. Ich möchte fit sein.
2. Ich lade meine Nachbarn ein. Ich möchte sie kennenlernen.
3. Wir gehen ins Kino. Wir wollen den neuen Film sehen.
4. Ich bereite heute schon alles vor. Wir können morgen früh schnell losgehen.
5. Ich creme meinen Sohn ein. Er soll keinen Sonnenbrand bekommen.
6. Er spielt Schach gegen den Computer. Er möchte sein Gehirn trainieren.
7. Ich schreibe dir eine E-Mail. Du sollst mich nicht vergessen.

3b 请将 3a 中的句子用 *damit* 或 *um ... zu* 连接起来。

4 **Marias Leben.** 请用 *um ... zu* 或 *damit* 将给出的句子成分连接成句。

1. Maria lernt Deutsch, • sie • in Deutschland • arbeiten • .
2. Sie macht jetzt ein Praktikum, • sie • den Beruf • kennenlernen • .
3. Sie arbeitet viel, • ihr Chef • zufrieden sein • .
4. Abends geht sie in die Disko, • sie • ihren Traummann • finden.
5. Sie möchte bald heiraten, • ihre Mutter • glücklich sein • .

主语相同: *um ... zu* + 不定式
主语不同: *damit* + 从句

5 请用 *damit* 或者 *weil* 填空。

1. Lisa geht ins Ausland, _____ ihre Tochter dort die Schule beginnt und die Sprache lernt.
2. Tina geht ins Ausland, _____ sie dort eine Arbeitsstelle gefunden hat.
3. Mireille lernt Deutsch, _____ ihr Mann Deutscher ist.
4. Anna lernt Deutsch, _____ sie mit ihren deutschen Nachbarn sprechen kann.
5. Kerem macht die Prüfung, _____ er weiß, was er kann.
6. Nicolas macht eine Prüfung, _____ er sie für seine Arbeit braucht.
7. Ich trage eine Brille, _____ meine Augen schlecht sind.
8. Du trägst eine Brille, _____ du intelligent aussiehst.

6 请用 *um ... zu, damit* 或动词的不定式形式填空。

1. Ich habe nur selten Lust _____ (*einkaufen*).
2. Aber man muss Lebensmittel einkaufen,
   _____ (*kochen können*).
3. Ich habe auch oft keine Lust _____

   (*kochen*).
4. Aber ich muss kochen, _____

   (*essen können*).
5. Ich habe Angst, _____ (*dick werden*).
6. _____ mein Mann doch etwas _____ , geht

   er manchmal auch alleine ins Restaurant (*essen können*).
7. Einmal hat er vergessen Geld _____ (*mitnehmen*).
8. _____ , musste er die Teller

   abwaschen (*bezahlen*).
9. Er hat mich angerufen, _____ ich nicht so lange auf ihn _____ (*warten*).

75

Entweder ... oder, weder ... noch, sowohl ... als auch *und* nicht nur ... sondern auch

成对连词 (Doppelkonnektoren)

sowohl ... als auch		Ich trinke Kaffee sowohl mit Milch als auch mit Zucker.	+ + 两个都有
nicht nur ... sondern auch		Er trinkt Kaffee nicht nur mit viel Zucker sondern auch mit Sahne.	+ + 两个都有 强调后一个
weder ... noch		Sie trinkt Kaffee weder mit Milch noch mit Zucker.	− − 两个均无
entweder ... oder		Ich trinke Tee entweder mit Zitrone oder mit Milch.	a 或 b 选其一 语气较强的 **oder**

1 Fernsehen. 请将对应的句子成分连接成句。

Im Fernsehen kann man sowohl Filme	1 ○	○ A	oder informieren.
Es gibt nicht nur gute Serien	2 ○	○ B	noch Science-Fiction-Filme.
Aber ich mag weder Krimis	3 ○	○ C	als auch Nachrichten sehen.
Ich kann mich beim Fernsehen entweder entspannen	4 ○	○ D	sondern auch interessante Dokumentationen und Talkshows.

2 Auf Zimmersuche. 请选择正确的连词填空。

> sowohl ... als auch • nicht nur ... sondern auch • entweder ... oder • weder ... noch

1. In der Nähe des Bahnhofs gibt es _____ Hotels _____ kleine Pensionen. (+/+)

2. Wir haben noch kein Zimmer gefunden: _____ in einem Hotel _____ in einer Pension. (–/–)

3. Jetzt ist es _____ zu spät _____ sehr kalt. (+/+)

4. Wir müssen _____ im Auto _____ unter der Brücke schlafen. (a oder b)

3 请参照例句，分别用 *sowohl ... als auch* 和
nicht nur ... sondern auch 造句。
1. Heute • gehen • wir • ins Restaurant • ins Kino • .
2. Elena • schön • intelligent • ist • .
3. Die Reise • war • interessant • entspannend • .

> *1. Heute gehen wir sowohl ins Restaurant als auch ins Kino. Heute gehen wir nicht nur ins Restaurant ...*

4 请用 *entweder ... oder* 将下列句子成分写成完整的句子。

1. Liva • möchte • studieren • eine Ausbildung machen • .
2. Jörg • möchte • fahren • nach Island • nach Finnland • .
3. Gisela • heute • trifft • Hans • Willi • .

5 请用 *weder ... noch* 将下列句子成分写成完整的句子。

1. Tatjana • trinkt • Kaffee • Tee • . Nur Coca Cola.
2. Bettina • Italienisch • Spanisch • kann • sprechen • . Aber Bulgarisch, Englisch und Russisch.
3. Heiner • will • baden • duschen • . Er hasst Wasser.

6

1. *Er isst sowohl Käse als auch Wurst.* _____

_____

2. Familie Meier hat _____

_____

3. Pascal kann heute Abend nur eines machen: Er kann _____

_____

4. Mia geht zu Fuß. Sie hat _____

_____

5. Morgen wird das Wetter _____

_____

7 请用 *weder ... noch* 或 *sowohl ... als auch* 将下列句子补充完整。

1. Ich nehme diese Wohnung, denn sie ist _____ (*hell / groß*).

2. Ich kaufe dieses Kleid, denn es ist _____ (*modern / schick*).

3. Ich trinke keinen Alkohol, _____ (*Bier / Wein*).

4. Ich nehme dieses Buch, denn es ist _____ (*interessant / spannend*).

5. Ich gehe nicht in dieses Restaurant, denn es ist _____ (*günstig / gut*).

8 **Essen gehen.** 请用成对连词填空。注意：有的地方不止一个正确答案。

In der Nähe haben wir leider _____ ein gutes Restaurant _____ eine gemütliche Kneipe.

Das ist wirklich schade. Wir müssen _____ in der Nähe beim Schnellimbiss essen, _____

30 km weit in ein Restaurant fahren. Das Restaurant hat ein tolles Angebot: Zu dem Menu gehört _____

ein gutes Hauptgericht, _____ ein leckeres Dessert. Der Wein ist auch exzellent: Er hat _____

_____ einen sehr guten Geschmack _____ genau die richtige Temperatur. Aber ich

mache eine Diät. Ich esse _____ ein Hauptgericht _____ ein Dessert. Nur einen Salat.

Je größer, desto besser!
比较从句 (Vergleichssätze)

从句（总是位于句首）			主句		
je + 比较级（+ 名词）	主语	动词位于句末	**desto/umso** + 比较级 +（名词）	动词位于第二位	主语
Je **schneller**	man	arbeitet,	**desto müder**	wird	man.
			umso müder	wird	man.
			desto mehr Arbeit	schafft	man.

---

1 请将相对应的句子连线。

Je weniger man schläft,	1 ○		○ A	desto weniger verstehe ich.
Je mehr Bücher ich habe,	2 ○		○ B	desto größere Portionen kann man essen.
Je mehr Alkohol man trinkt,	3 ○		○ C	desto müder ist man.
Je schneller du sprichst,	4 ○		○ D	umso mehr muss man putzen.
Je größer die Wohnung ist,	5 ○		○ E	umso mehr Regale brauche ich.
Je mehr Hunger man hat,	6 ○		○ F	desto mehr Kopfschmerzen hat man am nächsten Morgen.

2 **Die Gesundheit.** 请用形容词的比较级形式填空。

1. Je _____ (*gesund*) man lebt, desto _____ (*wohl*) fühlt man sich.

2. Je _____ (*gut*) man isst, desto _____ (*wahrscheinlich*) bleibt man gesund.

3. Je _____ (*lang*) man lebt, desto _____ (*viel*) Erfahrung hat man.

4. Je _____ (*lecker*) etwas schmeckt, umso _____ (*gern*) isst man es.

5. Je _____ (*salzig*) das Essen ist, desto _____ (*durstig*) wird man.

6. Je _____ (*intensiv*) jemand trainiert, umso _____ (*kräftig*) wird er.

7. Je _____ (*stark*) ein Mann ist, desto _____ (*schwer*) kann er tragen.

3 **Die Liebe.** 请将下列句子成分写成完整句。
1. je · sie · kennt · sympathischer · sie · besser · ihn · umso · findet · ihn · .
2. netter · desto · er · je · ist · ist · sie · verliebter · .
3. er · ist · nervöser · desto · liebt · sie · er · mehr · je · .
4. unsicherer · er · umso · süßer · sie · ihn · je · wird · findet · .
5. sich · sie · öfter · je · kennen · besser · desto · treffen · sich · sie · .
6. je · sie · länger · wird · er · unruhiger · mit dem Heiratsantrag · desto · wartet · .
7. die Hochzeit · besser · vorbereitet wird · umso · schöner · das Fest · wird · je · .

> 1. Je besser sie ihn kennt, umso sympathischer findet sie ihn.

4 请结合图片用 *je ... desto/umso* 造句。

wenig schlafen – müde

viel Alkohol – betrunken

viele Autos – Luft schlecht

fleißig – Zeugnis gut

viel Kaffee – nervös

hoch steigen – schwer atmen
können

> *Je weniger er geschlafen hat, desto müder ist er.*

5a 请用 *je ... desto/umso* 造句。

1. viel arbeiten • viel verdienen — *Je mehr man arbeitet, desto mehr verdient man.*
2. alt sein • viel können — _____
3. lange studieren • Gehalt ist gut — _____
4. intelligent sein • Position ist hoch — _____
5. wenig arbeiten • glücklich sein — _____
6. viel essen • dick werden — _____

5b 这符合事实吗？你是怎么想的？

> *Ja und nein. Wenn man selbstständig ist, kann man mehr verdienen, wenn man mehr arbeitet. Aber wenn man angestellt ist, kann man auch nicht mehr verdienen, wenn man mehr arbeitet.*

6 请将左右方框里的词组配对，并用 *je ... desto/umso* 造句。

> ~~Sport treiben~~ • Kollegen nett sein •
> lernen • arm sein • viele Freunde haben

> gern arbeiten • viel können • glücklich sein •
> viele Probleme haben • ~~schlank sein~~

> 1. *Je mehr Sport man treibt, desto schlanker ist man.*

7 **Das Wetter.** 请参照例句，用 *je ... desto/umso* 改写下列句子。

1. Wenn es viel regnet, ist es nass.
2. Wenn es kalt ist, muss ich viel anziehen.
3. Wenn es dunkel ist, kann ich schlecht sehen.
4. Wenn das Wetter gut ist, sind die Leute fröhlich.
5. Wenn ich lange in der Sonne liege, werde ich braun.
6. Wenn es viel geschneit hat, kann man gut Ski fahren.
7. Wenn es viel Nebel gibt, kann man schlecht sehen.
8. Wenn die Nacht klar ist, kann man viele Sterne sehen.

> 1. *Je mehr es regnet, desto nasser wird man.*

je – 动词位于句末，
desto – 动词位于第二位

寻找一家人，每个家庭都由孩子、父亲、母亲及祖父母组成。
您的搭档知道他们的姓。

请用关系从句询问下列人物的姓名。
比如：*Wie heißt das Baby, das immer lacht?* 搭档会纠正您的句子，并告诉您他们的姓名。

das Baby	der Vater	die Mutter	die Großeltern (Pl.)
Es lacht immer.	Der Nachbar hilft **ihm** oft im Garten.	Die Nachbarin geht oft **mit ihr** einkaufen.	**Sie** kümmern sich dreimal pro Woche um das Baby.

das Baby	der Vater	die Mutter	die Großeltern (Pl.)
Es hat die ganze Nacht geweint.	Seine Frau muss oft **auf ihn** warten.	Ihr Mann repariert **ihr** alles.	Die Mutter kümmert sich **um sie.**

das Baby	der Vater	die Mutter	die Großeltern (Pl.)
Es möchte immer trinken.	Seine Frau ruft **ihn** oft auf der Arbeit an.	Ihr Mann nennt **sie** Schätzchen.	Der Vater hilft **ihnen** oft.

现在轮到您来纠正搭档的句子并且告知姓名了。

das Kind Jan Lange	der Vater Bruno Pilz	die Mutter Uschi Zeise	die Großeltern (Pl.) Lange
Wie heißt das Kind, dem die Mutter jeden Tag drei Brote für die Schule macht?	Wie heißt der Vater, der abends für die ganze Familie kocht?	Wie heißt die Mutter, mit der das Kind immer spielen möchte?	Wie heißen die Großeltern, denen das Kind oft selbstgemalte Bilder schenkt?

das Kind Pascal Zeise	der Vater Helmut Zeise	die Mutter Liva Pilz	die Großeltern (Pl.) Pilz
Wie heißt das Kind, das letzte Woche ein Hund gebissen hat?	Wie heißt der Vater, den seine Frau früher nicht heiraten wollte?	Wie heißt die Mutter, die der Mann sehr liebt?	Wie heißen die Großeltern, für die das Kind oft einkauft?

das Kind Leo Pilz	der Vater Joachim Lange	die Mutter Elisabeth Lange	die Großeltern (Pl.) Lange
Wie heißt das Kind, auf das die Nachbarin manchmal abends aufpasst?	Wie heißt der Vater, dem das Essen zu Hause nicht schmeckt?	Wie heißt die Mutter, der die Großeltern im Haushalt helfen?	Wie heißen die Großeltern, die ihrem Enkel ein Fahrrad geschenkt haben?

寻找一家人，每个家庭都由孩子、父亲、母亲及祖父母组成。
您的搭档知道他们的姓。

请用关系从句询问下列人物的姓名。
比如：*Wie heißt das Kind, dem die Mutter jeden Tag drei Brote für die Schule macht?* 搭档会纠正您的句子，
并告诉您他们的名字。

das Kind	*der Vater*	*die Mutter*	*die Großeltern (Pl.)*
Die Mutter macht **ihm** jeden Tag drei Brote für die Schule.	**Er** kocht abends für die ganze Familie.	Das Kind möchte immer **mit ihr** spielen.	Das Kind schenkt **ihnen** oft selbstgemalte Bilder.

das Kind	*der Vater*	*die Mutter*	*die Großeltern (Pl.)*
Ein Hund hat **es** letzte Woche gebissen.	Seine Frau wollte **ihn** früher nicht heiraten.	Der Mann liebt **sie** sehr.	Das Kind kauft oft für **sie** ein.

das Kind	*der Vater*	*die Mutter*	*die Großeltern (Pl.)*
Die Nachbarin passt manchmal abends **auf es** auf.	Das Essen zu Hause schmeckt **ihm** oft nicht.	Die Großeltern helfen **ihr** im Haushalt.	**Sie** haben ihrem Enkel ein Fahrrad geschenkt.

现在轮到您来纠正搭档的句子和告知姓名了。

das Baby Anna Wagner	*der Vater* Hans Kühne	*die Mutter* Angelika Kaiser	*die Großeltern (Pl.)* Wagner
Wie heißt das Baby, das immer lacht?	Wie heißt der Vater, dem der Nachbar oft im Garten hilft?	Wie heißt die Mutter, mit der die Nachbarin oft einkaufen geht?	Wie heißen die Großeltern, die sich dreimal pro Woche um das Baby kümmern?

das Baby Sofia Kühne	*der Vater* Michael Kaiser	*die Mutter* Bettina Wagner	*die Großeltern (Pl.)* Kaiser
Wie heißt das Baby, das die ganze Nacht geweint hat?	Wie heißt der Vater, auf den seine Frau oft warten muss?	Wie heißt die Mutter, der ihr Mann alles repariert?	Wie heißen die Großeltern, um die die Mutter sich kümmert?

das Baby Nika Kaiser	*der Vater* Frederik Wagner	*die Mutter* Gisela Kühne	*die Großeltern (Pl.)* Kühne
Wie heißt das Baby, das immer trinken möchte?	Wie heißt der Vater, den seine Frau oft auf der Arbeit anruft?	Wie heißt die Mutter, die ihr Mann Schätzchen nennt?	Wie heißen die Großeltern, denen der Vater oft hilft?

während		▬▬▬▬	Während des Essens raucht er.	表时间 同时性
wegen		„weil"	Wegen des Rauchs kann sie nicht essen	表目的 表原因
trotz		„obwohl"	Trotz des Rauchs isst er.	表让步 表反对
innerhalb		⊙	Innerhalb des Restaurants ist das Rauchen verboten.	表地点
			Innerhalb eines Tages raucht er 40 Zigaretten.	表时间
außerhalb		○ •	Außerhalb des Restaurants ist das Rauchen erlaubt.	表地点
			Außerhalb der Öffnungszeiten kann man hier nicht essen.	表时间

während, wegen, trotz, innerhalb 和 außerhalb 这几个介词支配第二格。
während, wegen, trotz 在口语中也常常支配第三格。

1 请将相对应的部分连接成句。

Während des Fluges	1 ○	○ A	höre und sehe ich meinen Chef nie.
Während des Kochens	2 ○	○ B	darf man das Handy nicht benutzen.
Während der Arbeit	3 ○	○ C	kann ich jeden Tag lange schlafen.
Während der Ferien	4 ○	○ D	trinke ich schon ein bisschen Wein.

2 请将相对应的部分连接成句。

Wegen des Lärms	1 ○	○ A	ist sie jetzt nicht fit.
Wegen des Geschenks	2 ○	○ B	muss er viel arbeiten.
Wegen der Krankheit	3 ○	○ C	freut sich das Kind und lacht.
Wegen seiner sieben Kinder	4 ○	○ D	ist er aus seiner Wohnung ausgezogen.

3 请将相对应的部分连接成句。

Trotz des Lottogewinns   1 ○   ○ A   hat sie das Examen gemacht.

Trotz des Gewitters   2 ○   ○ B   lernt sie nicht.

Trotz der Prüfung   3 ○   ○ C   gehen wir spazieren.

Trotz ihrer Kopfschmerzen   4 ○   ○ D   hat er nicht genug Geld.

4 请将方框中的名词根据能与之搭配的介词归类。注意变格。有些名词有两种归类的可能性。

> das Geschenk • die Arbeit • eine Stunde • das Haus • der Unterricht • ihr Sohn •
> die Region • die Reise • das Essen • der Unterricht • meine Freundin

wegen/trotz	während	innerhalb/außerhalb
	der Reise	

5 **Stress.** 请划去不合适的介词。

1. Während • Wegen • Trotz der Arbeit klingelt 60 mal das Telefon und man kann sich nicht konzentrieren
2. Viele Berufe sind anstrengend, aber die meisten Leute lieben ihre Arbeit während • wegen • trotz des Stresses.
3. Viele Menschen müssen während • wegen • trotz ihrer Arbeit umziehen.
4. In der Stadt ist es laut und viele Leute sind während • wegen • trotz des Lärms gestresst. Aber während • wegen • trotz ihrer Arbeit ziehen viele Leute während • wegen • trotz des Lärms in die Stadt.
5. Ein Umzug ist immer viel Arbeit. Deshalb ist es zu empfehlen, während • wegen • trotz der Ferien umzuziehen.

6 请将对应的部分连接起来，并写成语法正确的完整句。

Wegen	(ihre) Arbeitslosigkeit	sind die Mieten billiger.
Während	(das) Zentrum	können Sie uns anrufen.
Trotz	(die) Sprechzeiten	kauft sie einen Mercedes.
Innerhalb	(das) Laufen	muss man vorsichtig fahren.
Außerhalb	(der) Schnee	hört er Musik.

7 请从方框中选出合适的介词，并用括号里名词的正确形式填空。

> außerhalb • innerhalb • trotz • trotz • während • während • wegen

1. _____ (*das Wetter*) können wir nicht ausgehen.

2. _____ (*das Geld*) ist er nicht glücklich.

3. Die Fahrkarte ist nur _____ (*die Stadt*) gültig.

4. Sie geht _____ (*die Kälte*) ohne Mantel spazieren.

5. _____ (*die Fahrt*) höre ich Musik.

6. _____ (*Öffnungszeiten, Pl.*) können Sie eine Nachricht hinterlassen.

7. _____ (*der Unterricht*) sprach niemand.

8 请在必要处填上正确的词尾。

In d____ Raum____ gibt es Tische, Stühle und ein Büffet. Über d____ Tisch____ hängen Lampen

und Luftballons. Die Getränke stehen in d____ Badewanne____. Ich mache die Party wegen

mein____ Geburtstag____. Ich feiere mit ein____ Freundin____ zusammen. Unsere Gäste dürfen

leider nur auf d____ Balkon____ außerhalb d____ Zimmer____ rauchen. Vor d____ Fest____

hatte ich viel Arbeit, aber auch während d____ Party____ habe ich sicher noch viel zu tun.

der Raum
der Tisch
die Badewanne
der Geburtstag
die Freundin
der Balkon
das Zimmer
das Fest
die Party

Innerhalb, außerhalb, in, nach, vor, seit, bei *und* während

表时间的介词2 (Temporale Präpositionen 2)

vor – nach + 第三格		Es ist fünf vor zwölf. Es ist fünf nach zwölf.
vor – in + 第三格		**vor:** 过去已发生的事 **in:** 将来未发生的事 Vor einer Woche, am letzten Samstag, war ich im Theater. In einer Woche, am nächsten Samstag, gehe ich ins Konzert.
vor – seit + 第三格		**vor:** 用于时间点 **seit:** 用于时间段，表示持续时间 Vor einer Woche war der erste Schultag. Seit einer Woche geht sie schon zur Schule.
bei + 第三格		Beim Lernen (= wenn ich lerne) höre ich gerne ruhige Musik.
während + 第二格		**während:** 用于平行事件 Während des Lernens (= die ganze Zeit) höre ich Musik.
außerhalb innerhalb + 第二格		时间范围：比如营业时间，星期，年 Innerhalb der Öffnungszeiten kann man jederzeit ohne Termin kommen. Außerhalb der Öffnungszeiten kann man die Berater nur telefonisch erreichen.

Während 在口语中常支配第三格。

---

1 请用 *vor* 或 *nach* 填空。

1. _____ dem Gespräch mit meiner Chefin war ich sehr nervös. Ich wusste nicht, was sie von mir wollte.

2. _____ dem Gespräch mit ihr war ich sehr zufrieden. Sie hatte mir mehr Geld angeboten.

3. Man sagt „Es ist fünf _____ zwölf", wenn etwas sehr dringend ist.

4. Wenn man sagt „Es ist fünf _____ zwölf", dann ist es schon zu spät.

2 请用 *vor* 或 *in* 填空。

1. Haben Sie den Auftrag schon bearbeitet? – Ja, den habe ich schon _____ einer Woche weggeschickt.

2. Sie haben bald Urlaub? – Ja, ich fahre _____ drei Tagen in die Türkei.

3. Ich muss zurzeit viel lernen, weil ich _____ einem Monat die Prüfung machen möchte.

4. Er ist _____ einer Stunde zu uns gekommen, er muss aber _____ einer Stunde schon wieder weiterfahren.

3 请用 *vor* 或 *seit* 填空。

1. Sie haben _____ einem Jahr geheiratet. _____ der Hochzeit wohnen sie in einem wunderschönen Haus mit Garten.

2. Sie kennen sich schon _____ acht Jahren. Sie haben sich auf einer Party _____ acht Jahren kennengelernt.

3. Er hat _____ einem Monat schwimmen gelernt. Jetzt kann er schon _____ vier Wochen alleine schwimmen.

4. Sie hat sich _____ einem Jahr um die Stelle beworben. Jetzt arbeitet sie schon _____ sechs Monaten bei der Firma.

4 请参照例句，用 *bei* 将两句话改写成一句。

1. Wenn ich esse, will ich nicht an meine Arbeit denken. (*das Essen*)
2. Wenn es regnet, gehen wir ins Hallenbad. (*Regen*)
3. Wenn man Computer spielt, muss man sich konzentrieren. (*das Computerspielen*)
4. Wenn meine Freunde fernsehen, essen sie gerne Chips. (*das Fernsehen*)
5. Wenn ich arbeite, trinke ich viel Kaffee. (*die Arbeit*)

> 1. *Beim Essen will ich nicht an meine Arbeit denken.*

5 请参照例句，用 *während* 将两句话改写成一句。

1. Ich höre ein Konzert. Ich vergesse alles. (*das Konzert*)
2. Ich arbeite. Ich darf nicht privat im Internet surfen. (*die Arbeit*)
3. Er ist im Unterricht. Er hat viel Gelegenheit, Deutsch zu sprechen. (*der Unterricht*)
4. Sie hat Ferien. Sie joggt jeden Tag. (*Ferien, Pl.*)
5. Sie joggt, sie hört Musik. (*das Joggen*)

> 1. *Während des Konzerts vergesse ich alles.*

6 请用 *innerhalb* 或 *außerhalb* 填空。

1. _____ der offenen Sprechstunde können Sie jederzeit vorbeikommen. _____ der offenen Sprechstunde müssen Sie telefonisch einen Termin vereinbaren.

2. _____ der Arbeitszeit darf man in den meisten Firmen nicht privat im Internet surfen.

3. Diese Rechnung müssen Sie _____ der nächsten zehn Tage bezahlen. Wenn Sie später zahlen, wird es teurer.

4. _____ der Schulzeit ist die Schulbibliothek geschlossen.

79 Deutsches Bier

形容词词尾变化：总结
(Adjektivdeklination mit und ohne Artikel)

B1

	阳性	中性	阴性	复数
第一格	der Mann der nette Mann ein netter Mann kein netter Mann – netter Mann	das Kind das nette Kind ein nettes Kind kein nettes Kind – nettes Kind	die Frau die nette Frau eine nette Frau keine nette Frau – nette Frau	die Leute die netten Leute – nette Leute keine netten Leute – nette Leute
第四格	den Mann den netten Mann einen netten Mann keinen netten Mann – netten Mann	das Kind das nette Kind ein nettes Kind kein nettes Kind – nettes Kind	die Frau die nette Frau eine nette Frau keine nette Frau – nette Frau	die Leute die netten Leute – nette Leute keine netten Leute – nette Leute
第三格	dem Mann dem netten Mann einem netten Mann keinem netten Mann – nettem Mann	dem Kind dem netten Kind einem netten Kind keinem netten Kind – nettem Kind	der Frau der netten Frau einer netten Frau keiner netten Frau – netter Frau	den Leuten den netten Leuten – netten Leuten keinen netten Leuten – netten Leuten
第二格	des Mannes des netten Mannes eines netten Mannes keines netten Mannes ⚠ netten Mannes	des Kindes des netten Kindes eines netten Kindes keines netten Kindes ⚠ netten Kindes	der Frau der netten Frau einer netten Frau keiner netten Frau – netter Frau	der Leute der netten Leute – netter Leute keiner netten Leute – netter Leute

物主代词 *mein, dein, ...* 后的形容词词尾变化同 *kein*。

▶ 形容词词尾变化的其他内容请参见第36、37章节。

___

1a 请用形容词的正确形式填空（第一格）。

gut	der ＿＿＿＿ Kaffee	ein ＿＿＿＿ Kaffee	＿＿＿＿ Kaffee
saftig	das ＿＿＿＿ Kotelett	ein ＿＿＿＿ Kotelett	＿＿＿＿ Kotelett
lecker	die ＿＿＿＿ Marmelade	eine ＿＿＿＿ Marmelade	＿＿＿＿ Marmelade
neu	die ＿＿＿＿ Kartoffeln (Pl.)		＿＿＿＿ Kartoffeln (Pl.)

1b 请用形容词的正确形式填空（第四格）。

leicht	den _____ Wein	einen _____ Wein	_____ Wein
kalt	das _____ Bier	ein _____ Bier	_____ Bier
frisch	die _____ Milch	eine _____ Milch	_____ Milch
alkoholisch	die _____ Getränke (Pl.)		_____ Getränke (Pl.)

1c 请用形容词的正确形式填空（第三格）。

lang	mit dem _____ Mantel	mit einem _____ Mantel	mit _____ Mantel
schick	mit dem _____ Kleid	mit einem _____ Kleid	mit _____ Kleid
elegant	mit der _____ Krawatte	mit einer _____ Krawatte	mit _____ Krawatte
schwarz	mit den _____ Schuhen (Pl.)		mit _____ Schuhen

1d 请用形容词的正确形式填空（第二格）。

heftig	trotz des _____ Regens	wegen eines _____ Regens	wegen _____ Regens
stark	wegen des _____ Gewitters	wegen eines _____ Gewitters	wegen _____ Gewitters
groß	trotz der _____ Hitze	trotz einer _____ Hitze	trotz _____ Hitze
unerwartet	trotz der _____ Stürme		trotz _____ Stürme

2 请根据形容词词尾判断下列名词的词性。

großes Schnitzel (_das_ Schnitzel)   Suche günstigen Laptop. (_____ Laptop)

echte italienische Pizza (_____ Pizza)   Suche gebrauchtes Fahrrad. (_____ Fahrrad)

knuspriger Braten (_____ Braten)   Verkaufe neue Küchenmaschine.

(_____ Küchenmaschine)

Suche günstigen Laptop

Suche gebrauchtes Fahrrad

3 **In der Zeitung.** 请填上正确的形容词词尾。

Außergewöhnlich____ Polizeieinsatz

Mehr als zwanzig besorgt____ Nachbarn riefen kurz vor Mitternacht die Polizei: „Hier schreit ein klein____

Kind um Hilfe, bitte kommen sie schnell!" Die Polizisten klingelten an der Wohnungstür. Ein ängstlich____

9-jährig____ Mädchen öffnete ihnen. Der Grund seiner Panik: Es hatte Angst vor einer groß____ , schwarz____

Spinne in seinem Zimmer. Das Mädchen hatte zwar alle Nachbarn durch seine laut____ Schreie geweckt,

die Eltern des Kindes schliefen jedoch fest. Die hilfsbereit____ Beamten brachten die Spinne ins Freie.

4 **Eine Fahrt nach Berlin.** 请在必要的地方填上正确的形容词词尾。

Am letzten Wochenende waren wir mit der ganz____ Familie in Berlin. Berlin ist wirklich eine toll____ Stadt.

Die Kinder waren auch ganz begeistert____ . Wegen der unterschiedlich____ Interessen haben wir uns

manchmal auch getrennt. Am Samstag waren Laura und Sara shoppen und haben sich zehn neu____ T-Shirts

gekauft. Max war den ganz____ Tag auf der Funkmesse und hat sich die neuest____ Geräte angeschaut und wir

Erwachsene sind in eine berühmt____ Ausstellung von modern____ Kunst gegangen. Abends haben wir uns in

einem gemütlich____ chinesisch____ Restaurant getroffen und haben lecker____ frisch____ Fisch gegessen.

Danach sind die Jugendlichen in eine toll____ Disco gegangen und wir sind in unser nett____ klein____ Hotel

zurückgefahren.

Singende Vögel und fliegende Fische
第一分词作定语 (Partizip 1 als Adjektiv)

fallende Blätter

singende Vögel

eine joggende Frau

ein spielendes Kind

ein bellender Hund

> 第一分词 = 动词不定式 + **d** + 形容词词尾

含义：主动性，同时性

Ein bellender Hund ist ein Hund, der jetzt bellt.
Ein spielendes Kind ist ein Kind, das gerade spielt.
Eine joggende Frau ist eine Frau, die gerade joggt.
Singende Vögel sind Vögel, die jetzt singen.

第一分词只能用于名词之前：~~Die Frau ist joggend.~~

⚠ 有些第一分词已词汇化，成为形容词，可以单独使用：
Der Film ist spannend. Die Arbeit ist anstrengend. Der Termin ist dringend.

---

1 请用句中动词的第一分词形式填空。

1. Ein Flugzeug, das startet, ist ein _____**es** Flugzeug.

2. Die Sonne, die aufgeht, ist die _____**e** Sonne.

3. Eine Kerze, die brennt, ist eine _____**e** Kerze.

4. Temperaturen, die sinken, sind _____**e** Temperaturen.

5. Wasser, das kocht, ist _____**es** Wasser.

6. Preise, die steigen, sind _____**e** Preise.

7. Ein Bus, der ankommt, ist ein _____**er** Bus.

8. Fische, die fliegen, sind _____**e** Fische.

9. Eine Mutter, die ihr Kind alleine erzieht, ist eine allein _____**e** Mutter.

2 请用左边方框里动词构成的第一分词，与右边方框里的名词搭配。注意：有多种可能性。

~~fahren~~ · sprechen · lesen · fließen · kochen · fliegen	~~das Auto~~ · der Mann · das Wasser · der Vogel · das Flugzeug

das fahrende Auto

3 Wer oder was ist das? 请用方框中的动词的第一分词作定语，描述下列各图的内容。

> spielen · ~~weinen~~ · schlafen · lachen · fliegen · singen · ticken · parken

ein weinendes Kind _____ _____ _____ _____

_____ _____ _____ _____

_____ _____ _____ _____

_____ _____ _____ _____

4 Meine Urlaubsreise. 请用括号内动词的第一分词形式填空，并在必要处加上正确的词尾。

Nach vielen _____ (anstrengen) Wochen bei der
Arbeit hatte ich endlich Urlaub und wollte verreisen.
Meine Reise begann bei _____ (strömen) Regen.
Am Bahnhof sah ich gleich viele _____ (warten)
Menschen. Als der Zug ankam, drückten sich sofort viele
Leute durch die sich gerade _____ (öffnen) Tür.
Ich musste während der ganzen Fahrt zwischen
_____ (streiten) Jugendlichen stehen. Nachdem
ich ausgestiegen war und dem _____ (abfahren)
Zug nachsah, bemerkte ich, dass ich meinen Koffer
vergessen hatte. Aber schon vom Bahnhof aus konnte ich den See und die _____ (aufgehen) Sonne
sehen! Es war dann noch ein sehr _____ (entspannen) Urlaub.

5 Ein Rätsel: Wo bin ich? 请从方框里选出适合的动词并用其第一分词形式填空。

> schimpfen · laufen · hupen · schlafen · spielen · stehen · laufen

Ich höre _____ Autos und laut _____ Leute. Vor, neben und hinter mir sehe ich _____
Autos, manche mit _____ Motor. Im Auto hinter mir sitzt ein _____ Kind neben seiner
_____ Mutter. Ich konzentriere mich auf das _____ Radio. ich möchte wissen, wann es
endlich weiter geht.

Lösung: Ich stehe im _____

第一分词: 不定式 + d
主动性，同时性

游泳池很热闹。您看见了什么？请参照例句用第一分词描述紫色编号的人或物。
搭档负责绿色编号的部分，您来纠正他的答案。

说出您看见的事物，搭档会纠正您的答案。

> Blumen, blühen • Menschen, tauchen • ein Kind, weinen •
> ein Hund, rennen • ein Mann, springen • eine Frau, schwimmen •
> Leute, warten

> *Nummer 2 ist ein springender Mann.*

搭档看见了什么？轮到您来纠正他了。

1. ein lesender Mann
3. spielende Kinder
5. ein Eis essendes Kind

7. ein schlafender Mann
9. eine duschende Frau

11. ein singender Vogel
13. ein rauchender Mann

游泳池很热闹，您看见了什么？请参照例句用第一分词描述紫色编号的人或物。
搭档负责绿色编号的部分，您来纠正他的答案。

说出您看见的事物，搭档会纠正您的答案。

> Vögel, singen • ein Mann, rauchen • ein Kind, Eis essen •
> ein Mann, lesen • eine Frau, duschen • Kinder, spielen •
> ein Mann, schlafen

> *Nummer 1 ist ein lachendes Kind.*

搭档看见了什么？轮到您来纠正他了。

2. ein springender Mann	6. ein weinendes Kind	10. ein rennender Hund
4. eine schwimmende Frau	8. tauchende Menschen	12. blühende Blumen
		14. wartende Leute

2 Konjugation Präsens 🔊 2+3

Übung 1

Beispiel:

Er wohnt in Hamburg. Und Sie?	*Ich wohne auch in Hamburg.*
Er wohnt in Hamburg. Und Sie?	Ich wohne auch in Hamburg.
Sie kommen aus Kanada. Und Sie?	Ich komme auch aus Kanada.
Wir verstehen Deutsch. Und Sie?	Ich verstehe auch Deutsch.
Sie arbeitet viel. Und Sie?	Ich arbeite auch viel.
Wir tanzen gerne. Und Sie?	Ich tanze auch gerne.
Sie trinkt viel Kaffee. Und Sie?	Ich trinke auch viel Kaffee.
Er lernt gerne Deutsch. Und Sie?	Ich lerne auch gerne Deutsch.
Sie schreiben gerne. Und Sie?	Ich schreibe auch gerne.

Übung 2

Beispiel:

Wir kommen aus China.	*Er kommt nicht aus China.*
Wir kommen aus China.	Er kommt nicht aus China.
Wir wohnen in Berlin.	Er wohnt nicht in Berlin.
Ich arbeite bei der Post.	Er arbeitet nicht bei der Post.
Du verstehst alles.	Er versteht nicht alles.
Maria hört gerne CDs.	Er hört nicht gerne CDs.
Ich mache gerne Hausaufgaben.	Er macht nicht gerne Hausaufgaben.
Wir tanzen Tango.	Er tanzt nicht Tango.
Sie gehen in die Disko.	Er geht nicht in die Disko.

3 *sein* und *haben* 🔊 4

Beispiel 1:

Wir haben Spaß. Und Sie?	*Ich habe auch Spaß.*

Beispiel 2:

Er ist Lehrer. Und Sie?	*Ich bin auch Lehrer.*
Wir haben Spaß. Und Sie?	Ich habe auch Spaß.
Er ist Lehrer. Und Sie?	Ich bin auch Lehrer.
Sie hat ein Wörterbuch. Und Sie?	Ich habe auch ein Wörterbuch.
Wir haben Geld. Und Sie?	Ich habe auch Geld.
Sie ist glücklich. Und Sie?	Ich bin auch glücklich.
Er hat viel Arbeit. Und Sie?	Ich habe auch viel Arbeit.
Wir sind in Deutschland. Und Sie?	Ich bin auch in Deutschland.
Sie ist verheiratet. Und Sie?	Ich bin auch verheiratet.

4 Verben mit Vokalwechsel 🔊 5

Beispiel:

Ich fahre nach Berlin.	*Er fährt auch nach Berlin.*
Ich fahre nach Berlin.	Er fährt auch nach Berlin.
Ich schlafe viel.	Er schläft auch viel.
Ich laufe viel.	Er läuft auch viel.
Ich helfe gerne.	Er hilft auch gerne.

Ich nehme einen Kaffee.
Ich esse Spaghetti.
Ich lese Zeitung.
Ich spreche Deutsch.
Ich sehe gerne Fußball.

Er nimmt auch einen Kaffee.
Er isst auch Spaghetti.
Er liest auch Zeitung.
Er spricht auch Deutsch.
Er sieht auch gerne Fußball.

5 Modalverben 6̄

Beispiel:

Wir können nicht tanzen. Und du?

Wir können nicht tanzen. Und du?
Wir müssen nicht arbeiten. Und du?
Wir wollen nicht fernsehen. Und du?
Wir müssen nicht einkaufen. Und du?
Wir wollen nicht essen. Und du?
Wir sollen nicht viel sprechen. Und du?
Wir dürfen hier nicht parken. Und du?
Wir müssen nicht früh aufstehen. Und du?

Ich kann tanzen.

Ich kann tanzen.
Ich muss arbeiten.
Ich will fernsehen.
Ich muss einkaufen.
Ich will essen.
Ich soll viel sprechen.
Ich darf hier parken.
Ich muss früh aufstehen.

7 Trennbare Verben 7+8

Übung 1

Beispiel:

Kommen Sie mit?

Kommen Sie mit?
Kaufen Sie ein?
Stehen Sie auf?
Fangen Sie an?
Gehen Sie aus?
Kommen Sie zurück?
Räumen Sie auf?
Rufen Sie an?
Sehen Sie fern?

Nein, ich komme heute nicht mit.

Nein, ich komme heute nicht mit.
Nein, ich kaufe heute nicht ein.
Nein, ich stehe heute nicht auf.
Nein, ich fange heute nicht an.
Nein, ich gehe heute nicht aus.
Nein, ich komme heute nicht zurück.
Nein, ich räume heute nicht auf.
Nein, ich rufe heute nicht an.
Nein, ich sehe heute nicht fern.

Übung 2

Beispiel:

Möchten Sie mitkommen?

Möchten Sie mitkommen?
Müssen Sie umsteigen?
Möchten Sie reinkommen?
Wollen Sie ausgehen?
Können Sie anfangen?
Wollen Sie aussteigen?
Müssen Sie zurückkommen?
Wollen Sie einkaufen?
Möchten Sie fernsehen?

Ja, ich komme mit.

Ja, ich komme mit.
Ja, ich steige um.
Ja, ich komme rein.
Ja, ich gehe aus.
Ja, ich fange an.
Ja, ich steige aus.
Ja, ich komme zurück.
Ja, ich kaufe ein.
Ja, ich sehe fern.

9 Fragen mit Fragewort 9̄

Beispiel:

Er heißt Weinbauer.

Er heißt Weinbauer.
Er kommt aus Freiburg.

Entschuldigung, wie heißt er?

Entschuldigung, wie heißt er?
Entschuldigung, woher kommt er?

听说训练文本及答案

Er wohnt in Dresden.
Er ist Chemie-Ingenieur von Beruf.
Er möchte einen Tee.
Sie heißt Schmidtjohann.
Sie kommt aus Kiel.
Sie lebt in Heidelberg.
Sie ist Lehrerin von Beruf.
Sie möchte einen Cappuccino.

Entschuldigung, wo wohnt er?
Entschuldigung, was ist er von Beruf?
Entschuldigung, was möchte er?
Entschuldigung, wie heißt sie?
Entschuldigung, woher kommt sie?
Entschuldigung, wo lebt sie?
Entschuldigung, was ist sie von Beruf?
Entschuldigung, was möchte sie?

10 Ja/Nein-Fragen 🔊 10

Beispiel:

Sie kommt aus Berlin.

Stimmt das? Kommt sie wirklich aus Berlin?

Sie kommt aus Berlin.
Sie hat zehn Katzen.
Sie fliegt nach Peking.
Sie spricht fünf Sprachen.
Sie ist schon lange in Deutschland.

Sie spielt Gitarre.
Sie geht gerne ins Theater.
Sie arbeitet als Fußballtrainerin.

Stimmt das? Kommt sie wirklich aus Berlin?
Stimmt das? Hat sie wirklich zehn Katzen?
Stimmt das? Fliegt sie wirklich nach Peking?
Stimmt das? Spricht sie wirklich fünf Sprachen?
Stimmt das? Ist sie wirklich schon lange in Deutschland?

Stimmt das? Spielt sie wirklich Gitarre?
Stimmt das? Geht sie wirklich gerne ins Theater?
Stimmt das? Arbeitet sie wirklich als Fußballtrainerin?

11 Wörter im Satz 1 🔊 11

Beispiel:

Montag: Er geht ins Kino.

Am Montag geht er ins Kino.

Montag: Er geht ins Kino.
Dienstag: Er geht ins Fitness-Studio.
Mittwoch: Er arbeitet lange.
Donnerstag: Er bleibt zu Hause.
Freitag: Er geht zu Freunden.
Wochenende: Er muss nicht arbeiten.
Samstag: Er muss einkaufen gehen.
Sonntag: Er kann lange schlafen.

Am Montag geht er ins Kino.
Am Dienstag geht er ins Fitness-Studio.
Am Mittwoch arbeitet er lange.
Am Donnerstag bleibt er zu Hause.
Am Freitag geht er zu Freunden.
Am Wochenende muss er nicht arbeiten.
Am Samstag muss er einkaufen gehen.
Am Sonntag kann er lange schlafen.

14 Artikel: definit, indefinit, kein Artikel 🔊 12

Beispiel:

Möchten Sie eine Banane?

Ja! ... Mhm, die Banane ist lecker.

Möchten Sie eine Banane?
Möchten Sie einen Apfel?
Möchten Sie ein Bier?
Möchten Sie eine Suppe?
Möchten Sie ein Brötchen?
Möchten Sie ein Eis?
Möchten Sie eine Orange?

Ja! ... Mhm, die Banane ist lecker.
Ja! ... Mhm, der Apfel ist lecker.
Ja! ... Mhm, das Bier ist lecker.
Ja! ... Mhm, die Suppe ist lecker.
Ja! ... Mhm, das Brötchen ist lecker.
Ja! ... Mhm, das Eis ist lecker.
Ja! ... Mhm, die Orange ist lecker.

Möchten Sie Kartoffeln?	Ja! ... Mhm, die Kartoffeln sind lecker.
Möchten Sie Nudeln?	Ja! ... Mhm, die Nudeln sind lecker.

15 Negation 🔊 13

Beispiel:

Ich komme aus Japan.	*Ich komme nicht aus Japan.*
Ich komme aus Japan.	Ich komme nicht aus Japan.
Ich bin 52 Jahre alt.	Ich bin nicht 52 Jahre alt.
Ich wohne in Bonn.	Ich wohne nicht in Bonn.
Ich bin verheiratet.	Ich bin nicht verheiratet.
Ich habe Kinder.	Ich habe keine Kinder.
Das sind meine Kinder.	Das sind nicht meine Kinder.
Ich habe Zeit.	Ich habe keine Zeit.
Ich trinke einen Kaffee.	Ich trinke keinen Kaffee.
Ich bin müde.	Ich bin nicht müde.

16 Akkusativ 🔊 14–16

Übung 1

Beispiel:

Haben Sie keinen Computer?	*Doch, ich habe natürlich einen Computer.*
Haben Sie keinen Computer?	Doch, ich habe natürlich einen Computer.
Haben Sie keine Kreditkarte?	Doch, ich habe natürlich eine Kreditkarte.
Haben Sie keinen Schirm?	Doch, ich habe natürlich einen Schirm.
Haben Sie kein Auto?	Doch, ich habe natürlich ein Auto.
Haben Sie keinen Laptop?	Doch, ich habe natürlich einen Laptop.
Haben Sie keine Jacke?	Doch, ich habe natürlich eine Jacke.
Haben Sie kein Handy?	Doch, ich habe natürlich ein Handy.
Haben Sie keine Tasche?	Doch, ich habe natürlich eine Tasche.
Haben Sie keine Bücher?	Doch, ich habe natürlich Bücher.
Haben Sie keine Stifte?	Doch, ich habe natürlich Stifte.

Übung 2

Beispiel:

Wie findest du den Computer?	*Der ist gut. Den kaufe ich.*
Wie findest du den Computer?	Der ist gut. Den kaufe ich.
Wie findest du das Auto?	Das ist gut. Das kaufe ich.
Wie findest du die Tasche?	Die ist gut. Die kaufe ich.
Wie findest du das Handy?	Das ist gut. Das kaufe ich.
Wie findest du die Kamera?	Die ist gut. Die kaufe ich.
Wie findest du den Schirm?	Der ist gut. Den kaufe ich.
Wie findest du die Zeitung?	Die ist gut. Die kaufe ich.
Wie findest du das Fahrrad?	Das ist gut. Das kaufe ich.
Wie findest du den Laptop?	Der ist gut. Den kaufe ich.
Wie findest du die Bücher?	Die sind gut. Die kaufe ich.
Wie findest du die Stifte?	Die sind gut. Die kaufe ich.

Übung 3

Beispiel:

Der Computer ist schön.	*Ich kaufe den Computer.*
Der Computer ist schön.	Ich kaufe den Computer.
Das Fahrrad ist gut.	Ich kaufe das Fahrrad.
Die Tasche ist schick.	Ich kaufe die Tasche.
Die Bücher sind interessant.	Ich kaufe die Bücher.

Die Kamera ist neu.	Ich kaufe die Kamera.
Der Laptop ist praktisch.	Ich kaufe den Laptop.
Das Handy ist günstig.	Ich kaufe das Handy.
Die Stifte sind gut.	Ich kaufe die Stifte.
Die Zeitung ist interessant.	Ich kaufe die Zeitung.
Der Schirm ist elegant.	Ich kaufe den Schirm.

17 Dativ 17

Beispiel:

Nimmst du das Auto?	*Ja, ich fahre mit dem Auto.*
Nimmst du das Auto?	Ja, ich fahre mit dem Auto.
Nimmst du die U-Bahn?	Ja, ich fahre mit der U-Bahn.
Nimmst du den Bus?	Ja, ich fahre mit dem Bus.
Nimmst du die S-Bahn?	Ja, ich fahre mit der S-Bahn.
Nimmst du den Zug?	Ja, ich fahre mit dem Zug.
Nimmst du die Straßenbahn?	Ja, ich fahre mit der Straßenbahn.
Nimmst du das Taxi?	Ja, ich fahre mit dem Taxi.
Nimmst du das Fahrrad?	Ja, ich fahre mit dem Fahrrad.

18 Possessivartikel ◀))) 18+19

Übung 1

Beispiel:

Ich trinke den Tee, ok?	*Nein, das ist mein Tee.*
Ich trinke den Tee, ok?	Nein, das ist mein Tee.
Ich esse die Suppe, ok?	Nein, das ist meine Suppe.
Ich esse das Brötchen, ok?	Nein, das ist mein Brötchen.
Ich trinke den Kaffee, ok?	Nein, das ist mein Kaffee.
Ich trinke das Bier, ok?	Nein, das ist mein Bier.
Ich trinke die Milch, ok?	Nein, das ist meine Milch.
Ich esse das Eis, ok?	Nein, das ist mein Eis.
Ich trinke den Saft, ok?	Nein, das ist mein Saft.
Ich esse die Pommes, ok?	Nein, das sind meine Pommes.
Ich esse die Spaghetti, ok?	Nein, das sind meine Spaghetti.

Übung 2

Beispiel:

Vater und Sohn	*der Vater und sein Sohn*
Vater und Sohn	der Vater und sein Sohn
Mutter und Tochter	die Mutter und ihre Tochter
Vater und Tochter	der Vater und seine Tochter
Mutter und Sohn	die Mutter und ihr Sohn
Eltern und Kinder	die Eltern und ihre Kinder
Kinder und Eltern	die Kinder und ihre Eltern
Bruder und Schwester	der Bruder und seine Schwester
Schwester und Bruder	die Schwester und ihr Bruder

19 Artikel: interrogativ und demonstrativ 🔊 20

Beispiel:

Das Auto ist schön.	Welches Auto meinst du?
Das Auto ist schön.	Welches Auto meinst du?
Die Jacke ist schick.	Welche Jacke meinst du?
Der Mantel ist elegant.	Welchen Mantel meinst du?
Die Hose ist bequem.	Welche Hose meinst du?
Die Schuhe sind teuer.	Welche Schuhe meinst du?
Der Park ist groß.	Welchen Park meinst du?
Das Bild ist interessant.	Welches Bild meinst du?
Die Disco ist gut.	Welche Disco meinst du?
Die Blumen sind schön.	Welche Blumen meinst du?

20 Personalpronomen 🔊 21+22

Übung 1

Beispiel:

Siehst du das Auto?	***Nein, ich sehe es nicht.***
Siehst du das Auto?	Nein, ich sehe es nicht.
Verstehst du den Lehrer?	Nein, ich verstehe ihn nicht.
Brauchst du das Handy?	Nein, ich brauche es nicht.
Siehst du die Tasche?	Nein, ich sehe sie nicht.
Kaufst du den Computer?	Nein, ich kaufe ihn nicht.
Magst du die Suppe?	Nein, ich mag sie nicht.
Kennst du das Restaurant?	Nein, ich kenne es nicht.
Bezahlst du die Getränke?	Nein, ich bezahle sie nicht.
Trinkst du den Kaffee?	Nein, ich trinke ihn nicht.
Liest du die Bücher?	Nein, ich lese sie nicht.

Übung 2

Beispiel 1:

Wie geht es Ihnen?	***Danke, es geht mir gut.***

Beispiel 2:

Wie geht es Ihrem Vater?	***Danke, es geht ihm gut.***
Wie geht es Ihnen?	Danke, es geht mir gut.
Wie geht es Ihrem Vater?	Danke, es geht ihm gut.
Wie geht es Ihrer Mutter?	Danke, es geht ihr gut.
Wie geht es Ihren Eltern?	Danke, es geht ihnen gut.
Wie geht es Ihnen und Ihrer Frau?	Danke, es geht uns gut.
Wie geht es dir?	Danke, es geht mir gut.
Wie geht es dir und deinem Mann?	Danke, es geht uns gut.
Wie geht es deiner Tochter?	Danke, es geht ihr gut.
Wie geht es deinem Sohn?	Danke, es geht ihm gut.
Wie geht es Ihren Kindern?	Danke, es geht ihnen gut.

22 Verben mit Dativ 🔊 23

Beispiel 1:

Wie findest du das Kleid?	***Das Kleid gefällt mir gut.***

Beispiel 2:

Wie findest du die Schuhe?	***Die Schuhe gefallen mir gut.***
Wie findest du das Kleid?	Das Kleid gefällt mir gut.

Wie findest du die Schuhe?	Die Schuhe gefallen mir gut.
Wie findest du die Bluse?	Die Bluse gefällt mir gut.
Wie findest du den Mantel?	Der Mantel gefällt mir gut.
Wie findest du das Hemd?	Das Hemd gefällt mir gut.
Wie findest du die T-Shirts?	Die T-Shirts gefallen mir gut.
Wie findest du den Anzug?	Der Anzug gefällt mir gut.
Wie findest du die Handschuhe?	Die Handschuhe gefallen mir gut.

 23 Präteritum: *sein* und *haben* 🔊 24

Beispiel 1:
Heute bin ich alt.   *Früher war ich jung.*
Beispiel 2:
Heute hat er ein Auto.   *Früher hatte er kein Auto.*

Heute bin ich alt.	Früher war ich jung.
Heute hat er ein Auto.	Früher hatte er kein Auto.
Heute bin ich reich.	Früher war ich arm.
Heute haben wir ein Haus.	Früher hatten wir kein Haus.
Heute habt ihr Geld.	Früher hattet ihr kein Geld.
Heute hast du eine Familie.	Früher hattest du keine Familie.
Heute ist sie glücklich.	Früher war sie nicht glücklich.
Heute hat man ein Handy.	Früher hatte man kein Handy.

 24 Perfekt mit *haben* 🔊 25–27

Übung 1

Beispiel:
Was hast du gemacht?   *Ich habe nichts gemacht.*

Was hast du gemacht?	Ich habe nichts gemacht.
Was hast du getrunken?	Ich habe nichts getrunken.
Was hast du gegessen?	Ich habe nichts gegessen.
Was hast du gelesen?	Ich habe nichts gelesen.
Was hast du gesehen?	Ich habe nichts gesehen.
Was hast du gesagt?	Ich habe nichts gesagt.
Was hast du verstanden?	Ich habe nichts verstanden.
Was hast du gefragt?	Ich habe nichts gefragt.
Was hast du bezahlt?	Ich habe nichts bezahlt.

Übung 2

Beispiel:
Haben Sie schon oft Pizza gegessen?   *Ich esse nie Pizza.*

Haben Sie schon oft Pizza gegessen?	Ich esse nie Pizza.
Haben Sie schon oft Wodka getrunken?	Ich trinke nie Wodka.
Haben Sie schon oft Filme gesehen?	Ich sehe nie Filme.
Haben Sie schon oft den Lehrer gefragt?	Ich frage nie den Lehrer.
Haben Sie schon oft telefoniert?	Ich telefoniere nie.
Haben Sie schon oft die Rechnung bezahlt?	Ich bezahle nie die Rechnung.
Haben Sie schon oft Freunde getroffen?	Ich treffe nie Freunde.

Haben Sie schon oft in der Klasse geschlafen?   Ich schlafe nie in der Klasse.
Haben Sie schon die Hausaufgabe gemacht?   Ich mache nie die Hausaufgabe.

Übung 3

Beispiel:

Essen Sie nie Pizza?   *Doch, ich habe schon oft Pizza gegessen.*
Essen Sie nie Pizza?   Doch, ich habe schon oft Pizza gegessen.
Trinken Sie nie Wodka?   Doch, ich habe schon oft Wodka getrunken.
Lesen Sie nie die Zeitung?   Doch, ich habe schon oft die Zeitung gelesen.
Sehen Sie nie Filme?   Doch, ich habe schon oft Filme gesehen.
Fragen Sie nie den Lehrer?   Doch, ich habe schon oft den Lehrer gefragt.
Telefonieren Sie nie?   Doch, ich habe schon oft telefoniert.
Bezahlen Sie nie die Rechnung?   Doch, ich habe schon oft die Rechnung bezahlt.
Besuchen Sie nie Freunde?   Doch, ich habe schon oft Freunde besucht.
Schlafen Sie nie im Unterricht?   Doch, ich habe schon oft im Unterricht geschlafen.

 25 Perfekt mit *sein* 🔊))) 28+29

Übung 1

Beispiel 1:
Steht er bald auf?   *Er ist schon aufgestanden.*
Beispiel 2:
Schläft das Baby bald ein?   *Das Baby ist schon eingeschlafen.*
Steht er bald auf?   Er ist schon aufgestanden.
Schläft das Baby bald ein?   Das Baby ist schon eingeschlafen.
Fährt sie bald?   Sie ist schon gefahren.
Kommen die Leute bald?   Die Leute sind schon gekommen.
Kommt der Zug bald an?   Der Zug ist schon angekommen.
Gehen die Gäste bald?   Die Gäste sind schon gegangen.
Wacht das Kind bald auf?   Das Kind ist schon aufgewacht.
Fliegt er bald?   Er ist schon geflogen.
Fliegt das Flugzeug bald ab?   Das Flugzeug ist schon abgeflogen.

Übung 2

Beispiel 1:
Schreiben Sie bitte einen Test!   *Ich habe schon letzte Woche einen Test geschrieben.*
Beispiel 2:
Fahren Sie bitte nach Hamburg!   *Ich bin schon letzte Woche nach Hamburg gefahren*
Schreiben Sie bitte einen Test!   Ich habe schon letzte Woche einen Test geschrieben.
Fahren Sie bitte nach Hamburg!   Ich bin schon letzte Woche nach Hamburg gefahren.
Fragen Sie bitte den Chef!   Ich habe schon letzte Woche den Chef gefragt.
Gehen Sie bitte zum Arzt!   Ich bin schon letzte Woche zum Arzt gegangen.
Bezahlen Sie bitte die Rechnung!   Ich habe schon letzte Woche die Rechnung bezahlt.
Lesen Sie bitte den Brief!   Ich habe schon letzte Woche den Brief gelesen.
Fliegen Sie bitte nach Rom!   Ich bin schon letzte Woche nach Rom geflogen.
Kommen Sie bitte zum Sport!   Ich bin schon letzte Woche zum Sport gekommen.
Kaufen Sie bitte das Buch!   Ich habe schon letzte Woche das Buch gekauft.

 26 Partizip Perfekt 🔊))) 30

Beispiel 1:
abholen   *ich habe abgeholt*
Beispiel 2:
ankommen   *ich bin angekommen*
abholen   ich habe abgeholt

ankommen	ich bin angekommen
anfangen	ich habe angefangen
aussteigen	ich bin ausgestiegen
bekommen	ich habe bekommen
denken	ich habe gedacht
einladen	ich habe eingeladen
empfehlen	ich habe empfohlen
essen	ich habe gegessen
fliegen	ich bin geflogen
fallen	ich bin gefallen
gewinnen	ich habe gewonnen
kennen	ich habe gekannt
laufen	ich bin gelaufen
mitbringen	ich habe mitgebracht
nehmen	ich habe genommen
schlafen	ich habe geschlafen
schwimmen	ich bin geschwommen
trinken	ich habe getrunken
sehen	ich habe gesehen
verlieren	ich habe verloren

27 Präteritum: Modalverben 🔊 31

Beispiel:

Heute muss ich arbeiten.	*Gestern musste ich nicht arbeiten.*
Heute muss er arbeiten.	Gestern musste er nicht arbeiten.
Heute können wir lange schlafen.	Gestern konnten wir nicht lange schlafen.
Heute darf man hier rauchen.	Gestern durfte man hier nicht rauchen.
Heute soll sie viel Wasser trinken.	Gestern sollte sie nicht viel Wasser trinken.
Heute will ich fernsehen.	Gestern wollte ich nicht fernsehen.
Heute möchte ich ins Kino gehen.	Gestern wollte ich nicht ins Kino gehen.
Heute muss sie kochen.	Gestern musste sie nicht kochen.
Heute möchte er viel essen.	Gestern wollte er nicht viel essen.
Heute kann er Fußball spielen.	Gestern konnte er nicht Fußball spielen.

29 Reflexive Verben 🔊 32

Beispiel 1:

Lisa ärgert sich. Und du?	*Ich ärgere mich auch.*

Beispiel 2:

Lisa beschwert sich. Und Tom?	*Er beschwert sich auch.*
Lisa ärgert sich. Und du?	Ich ärgere mich auch.
Lisa beschwert sich. Und Tom?	Er beschwert sich auch.
Lisa entschuldigt sich. Und ihr?	Wir entschuldigen uns auch.
Lisa langweilt sich. Und das Baby?	Es langweilt sich auch.
Lisa schminkt sich. Und Nina?	Sie schminkt sich auch.
Lisa meldet sich an. Und du?	Ich melde mich auch an.
Lisa wäscht sich. Und ihr?	Wir waschen uns auch.

Lisa stellt sich vor. Und Michael?	Er stellt sich auch vor.
Lisa zieht sich an. Und Monika?	Sie zieht sich auch an.
Lisa freut sich. Und du?	Ich freue mich auch.

31 Präpositionen mit Dativ ◀))) 33

Beispiel:

die Kollegen:	*Wo sind Sie?*	*bei den Kollegen*
	Wohin gehen Sie?	*zu den Kollegen*
	Woher kommen Sie?	*von den Kollegen*
die Kollegen:	Wo sind Sie?	bei den Kollegen
	Wohin gehen Sie?	zu den Kollegen
	Woher kommen Sie?	von den Kollegen
der Arzt:	Wo sind Sie?	beim Arzt
	Wohin gehen Sie?	zum Arzt
	Woher kommen Sie?	vom Arzt
Susanne:	Wo sind Sie?	bei Susanne
	Wohin gehen Sie?	zu Susanne
	Woher kommen Sie?	von Susanne
die Chefin:	Wo sind Sie?	bei der Chefin
	Wohin gehen Sie?	zur Chefin
	Woher kommen Sie?	von der Chefin
Thomas:	Wo sind Sie?	bei Thomas
	Wohin gehen Sie?	zu Thomas
	Woher kommen Sie?	von Thomas
die Studenten:	Wo sind Sie?	bei den Studenten
	Wohin gehen Sie?	zu den Studenten
	Woher kommen Sie?	von den Studenten

34 Wechselpräpositionen mit Dativ und Akkusativ ◀))) 34+35

Übung 1

Beispiel:

Gehst du ins Kino?	*Ich war schon im Kino.*
Gehst du ins Kino?	Ich war schon im Kino.
Gehst du in die Disco?	Ich war schon in der Disco.
Gehst du ins Theater?	Ich war schon im Theater.
Gehst du ans Meer?	Ich war schon am Meer.
Gehst du an den Strand?	Ich war schon am Strand.
Gehst du auf den Berg?	Ich war schon auf dem Berg.
Gehst du auf den Sportplatz?	Ich war schon auf dem Sportplatz.
Gehst du in den Supermarkt?	Ich war schon im Supermarkt.
Gehst du ins Museum?	Ich war schon im Museum.
Gehst du in die Schule?	Ich war schon in der Schule.

Übung 2

Beispiel:

Warst du schon im Kino?	*Nein, ich gehe jetzt ins Kino.*
Warst du schon im Kino?	Nein, ich gehe jetzt ins Kino.
Warst du schon im Museum?	Nein, ich gehe jetzt ins Museum.
Warst du schon in der Schule?	Nein, ich gehe jetzt in die Schule.
Warst du schon auf dem Berg?	Nein, ich gehe jetzt auf den Berg.
Warst du schon am Strand?	Nein, ich gehe jetzt an den Strand.
Warst du schon auf dem Sportplatz?	Nein, ich gehe jetzt auf den Sportplatz.

Warst du schon im Supermarkt?	Nein, ich gehe jetzt in den Supermarkt.
Warst du schon in der Disco?	Nein, ich gehe jetzt in die Disco.
Warst du schon im Theater?	Nein, ich gehe jetzt ins Theater.
Warst du schon am Meer?	Nein, ich gehe jetzt ans Meer.

35 Lokale Präpositionen 🔊 36

Beispiel 1:
Ich bin im (Kino).   *Wo bist du?*
Beispiel 2:
Ich fahre nach (Wien).   *Wohin fährst du?*

Ich bin im (Kino).	Wo bist du?
Ich fahre nach (Wien).	Wohin fährst du?
Ich komme vom (Arzt).	Woher kommst du?
Ich bin am (Strand).	Wo bist du?
Ich bin im (Supermarkt).	Wo bist du?
Ich gehe zum (Friseur).	Wohin gehst du?
Ich komme aus der (Disco).	Woher kommst du?
Ich fahre in die (USA).	Wohin fährst du?
Ich bin bei (Walter).	Wo bist du?

36 Adjektivdeklination Nominativ und Akkusativ 🔊 37+38

Übung 1

Beispiel:
Ist das der nette Lehrer?   *Ja, das ist ein netter Lehrer.*

Ist das der nette Lehrer?	Ja, das ist ein netter Lehrer.
Ist das die neue Tasche?	Ja, das ist eine neue Tasche.
Ist das das bequeme Sofa?	Ja, das ist ein bequemes Sofa.
Sind das die günstigen Tassen?	Ja, das sind die günstigen Tassen.
Ist das der gute Computer?	Ja, das ist ein guter Computer.
Ist das das intelligente Kind?	Ja, das ist ein intelligentes Kind.
Sind das die dummen Leute?	Ja, das sind die dummen Leute.
Ist das der neue Freund?	Ja, das ist ein neuer Freund.
Sind das die freundlichen Kollegen?	Ja, das sind die freundlichen Kollegen.

Übung 2

Beispiel:
Das ist ein bequemes Sofa.   *Kaufst du das bequeme Sofa?*

Das ist ein bequemes Sofa.	Kaufst du das bequeme Sofa?
Das ist ein guter Computer.	Kaufst du den guten Computer?
Das ist eine schöne Tasche.	Kaufst du die schöne Tasche?
Das sind günstige Stühle.	Kaufst du die günstigen Stühle?
Das ist eine tolle Bluse.	Kaufst du die tolle Bluse?
Das ist ein großer Tisch.	Kaufst du den großen Tisch?
Das sind wunderbare Schuhe.	Kaufst du die wunderbaren Schuhe?
Das ist ein schönes Kleid.	Kaufst du das schöne Kleid?
Das ist ein guter Stift.	Kaufst du den guten Stift?

37 Adjektivdeklination Nominativ, Akkusativ und Dativ 🔊 39

Beispiel:

Wen bringt er mit? Eine schöne Frau?   *Ja, er kommt mit einer schönen Frau.*

Wen bringt er mit? Eine schöne Frau?   Ja, er kommt mit einer schönen Frau.

Wen bringt er mit? Einen neuen Freund?   Ja, er kommt mit einem neuen Freund.

Wen bringt er mit? Ein kleines Kind?   Ja, er kommt mit einem kleinen Kind.

Wen bringt er mit? Nette Kollegen?   Ja, er kommt mit netten Kollegen.

Wen bringt er mit? Eine hübsche Freundin?   Ja, er kommt mit einer hübschen Freundin.

Wen bringt sie mit? Deutsche Nachbarn?   Ja, sie kommt mit deutschen Nachbarn.

Wen bringt sie mit? Ein süßes Baby?   Ja, sie kommt mit einem süßen Baby.

Wen bringt sie mit? Einen sympathischen Mann?   Ja, sie kommt mit einem sympathischen Mann.

Wen bringt sie mit? Alte Freunde?   Ja, sie kommt mit alten Freunden.

38 Komparativ 🔊 40

Beispiel:

Das Restaurant ist gut.   *Das andere ist besser.*

Das Restaurant ist gut.   Das andere ist besser.

Die Stadt ist groß.   Die andere ist größer.

Der Mann ist jung.   Der andere ist jünger.

Das Haus ist hoch.   Das andere ist höher.

Die Tasche ist teuer.   Die andere ist teurer.

Der Film ist interessant.   Der andere ist interessanter.

Das Auto ist schnell.   Das andere ist schneller.

Der Wein ist alt.   Der andere ist älter.

Der Schauspieler ist bekannt.   Der andere ist bekannter.

Das Buch ist gut.   Das andere ist besser.

39 Superlativ 🔊 41

Beispiel 1:

Der erste ist nett.   *Der zweite ist netter und der dritte ist am nettesten.*

Beispiel 2:

Der erste ist gut.   *Der zweite ist besser und der dritte ist am besten.*

Der erste ist nett.   Der zweite ist netter und der dritte ist am nettesten.

Der erste ist gut.   Der zweite ist besser und der dritte ist am besten.

Der erste kocht gern.   Der zweite kocht lieber und der dritte kocht am liebsten.

Der erste ist schnell.   Der zweite ist schneller und der dritte ist am schnellsten.

Der erste kauft viel.   Der zweite kauft mehr und der dritte kauft am meisten.

Das erste ist teuer.   Das zweite ist teurer und das dritte ist am teuersten.

Der erste ist intelligent.   Der zweite ist intelligenter und der dritte ist am intelligentesten.

Der erste ist schön.   Der zweite ist schöner und der dritte ist am schönsten.

42 Nebensätze 42–45

Übung 1

Beispiel:

Der Film ist aus. | *Schade, dass der Film aus ist.*

Der Film ist aus.	Schade, dass der Film aus ist.
Sie ist krank.	Schade, dass sie krank ist.
Es regnet stark.	Schade, dass es stark regnet.
Er ärgert sich.	Schade, dass er sich ärgert.
Sie kommt immer zu spät.	Schade, dass sie immer zu spät kommt.
Er muss viel arbeiten.	Schade, dass er viel arbeiten muss.
Sie hat keine Zeit.	Schade, dass sie keine Zeit hat.
Sie können nicht mitkommen.	Schade, dass sie nicht mitkommen können.
Sie kann nicht schwimmen.	Schade, dass sie nicht schwimmen kann.

Übung 2

Beispiel:

Ihr fahrt nicht? Ist das Wetter schlecht? | *Ja, wir fahren nicht, weil das Wetter schlecht ist.*

Ihr fahrt nicht? Ist das Wetter schlecht?	Ja, wir fahren nicht, weil das Wetter schlecht ist.
Ihr geht nicht? Ist der Film langweilig?	Ja, wir gehen nicht, weil der Film langweilig ist.
Ihr kommt nicht? Habt ihr keine Zeit?	Ja, wir kommen nicht, weil wir keine Zeit haben.
Ihr kauft das nicht? Habt ihr kein Geld?	Ja, wir kaufen das nicht, weil wir kein Geld haben.
Ihr esst nicht? Schmeckt das Essen nicht gut?	Ja, wir essen nicht, weil das Essen nicht gut schmeckt.
Ihr geht zum Arzt? Seid ihr krank?	Ja, wir gehen zum Arzt, weil wir krank sind.
Ihr fahrt Fahrrad? Habt ihr kein Auto?	Ja, wir fahren Fahrrad, weil wir kein Auto haben.
Ihr arbeitet nicht? Habt ihr Urlaub?	Ja, wir arbeiten nicht, weil wir Urlaub haben.

Übung 3

Beispiel:

Hoffentlich scheint bald die Sonne. | *Ich bin auch froh, wenn die Sonne scheint.*

Hoffentlich scheint bald die Sonne.	Ich bin auch froh, wenn die Sonne scheint.
Hoffentlich kommt er bald.	Ich bin auch froh, wenn er kommt.
Hoffentlich kauft er das Auto.	Ich bin auch froh, wenn er das Auto kauft.
Hoffentlich schmeckt das Essen.	Ich bin auch froh, wenn das Essen schmeckt.
Hoffentlich haben wir bald Urlaub.	Ich bin auch froh, wenn wir Urlaub haben.
Hoffentlich ist das Wetter schön.	Ich bin auch froh, wenn das Wetter schön ist.
Hoffentlich kann ich schlafen.	Ich bin auch froh, wenn ich schlafen kann.
Hoffentlich muss ich nicht arbeiten.	Ich bin auch froh, wenn ich nicht arbeiten muss.

Übung 4

Beispiel:

Er geht ins Theater. | *Wenn er ins Theater geht, gehe ich auch.*

Er geht ins Theater.	Wenn er ins Theater geht, gehe ich auch.
Sie fährt in Urlaub.	Wenn sie in Urlaub fährt, fahre ich auch.
Sie gehen ins Kino.	Wenn sie ins Kino gehen, gehe ich auch.
Er schläft.	Wenn er schläft, schlafe ich auch.
Sie fahren nach Hawaii.	Wenn sie nach Hawaii fahren, fahre ich auch.
Sie kommt nach Hause.	Wenn sie nach Hause kommt, komme ich auch.
Er geht in die Disco.	Wenn er in die Disco geht, gehe ich auch.
Sie beginnt jetzt.	Wenn sie jetzt beginnt, beginne ich auch.
Sie kochen etwas.	Wenn sie etwas kochen, koche ich auch.

43 Positions- und Direktionaladverbien 🔊))) 46̲

Beispiel:
Er steht oben.

Er steht oben.
Sie steht hinten.
Er steht rechts.
Er steht vorne.
Sie steht unten.
Sie steht rechts.
Er steht links.
Sie steht oben.
Sie steht vorne.
Er steht unten.

Er soll nach unten kommen.

Er soll nach unten kommen.
Sie soll nach vorne kommen.
Er soll nach links kommen.
Er soll nach hinten kommen.
Sie soll nach oben kommen.
Sie soll nach links kommen.
Er soll nach rechts kommen.
Sie soll nach unten kommen.
Sie soll nach hinten kommen.
Er soll nach oben kommen.

47 Zusammengesetzte Verben 🔊))) 47̲

Beispiel:
Ist der Fernseher an?

Ist der Fernseher an?
Ist die Lehrerin da?
Bist du dafür?
Ist die Tür auf?
Ist der Chef weg?
Ist das Fenster zu?
Ist er dagegen?
Ist der Herd aus?

Nein, er ist aus.

Nein, er ist aus.
Nein, sie ist weg.
Nein, ich bin dagegen.
Nein, sie ist zu.
Nein, er ist da.
Nein, es ist auf.
Nein, er ist dafür.
Nein, er ist an.

49 Präteritum 🔊))) 48–59̲

Beispiel:
Heute weiß ich das.

Heute weiß ich das.
Heute geht das.
Heute gibt es das.
Heute finde ich das gut.
Heute wissen wir das.
Heute finden wir das gut.
Heute geht es ihm gut.
Heute gibt es viel.

Gestern wusste ich das noch nicht.

Gestern wusste ich das noch nicht.
Gestern ging das noch nicht.
Gestern gab es das noch nicht.
Gestern fand ich das noch nicht gut.
Gestern wussten wir das noch nicht.
Gestern fanden wir das noch nicht gut.
Gestern ging es ihm noch nicht gut.
Gestern gab es noch nicht viel.

听说训练文本及答案

Übung 2: Rhythmusliste unregelmäßige Verben

a – i – a

fangen	fing – gefangen
lassen	ließ – gelassen
fallen	fiel – gefallen
halten	hielt – gehalten
raten	riet – geraten

a – u – a

waschen	wusch – gewaschen
wachsen	wuchs – gewachsen
laden	lud – geladen
schlagen	schlug – geschlagen
tragen	trug – getragen
fahren	fuhr – gefahren

e – a – e

essen	aß – gegessen
vergessen	vergaß – vergessen
lesen	las – gelesen
geben	gab – gegeben
sehen	sah – gesehen
geschehen	geschah – geschehen
treten	trat – getreten

e – a – o

nehmen	nahm – genommen
helfen	half – geholfen
sprechen	sprach – gesprochen
erschrecken	erschrak – erschrocken
bewerben	bewarb – beworben
empfehlen	empfahl – empfohlen
treffen	traf – getroffen
werfen	warf – geworfen
brechen	brach – gebrochen
stehlen	stahl – gestohlen
sterben	starb – gestorben

i – a – u

springen	sprang – gesprungen
trinken	trank – getrunken
finden	fand – gefunden
klingen	klang – geklungen
singen	sang – gesungen
sinken	sank – gesunken
verschwinden	verschwand – verschwunden

i – o – o

ziehen	zog – gezogen
verlieren	verlor – verloren
schließen	schloss – geschlossen
fliegen	flog – geflogen
biegen	bog – gebogen
bieten	bot – geboten
riechen	roch – gerochen

ei – ie – ie

steigen	stieg – gestiegen
schreiben	schrieb – geschrieben
bleiben	blieb – geblieben
treiben	trieb – getrieben
entscheiden	entschied – entschieden
leihen	lieh – geliehen
scheinen	schien – geschienen
vergleichen	verglich – verglichen
streiten	stritt – gestritten

i – a – o

beginnen	begann – begonnen
gewinnen	gewann – gewonnen
schwimmen	schwamm – geschwommen

i – a – e

bitten	bat – gebeten
liegen	lag – gelegen
sitzen	saß – gesessen

e – a – a

denken	dachte – gedacht
bringen	brachte – gebracht
kennen	kannte – gekannt
nennen	nannte – genannt
brennen	brannte – gebrannt

und

gehen	ging – gegangen
stehen	stand – gestanden
laufen	lief – gelaufen
wissen	wusste – gewusst
tun	tat – getan

51 Reflexivpronomen im Dativ)) 60

Beispiel:

Er wünscht sich ein Auto.   *Ich wünsche mir auch ein Auto.*

Er wünscht sich ein Auto.   Ich wünsche mir auch ein Auto.
Sie kauft sich ein Haus.   Ich kaufe mir auch ein Haus.
Er nimmt sich viel vor.   Ich nehme mir auch viel vor.
Sie wäscht sich die Haare.   Ich wasche mir auch die Haare.
Er zieht sich die Schuhe aus.   Ich ziehe mir auch die Schuhe aus.
Sie putzt sich die Zähne.   Ich putze mir auch die Zähne.
Er sucht sich viel aus.   Ich suche mir auch viel aus.
Sie kämmt sich die Haare.   Ich kämme mir auch die Haare.

52 Trennbare und untrennbare Verben)) 61

Beispiel 1:

Musst du einkaufen?   *Nein, ich kaufe nicht ein.*

Beispiel 2:

Willst du bestellen?   *Nein, ich bestelle nicht.*

Musst du einkaufen?   Nein, ich kaufe nicht ein.
Willst du bestellen?   Nein, ich bestelle nicht.
Musst du anrufen?   Nein, ich rufe nicht an.
Kannst du das empfehlen?   Nein, ich empfehle das nicht.
Musst du aufräumen?   Nein, ich räume nicht auf.
Musst du das verbieten?   Nein, ich verbiete das nicht.
Kannst du das mitbringen?   Nein, ich bringe das nicht mit.
Willst du das erzählen?   Nein, ich erzähle das nicht.

53 Verben mit Präpositionen)) 62

Beispiel 1:

Ich freue mich über die Blumen.   *Wie bitte? Worüber freust du dich?*

Beispiel 2:

Ich denke an meinen Bruder.   *Wie bitte? An wen denkst du?*

Ich freue mich über die Blumen.   Wie bitte? Worüber freust du dich?
Ich denke an meinen Bruder.   Wie bitte? An wen denkst du?
Ich träume von meinem Urlaub.   Wie bitte? Wovon träumst du?
Ich warte auf meinen Freund.   Wie bitte? Auf wen wartest du?
Ich warte auf den Bus.   Wie bitte? Worauf wartest du?
Ich freue mich auf den Urlaub.   Wie bitte? Worauf freust du dich?
Ich interessiere mich für Musik.   Wie bitte? Wofür interessierst du dich?
Ich ärgere mich über den Verkäufer.   Wie bitte? Über wen ärgerst du dich?

54 Präpositionaladverbien und Präpositionalpronomen)) 63

Beispiel 1:

Interessieren Sie sich für Fußball?   *Ja, ich interessiere mich dafür.*

Beispiel 2:

Interessierst du dich für Marilyn Monroe?   *Ja, ich interessiere mich für sie.*

Interessieren Sie sich für Fußball?   Ja, ich interessiere mich dafür.
Interessierst du dich für Marilyn Monroe?   Ja, ich interessiere mich für sie.

Erinnern Sie sich an Ihren Lehrer?   Ja, ich erinnere mich an ihn.

Ärgerst du dich über das Wetter?   Ja, ich ärgere mich darüber.

Freuen Sie sich auf Ihre Gäste?   Ja, ich freue mich auf sie.

Freust du dich auf den Urlaub?   Ja, ich freue mich darauf.

Warten Sie auf den Arzt?   Ja, ich warte auf ihn.

Wartest du auf die U-Bahn?   Ja, ich warte darauf.

55 Konjunktiv 2 64+65

Übung 1

Beispiel:

Hast du viel Geld?   ***Nein, aber ich hätte gerne viel Geld.***

Hast du viel Geld?   Nein, aber ich hätte gerne viel Geld.

Bist du reich?   Nein, aber ich wäre gerne reich.

Fährst du in Urlaub?   Nein, aber ich würde gerne in Urlaub fahren.

Fliegst du nach Hawaii?   Nein, aber ich würde gerne nach Hawaii fliegen.

Hast du viel Zeit?   Nein, aber ich hätte gerne viel Zeit.

Lernst du schnell?   Nein, aber ich würde gerne schnell lernen.

Bist du ein Genie?   Nein, aber ich wäre gerne ein Genie.

Kaufst du viel ein?   Nein, aber ich würde gerne viel einkaufen.

Übung 2

Beispiel:

Würdest du ein Haus kaufen, wenn du viel Geld hättest?   ***Ja, wenn ich viel Geld hätte, würde ich ein Haus kaufen.***

Würdest du ein Haus kaufen, wenn du viel Geld hättest?   Ja, wenn ich viel Geld hätte, würde ich ein Haus kaufen.

Würdest du umziehen, wenn du einen neuen Job hättest?   Ja, wenn ich einen neuen Job hätte, würde ich umziehen.

Würdest du eine Weltreise machen, wenn du Zeit hättest?   Ja, wenn ich Zeit hätte, würde ich eine Weltreise machen.

Würdest du ein tolles Auto kaufen, wenn du reich wärst?   Ja, wenn ich reich wäre, würde ich ein tolles Auto kaufen.

Würdest du in die Disco gehen, wenn du tanzen könntest?   Ja, wenn ich tanzen könnte, würde ich in die Disco gehen.

Würdest du ihm helfen, wenn du Zeit hättest?   Ja, wenn ich Zeit hätte, würde ich ihm helfen.

Würdest du in Hollywood leben, wenn du ein Star wärst?   Ja, wenn ich ein Star wäre, würde ich in Hollywood leben.

Würdest du bei einer Expedition mitmachen, wenn du teilnehmen dürftest?   Ja, wenn ich teilnehmen dürfte, würde ich bei einer Expedition mitmachen.

57 Passiv 1 66+67

Übung 1

Beispiel:

Informiert man ihn gut?   ***Ja, er wird gut informiert.***

Informiert man ihn gut?   Ja, er wird gut informiert.

Untersucht man ihn?   Ja, er wird untersucht.

Behandelt man ihn gut?   Ja, er wird gut behandelt.

Operiert man ihn morgen?   Ja, er wird morgen operiert.

Besucht man ihn?   Ja, er wird besucht.

Holt man ihn ab?   Ja, er wird abgeholt.

Bringt man ihn nach Hause?   Ja, er wird nach Hause gebracht.

Übung 2

Beispiel:

Soll ich das Paket senden?   *Ja, das Paket muss gesendet werden.*

Soll ich das Paket senden?	Ja, das Paket muss gesendet werden.
Soll ich die Sachen einpacken?	Ja, die Sachen müssen eingepackt werden.
Soll ich die Akten kopieren?	Ja, die Akten müssen kopiert werden.
Soll ich die Geräte ausstellen?	Ja, die Geräte müssen ausgestellt werden.
Soll ich die E-Mails schreiben?	Ja, die E-Mails müssen geschrieben werden.
Soll ich die Dame anrufen?	Ja, die Dame muss angerufen werden.
Soll ich den Termin notieren?	Ja, der Termin muss notiert werden.
Soll ich den Kopierer ausmachen?	Ja, der Kopierer muss ausgemacht werden.

58 Passiv 2 🔊 68

Beispiel:

Ist der Brief geschrieben worden?   *Ja, der wurde schon geschrieben.*

Ist der Brief geschrieben worden?	Ja, der wurde schon geschrieben.
Sind die Bremsen schon repariert worden?	Ja, die wurden schon repariert.
Ist der Mitarbeiter schon informiert worden?	Ja, der wurde schon informiert.
Ist der Motor eingebaut worden?	Ja, der wurde schon eingebaut.
Ist der Wagen geputzt worden?	Ja, der wurde schon geputzt.
Sind die Bremsen getestet worden?	Ja, die wurden schon getestet.
Sind die Teile bestellt worden?	Ja, die wurden schon bestellt.
Sind die Teile geliefert worden?	Ja, die wurden schon geliefert.
Ist das Auto verkauft worden?	Ja, das wurde schon verkauft.

59 Futur 1 🔊 69

Beispiel:

Glaubst, dass es heute schneit?   *Ja, es wird wohl heute schneien.*

Glaubst, dass es heute schneit?	Ja, es wird wohl heute schneien.
Denkst du, dass er gleich kommt?	Ja, er wird wohl gleich kommen.
Denkst du, dass er Zeit hat?	Ja, er wird wohl Zeit haben.
Glaubst du, dass sie mitkommt?	Ja, sie wird wohl mitkommen.
Meinst du, dass sie zu Hause sind?	Ja, sie werden wohl zu Hause sein.
Denkst du, dass sie einen Job finden?	Ja, sie werden wohl einen Job finden.
Glaubst du, dass der Bus bald kommt?	Ja, er wird wohl bald kommen.
Meinst du, dass sie einkauft?	Ja, sie wird wohl einkaufen.

61 Das Verb *lassen* 🔊 70+71

Übung 1

Beispiel:

Erlauben Sie Ihrer Tochter, alleine in den Urlaub zu fahren?   *Ja, ich lasse meine Tochter alleine in den Urlaub fahren.*

Erlauben Sie Ihrer Tochter, alleine in den Urlaub zu fahren?	Ja, ich lasse meine Tochter alleine in den Urlaub fahren.
Erlauben Sie Ihren Mitarbeitern, früher zu gehen?	Ja, ich lasse meine Mitarbeiter früher gehen.
Erlauben Sie Ihren Freunden, im Haus zu rauchen?	Ja, ich lasse meine Freunde im Haus rauchen.
Erlauben Sie Ihrer Katze, im Bett zu schlafen?	Ja, ich lasse meine Katze im Bett schlafen.
Erlauben Sie Ihrem Sohn, in die Disko zu gehen?	Ja, ich lasse meinen Sohn in die Disko gehen.
Erlauben Sie Ihrem Kind, fernzusehen?	Ja, ich lasse mein Kind fernsehen.
Erlauben Sie Ihrer Sekretärin, länger im Urlaub zu bleiben?	Ja, ich lasse meine Sekretärin länger im Urlaub bleiben.

Übung 2

Beispiel:

Kocht er seinen Kaffee selbst?	*Nein, er lässt seinen Kaffee kochen.*
Kocht er seinen Kaffee selbst?	Nein, er lässt seinen Kaffee kochen
Repariert er sein Auto selbst?	Nein, er lässt sein Auto reparieren.
Schneidet er seine Haare selbst?	Nein, er lässt seine Haare schneiden.
Renoviert er seine Wohnung selbst?	Nein, er lässt seine Wohnung renovieren.
Putzt er seine Fenster selbst?	Nein, er lässt seine Fenster putzen.
Bügelt er seine Hemden selbst?	Nein, er lässt seine Hemden bügeln.
Weckt er sich selbst?	Nein, er lässt sich wecken.
Holt er sein Auto selbst ab?	Nein, er lässt sein Auto abholen.

 ## 62 Positions- und Direktionsverben 🔊))) 72+73

Übung 1

Beispiel:

Hast du die Zeitung auf den Tisch gelegt?	*Ja, sie liegt doch auf dem Tisch.*
Hast du die Zeitung auf den Tisch gelegt?	Ja, sie liegt doch auf dem Tisch.
Hast du die Teller in den Schrank gestellt?	Ja, sie stehen doch im Schrank.
Hast du das Kind in den Stuhl gesetzt?	Ja, es sitzt doch auf dem Stuhl.
Hast du das Buch ins Regal gestellt?	Ja, es steht doch im Regal.
Hast du den Mantel an die Garderobe gehängt?	Ja, er hängt doch an der Garderobe.
Hast du den Löffel neben den Teller gelegt?	Ja, er liegt doch neben dem Teller.
Hast du die Schuhe unter das Bett gestellt?	Ja, sie stehen doch unter dem Bett.
Hast du die Decke auf das Bett gelegt?	Ja, sie liegt doch auf dem Bett.

Übung 2

Beispiel:

Die Zeitung liegt nicht auf dem Tisch.	*Aber ich habe sie doch auf den Tisch gelegt.*
Die Zeitung liegt nicht auf dem Tisch.	Aber ich habe sie doch auf den Tisch gelegt.
Die Teller stehen nicht im Schrank.	Aber ich habe sie doch in den Schrank gestellt.
Das Kind sitzt nicht auf dem Stuhl.	Aber ich habe es doch auf den Stuhl gesetzt.
Das Buch steht nicht im Regal.	Aber ich habe es doch ins Regal gestellt.
Der Mantel hängt nicht an der Garderobe.	Aber ich habe ihn doch an die Garderobe gehängt.
Der Löffel liegt nicht neben dem Teller.	Aber ich habe ihn doch neben den Teller gelegt.
Die Schuhe stehen nicht unter dem Bett.	Aber ich habe sie doch unter das Bett gestellt.
Die Decke liegt nicht auf dem Bett.	Aber ich habe sie doch auf das Bett gelegt.

63 Genitiv 🔊))) 74

Beispiel:

Das ist ein Buch von meinem Vater.	*Oh, ein Buch deines Vaters, toll!*
Das ist ein Buch von meinem Vater.	Oh, ein Buch deines Vaters, toll!
Das ist ein Bild von meinen Kindern.	Oh, ein Bild deiner Kinder, toll!
Das ist ein Film von meiner Frau.	Oh, ein Film deiner Frau, toll!
Das ist ein Lied von meinem Kind.	Oh, ein Lied deines Kindes, toll!
Das ist das Auto von meinem Freund.	Oh, das Auto deines Freundes, toll!
Das ist das Smartphone von meiner Freundin.	Oh, das Smartphone deiner Freundin, toll!
Das ist die Villa von meinen Eltern.	Oh, die Villa deiner Eltern, toll!
Das ist der Computer meines Bruders.	Oh, der Computer deines Bruders, toll!

66 Adjektive als neutrale Nomen 🔊))) 75

Beispiel:

Ich habe Paula eine hübsche Kette gekauft.

Ich möchte ihr auch etwas Hübsches kaufen.

Ich habe Paula eine hübsche Kette gekauft.	Ich möchte ihr auch etwas Hübsches kaufen.
Ich habe Paula neue Sportschuhe gekauft.	Ich möchte ihr auch etwas Neues kaufen.
Ich habe Paula schöne Ohrringe gekauft.	Ich möchte ihr auch etwas Schönes kaufen.
Ich habe Paula frisches Obst gekauft.	Ich möchte ihr auch etwas Frisches kaufen.
Ich habe Paul eine praktische Hose gekauft.	Ich möchte ihm auch etwas Praktisches kaufen.
Ich habe Paul eine coole Kappe gekauft.	Ich möchte ihm auch etwas Cooles kaufen.
Ich habe Paul ein kleines Souvenir gekauft.	Ich möchte ihm auch etwas Kleines kaufen.
Ich habe Paul ein schickes Hemd gekauft.	Ich möchte ihm auch etwas Schickes kaufen.

67 Indirekte Fragen 🔊))) 76+77

Übung 1

Beispiel:

Wo ist der Bahnhof? · *Tut mir leid, ich weiß nicht, wo der Bahnhof ist.*

Wo ist der Bahnhof?	Tut mir leid, ich weiß nicht, wo der Bahnhof ist.
Wann beginnt das Konzert?	Tut mir leid, ich weiß nicht, wann das Konzert beginnt.
Akzeptiert man hier Kreditkarten?	Tut mir leid, ich weiß nicht, ob man hier Kreditkarten akzeptiert.
Kommt der Zug pünktlich?	Tut mir leid, ich weiß nicht, ob der Zug pünktlich kommt.
Warum ist es hier so laut?	Tut mir leid, ich weiß auch nicht, warum es hier so laut ist.
Wohin fährt dieser Zug?	Tut mir leid, ich weiß auch nicht, wohin dieser Zug fährt.
Gibt es hier ein gutes Restaurant?	Tut mir leid, ich weiß auch nicht, ob es hier ein gutes Restaurant gibt.
Wie wird das Wetter morgen?	Tut mir leid, ich weiß auch nicht, wie das Wetter morgen wird.

Übung 2

Beispiel:

Weißt du, wer einen Oscar gewonnen hat? · *Nein, ich weiß auch nicht, wer.*

Weißt du, wer einen Oscar gewonnen hat?	Nein, ich weiß auch nicht, wer.
Weißt du, wann die Oscar-Nacht ist?	Nein, ich weiß auch nicht, wann.
Weißt du, wie lange die Veranstaltung dauert?	Nein, ich weiß auch nicht, wie lange.
Weißt du, wie viel der Eintritt kostet?	Nein, ich weiß auch nicht, wie viel.
Weißt du, wer kommt?	Nein, ich weiß auch nicht, wer.
Weißt du, wohin wir danach gehen?	Nein, ich weiß auch nicht, wohin.
Weißt du, welche Getränke es gibt?	Nein, ich weiß auch nicht, welche.
Weißt du, warum wir dahin gehen?	Nein, ich weiß auch nicht, warum.

68 Infinitiv mit *zu* 🔊))) 78

Beispiel:

Tanzt du gerne? · *Ja, es macht mir Spaß, zu tanzen.*

Tanzt du gerne?	Ja, es macht mir Spaß, zu tanzen.
Gehst du gerne in die Disko?	Ja, es macht mir Spaß, in die Disko zu gehen.
Gehst du gerne aus?	Ja, es macht mir Spaß, auszugehen.
Kaufst du gerne viel ein?	Ja, es macht mir Spaß, viel einzukaufen.
Gehst du gerne im Wald spazieren?	Ja, es macht mir Spaß, im Wald spazieren zu gehen.
Kochst du gerne?	Ja, es macht mir Spaß, zu kochen.
Lernst du gerne Leute kennen?	Ja, es macht mir Spaß, Leute kennenzulernen.
Spielst du gerne Tennis?	Ja, es macht mir Spaß, Tennis zu spielen.

听说训练文本及答案

 69 Infinitiv mit und ohne *zu* 🔊 79

Beispiel 1:
Essen? Das ist hier verboten!
Beispiel 2:
Essen? Das will ich jetzt nicht.

Essen? Das ist hier verboten!
Essen? Das will ich jetzt nicht.
Schwimmen? Das ist hier nicht erlaubt.
Schwimmen? Das darf man hier nicht!
Einkaufen? Dazu habe ich keine Lust!
Einkaufen? Das will ich nicht.
Ein Haus kaufen? Das ist nicht möglich!
Ein Haus kaufen? Das kann ich nicht!

Warum ist es verboten, hier zu essen?

Warum willst du jetzt nicht essen?

Warum ist es verboten, hier zu essen?
Warum willst du jetzt nicht essen?
Warum ist es nicht erlaubt, hier zu schwimmen?
Warum darf man hier nicht schwimmen?
Warum hast du keine Lust einzukaufen?
Warum willst du nicht einkaufen?
Warum ist es nicht möglich, ein Haus zu kaufen?
Warum kannst du kein Haus kaufen?

 70 Relativsätze 1 🔊 80

Beispiel:
Da steht ein Mann. Ist das dein Nachbar?

Da steht ein Mann. Ist das dein Nachbar?
Da sitzt eine Frau, ist das deine Kollegin?
Da kommt ein Kind. Ist das deine Tochter?
Da stehen Leute. Sind das deine Freunde?
Da fährt ein Mann. Ist das dein Chef?
Da ruft eine Frau an. Ist das deine Ärztin?
Da weint ein Kind. Ist das deine Schülerin?
Da beschweren sich Leute. Sind das deine Kunden?

Ja, der Mann, der da steht, ist mein Nachbar.

Ja, der Mann, der da steht, ist mein Nachbar.
Ja, die Frau, die da sitzt, ist meine Kollegin.
Ja, das Kind, das da kommt, ist meine Tochter.
Ja, die Leute, die da stehen, sind meine Freunde.
Ja, der Mann, der da fährt, ist mein Chef.
Ja, die Frau, die da anruft, ist meine Ärztin.
Ja, das Kind, das da weint, ist meine Schülerin.
Ja, die Leute, die sich da beschweren, sind meine Kunden.

 71 Relativsätze 2 🔊 81

Beispiel:
Ich gehe mit einem Freund ins Kino.

Ich gehe mit einem Freund ins Kino.
Ich gehe zu einem neuen Friseur.
Ich kaufe Blumen für eine Kollegin.
Ich arbeite bei einer bekannten Firma.
Ich spiele mit meinen Freunden Tennis.
Ich kaufe in einem guten Geschäft ein.
Ich fahre in ein schickes Hotel.
Ich wohne bei netten Leuten.

Wie heißt der Freund, mit dem du ins Kino gehst?

Wie heißt der Freund, mit dem du ins Kino gehst?
Wie heißt der Friseur, zu dem du gehst?
Wie heißt die Kollegin, für die du Blumen kaufst?
Wie heißt die Firma, bei der du arbeitest?
Wie heißen die Freunde, mit denen du Tennis spielst?
Wie heißt das Geschäft, in dem du einkaufst?
Wie heißt das Hotel, in das du fährst?
Wie heißen die Leute, bei denen du wohnst?

 72 Temporale Nebensätze mit *als* und *wenn* 🔊 82

Beispiel:
Kochst du gerne?

Kochst du gerne?
Gehst du gerne spazieren?

Ja, wenn ich Zeit habe, koche ich gerne.

Ja, wenn ich Zeit habe, koche ich gerne.
Ja, wenn ich Zeit habe, gehe ich gerne spazieren.

Gehst du gerne aus?   Ja, wenn ich Zeit habe, gehe ich gerne aus.

Triffst du gerne Freunde?   Ja, wenn ich Zeit habe, treffe ich gerne Freunde.

Fährst du gerne Fahrrad?   Ja, wenn ich Zeit habe, fahre ich gerne Fahrrad.

Machst du gerne weite Reisen?   Ja, wenn ich Zeit habe, mache ich gerne weite Reisen.

Lässt du dich gerne massieren?   Ja, wenn ich Zeit habe, lasse ich mich gerne massieren.

Kaufst du gerne ein?   Ja, wenn ich Zeit habe, kaufe ich gerne ein.

74 Finalsätze 83

Beispiel:

Wozu macht er Sport? Will er fit werden?   ***Ja, er macht Sport, um fit zu werden.***

Wozu macht er Sport? Will er fit werden?   Ja, er macht Sport, um fit zu werden.

Wozu macht sie Sport? Will sie sich entspannen?   Ja, sie macht Sport, um sich zu entspannen.

Wozu machen sie Sport? Wollen sie abnehmen?   Ja, sie machen Sport, um abzunehmen.

Wozu geht er in die Disko? Will er tanzen?   Ja, er geht in die Disko, um zu tanzen.

Wozu geht sie in die Disko? Will sie einen Freund finden?   Ja, sie geht in die Disko, um einen Freund zu finden.

Wozu gehen sie in die Disko? Wollen sie Freunde treffen?   Ja, sie gehen in die Disko, um Freunde zu treffen.

Wozu geht er auf den Sportplatz? Will er Fußball spielen?   Ja, er geht auf den Sportplatz, um Fußball zu spielen.

Wozu geht er auf den Sportplatz? Will er das Spiel sehen?   Ja, er geht auf den Sportplatz, um das Spiel zu sehen.

79 Adjektivdeklination mit und ohne Artikel 84

Beispiel:

Ist das Bier gut?   ***Ja, das ist gutes Bier.***

Ist das Bier gut?   Ja, das ist gutes Bier.

Ist der Wein süß?   Ja, das ist süßer Wein.

Sind die Getränke kalt?   Ja, das sind kalte Getränke.

Ist die Milch frisch?   Ja, das ist frische Milch.

Sind die Kartoffeln frisch?   Ja, das sind frische Kartoffeln.

Ist der Kaffee heiß?   Ja, das ist heißer Kaffee.

Ist das Essen lecker?   Ja, das ist leckeres Essen.

Ist die Schokolade bitter?   Ja, das ist bittere Schokolade.

80 Partizip 1 85

Beispiel:

Da schwimmt ein Elefant!   ***Oh, ein schwimmender Elefant.***

Da schwimmt ein Elefant!   Oh, ein schwimmender Elefant.

Da landet ein Flugzeug.   Oh, ein landendes Flugzeug!

Da brennt ein Baum.   Oh, ein brennender Baum!

Da singt eine Katze.   Oh, eine singende Katze!

Da fliegt ein Stern.   Oh, ein fliegender Stern!

Da joggt ein Opa.   Oh, ein joggender Opa!

Da spricht ein Vogel.   Oh, ein sprechender Vogel!

Da fährt mein Bus ab.   Oh, ein abfahrender Bus!

常用的动词搭配

支配双宾语的常用动词

anbieten	Darf ich Ihnen einen Tee anbieten?
bezahlen	Er hat uns die Getränke bezahlt.
bestellen	Er hat uns Kaffee bestellt.
bringen	Bitte bringen Sie mir einen Kaffee.
empfehlen	Ich kann Ihnen ein Restaurant empfehlen.
erklären	Können Sie mir das Problem erklären?
erzählen	Meine Oma hat uns immer schöne Geschichten erzählt.
geben	Bitte geben Sie mir die Rechnung.
holen	Er holt uns die Getränke.
kaufen	Ich möchte meinem Sohn einen Laptop kaufen.
kochen	Wer kocht uns heute das Mittagessen?
leihen	Sie hat ihm ein Buch geliehen.
liefern	Die Firma liefert uns die Möbel am Freitag.
mitbringen	Sie bringen ihm aus dem Urlaub ein Souvenir mit.
renovieren	Wir renovieren unseren Freunden die Wohnung.
reparieren	Die Werkstatt kann uns das Auto erst nächste Woche reparieren.
reservieren	Bitte reservieren Sie uns einen Tisch für 20:00 Uhr.
sagen	Hast du ihm die Neuigkeit gesagt?
schenken	Sie schenkt ihrem Vater eine Krawatte.
schicken	Können Sie uns bitte Informationen schicken?
schneiden	Der Friseur hat ihr die Haare super geschnitten.
schreiben	Sie schreibt ihm eine E-Mail.
servieren	Sie serviert ihren Gästen Kaffee und Kuchen.
verkaufen	Er verkauft seinem kleinen Bruder seinen alten iPod.
wünschen	Ich wünsche dir viel Glück!
zeigen	Die Frau zeigt ihnen die Sehenswürdigkeiten in der Stadt.

支配第三格宾语的常用动词

antworten	Er konnte ihr nicht sofort antworten.
danken	Ich danke Ihnen.
fehlen	Was fehlt Ihnen?
gefallen	Der Hut gefällt mir gut.
(gut/schlecht) gehen	Wie geht es dir?
gehören	Wem gehört der Schlüssel?
glauben	Ich glaube dir.
gratulieren	Sie gratulieren ihm zum Geburtstag.
helfen	Kann ich Ihnen helfen?
leidtun	Entschuldigung, das tut mir leid.
passen	Die Hose passt mir leider nicht. / Der Termin passt mir nicht.
schmecken	Die Torte schmeckt uns.
stehen	Das Kleid steht ihr gut.
wehtun	Der Kopf tut mir weh.
zuhören	Bitte hören Sie mir genau zu.

常用的动词+介词+第四格搭配	常用的动词+介词+第三格搭配
achten auf	ausgehen von
sich anmelden für	sich beschäftigen mit
antworten auf	bestehen aus
aufpassen auf	diskutieren mit
sich ärgern über	einladen zu
sich beschweren über	erzählen von
sich bewerben um	fragen nach
bitten um	gehören zu
denken an	sich gewöhnen an
diskutieren über	gratulieren zu
sprechen über	sprechen mit
sich engagieren für	sprechen von
sich entscheiden für	reden mit
sich entschuldigen für	reden von
sich erinnern an	teilnehmen an
sich freuen auf	telefonieren mit
sich freuen über	träumen von
sich informieren über	sich treffen mit
sich interessieren für	sich trennen von
sich kümmern um	sich unterhalten mit
lach über	sich verabreden mit
nachdenken über	
reden über	
sprechen über	
sich streiten über	
sich unterhalten über	
sich verlassen auf	
sich verlieben in	
sich vorbereiten auf	
warten auf	

不规则动词表

不定式	现在时 er/sie/es/man	过去时 er/sie/es/man	现在完成时 er/sie/es/man
abfahren	fährt ab	fuhr ab	ist abgefahren
abfliegen	fliegt ab	flog ab	ist abgeflogen
abgeben	gibt ab	gab ab	hat abgegeben
abschließen	schließt ab	schloss ab	hat abgeschlossen
anbieten	bietet an	bot an	hat angeboten
anfangen	fängt an	fing an	hat angefangen
ankommen	kommt an	kam an	ist angekommen
anrufen	ruft an	rief an	hat angerufen
ansehen	sieht an	sah an	hat angesehen
anziehen	zieht an	zog an	hat angezogen
aufstehen	steht auf	stand auf	ist aufgestanden
ausgeben	gibt aus	gab aus	hat ausgegeben
ausgehen	geht aus	ging aus	ist ausgegangen
aussehen	sieht aus	sah aus	hat ausgesehen
aussteigen	steigt aus	stieg aus	ist ausgestiegen
ausziehen	zieht aus	zog aus	ist/hat ausgezogen
backen	bäckt/backt	buk/backte	hat gebacken
beginnen	beginnt	begann	hat begonnen
behalten	behält	behielt	hat behalten
bekommen	bekommt	bekam	hat bekommen
bewerben	bewirbt	bewarb	hat beworben
biegen	biegt	bog	hat gebogen
bieten	bietet	bot	hat geboten
bitten	bittet	bat	hat gebeten
bleiben	bleibt	blieb	ist geblieben
braten	brät	briet	hat gebraten
brechen	bricht	brach	ist gebrochen
brennen	brennt	brannte	hat gebrannt
bringen	bringt	brachte	hat gebracht
denken	denkt	dachte	hat gedacht
einfallen	fällt ein	fiel ein	ist eingefallen
einladen	lädt ein	lud ein	hat eingeladen
einschlafen	schläft ein	schlief ein	ist eingeschlafen
einsteigen	steigt ein	stieg ein	ist eingestiegen
einziehen	zieht ein	zog ein	ist eingezogen
empfehlen	empfiehlt	empfahl	hat empfohlen
entscheiden	entscheidet	entschied	hat entschieden
essen	isst	aß	hat gegessen
fahren	fährt	fuhr	ist gefahren
fallen	fällt	fiel	ist gefallen
fangen	fängt	fing	hat gefangen
fernsehen	sieht fern	sah fern	hat ferngesehen
finden	findet	fand	hat gefunden
fliegen	fliegt	flog	ist geflogen
geben	gibt	gab	hat gegeben
gefallen	gefällt	gefiel	hat gefallen
gehen	geht	ging	ist gegangen

不定式	现在时 er/sie/es/man	过去时 er/sie/es/man	现在完成时 er/sie/es/man
geschehen	geschieht	geschah	ist geschehen
gewinnen	gewinnt	gewann	hat gewonnen
haben	hat	hatte	hat gehabt
halten	hält	hielt	hat gehalten
hängen	hängt	hing	hat gehängt/gehangen
heißen	heißt	hieß	hat geheißen
helfen	hilft	half	hat geholfen
kennen	kennt	kannte	hat gekannt
klingen	klingt	klang	hat geklungen
kommen	kommt	kam	ist gekommen
laden	lädt	lud	hat geladen
lassen	lässt	ließ	hat gelassen
laufen	läuft	lief	ist gelaufen
leidtun	tut leid	tat leid	hat leidgetan
leihen	leiht	lieh	hat geliehen
lesen	liest	las	hat gelesen
liegen	liegt	lag	hat gelegen
losfahren	fährt los	fuhr los	ist losgefahren
mitbringen	bringt mit	brachte mit	hat mitgebracht
mitkommen	kommt mit	kam mit	ist mitgekommen
mitnehmen	nimmt mit	nahm mit	hat mitgenommen
mögen	mag	mochte	hat gemocht
nehmen	nimmt	nahm	hat genommen
nennen	nennt	nannte	hat genannt
raten	rät	riet	hat geraten
riechen	riecht	roch	hat gerochen
rufen	ruft	rief	hat gerufen
scheinen	scheint	schien	hat geschienen
schlafen	schläft	schlief	hat geschlafen
schlagen	schlägt	schlug	hat geschlagen
schließen	schließt	schloss	hat geschlossen
schneiden	schneidet	schnitt	hat geschnitten
schreiben	schreibt	schrieb	hat geschrieben
schwimmen	schwimmt	schwamm	ist geschwommen
sehen	sieht	sah	hat gesehen
sein	ist	war	ist gewesen
singen	singt	sang	hat gesungen
sinken	sinkt	sank	ist gesunken
sitzen	sitzt	saß	hat/ist gesessen
spazieren gehen	geht spazieren	ging spazieren	ist spazieren gegangen
sprechen	spricht	sprach	hat gesprochen
springen	springt	sprang	ist gesprungen
stattfinden	findet statt	fand statt	hat stattgefunden
stehen	steht	stand	hat/ist gestanden
stehlen	stiehlt	stahl	hat gestohlen
steigen	steigt	stieg	ist gestiegen
sterben	stirbt	starb	ist gestorben

不规则动词表

不定式	现在时 er/sie/es/man	过去时 er/sie/es/man	现在完成时 er/sie/es/man
streiten	streitet	stritt	hat gestritten
teilnehmen	nimmt teil	nahm teil	hat teilgenommen
tragen	trägt	trug	hat getragen
treiben	treibt	trieb	hat getrieben
treffen	trifft	traf	hat getroffen
treten	tritt	trat	hat getreten
trinken	trinkt	trank	hat getrunken
tun	tut	tat	hat getan
übertragen	überträgt	übertrug	hat übertragen
überweisen	überweist	überwies	hat überwiesen
umsteigen	steigt um	stieg um	ist umgestiegen
umziehen	zieht um	zog um	hat/ist umgezogen
unterhalten	unterhält	unterhielt	hat unterhalten
unternehmen	unternimmt	unternahm	hat unternommen
unterschreiben	unterschreibt	unterschrieb	hat unterschrieben
verbringen	verbringt	verbrachte	hat verbracht
vergessen	vergisst	vergaß	hat vergessen
vergleichen	vergleicht	verglich	hat verglichen
verlieren	verliert	verlor	hat verloren
verschieben	verschiebt	verschob	hat verschoben
verschwinden	verschwindet	verschwand	ist verschwunden
versprechen	verspricht	versprach	hat versprochen
verstehen	versteht	verstand	hat verstanden
vorschlagen	schlägt vor	schlug vor	hat vorgeschlagen
vorstellen	stellt vor	stellte vor	hat vorgestellt
wachsen	wächst	wuchs	ist gewachsen
waschen	wäscht	wusch	hat gewaschen
weggehen	geht weg	ging weg	ist weggegangen
wegwerfen	wirft weg	warf weg	hat weggeworfen
wehtun	tut weh	tat weh	hat wehgetan
werden	wird	wurde	ist geworden
werfen	wirft	warf	hat geworfen
wissen	weiß	wusste	hat gewusst
ziehen	zieht	zog	hat gezogen
zurechtkommen	kommt zurecht	kam zurecht	ist zurechtgekommen
zurückkommen	kommt zurück	kam zurück	ist zurückgekommen

序数词

序数词

1.	der/die/das erste	**1.–19.**	-te
2.	der/die/das zweite		
3.	der/die/das dritte		
4.	der/die/das vierte		
5.	der/die/das fünfte		
6.	der/die/das sechste		
7.	der/die/das siebte		
8.	der/die/das achte		
9.	der/die/das neunte		
10.	der/die/das zehnte		
11.	der/die/das elfte		
12.	der/die/das zwölfte		
13.	der/die/das dreizehnte		
14.	der/die/das vierzehnte		
…			
20.	der/die/das zwanzigste	**ab 20.**	-ste
21.	der/die/das einundzwanzigste		
…			
30.	der/die/das dreißigste		
…			
40.	der/die/das vierzigste		
…			
50.	der/die/das fünfzigste		
…			
60.	der/die/das sechzigste		
…			
70.	der/die/das siebzigste		
…			
80.	der/die/das achtzigste		
…			
90.	der/die/das neunzigste		
…			
100.	der/die/das (ein)hundertste		
101.	der/die/das (ein)hunderterste		
102.	der/die/das (ein)hundertzweite		
…			
112.	der/die/das (ein)hundertzwölfte		
…			
745.	der/die/das siebenhundertfünfundvierzigste		

① 人称代词

1 1. Wir – 2. Sie – 3. du – 4. Er

2 1. er, sie, Sie – 2. du, Ich – 3. ihr, Wir – 4. Sie, ich

3 1. Sie – 2. Sie – 3. Sie, Ich – 4. du, ich

4 1. Er – 2. Es – 3. Sie – 4. Sie – 5. sie – 6. er

5 Sie, Er, Er, wir – Sie, Wir, Er, ich, du, ich

6 1. du – 2. Sie – 3. ihr – 4. Sie

7 Frau Peneva – Anne – Anne und Lukas – Frau Peneva – Frau Peneva – die Blumen – Frau Peneva – Frau Peneva

② 动词的现在时变位

1 kommst, komme, kommt, wohnt, wohnen, arbeitest, arbeite – heißen, heiße, kommen, komme, kommt, wohnen

2 1. E, F – 2. A, C – 3. C, D – 4. B, G – 5. B, C, D, G – 6. C, D

3a 1. heißt – 2. Kommt – 3. kommt, Gehen – 4. antwortest – 5. Tanzt

A tanzt – B heiße – C verstehe – D arbeite/besucht – E kommt/bringe

3b 1 B – 2 D – 3 E – 4 C – 5 A

4 kommt – kommen – lernen – schreibt – hört – lernt – machen – gehen – tanzt – reden – trinken – tanzen

5 komme – kennst – kommt – Arbeitet – studiert – lernt – kenne – machen – tanzen – gehen – tanzt – kenne – freue

6 komme – schalte – öffne – beantworte – kommt – bringt – reden – telefonieren – schreiben – gehen – trinken – macht – erzählen – frage – arbeitet

③ *Sein, haben* 及几个不规则动词的现在时变位

1 ist, ist, Sind, bin, Sind, bin

2 Ich bin / Du bist / Er ist 15 Jahre alt. Ich bin / Du bist / Er ist in München. Ich bin / Du bist / Er ist Herr Wang. Ich bin / Du bist / Er ist Lehrer. Ich bin / Du bist / Er ist glücklich. Ich bin / Du bist / Er ist im Büro. Ich bin / Du bist / Er ist aus Japan.

Sie ist 15 Jahre alt. Sie ist in München. Sie ist glücklich. Sie ist im Büro. Sie ist aus Japan.

Sie sind / Wir sind / Ihr seid 15 Jahre alt. Sie sind / Wir sind / Ihr seid in München. Sie sind / Wir sind / Ihr seid Lehrer. Sie sind / Wir sind / Ihr seid glücklich. Sie sind / Wir sind / Ihr seid im Büro. Sie sind / Wir sind / Ihr seid aus Japan.

Frau Tannberg ist in München. Frau Tannberg ist glücklich. Frau Tannberg ist im Büro.

Mein Name ist Kolakowski. Das ist Herr Wang. Das ist ein Wörterbuch.

3 1. Hast, habe, hast, habe – 2. Habt, haben – 3. hat, hat

4 1. sind, sind, haben, ist – 2. sind, bin – 3. Sind, bin, habe – 4. Haben, haben – 5. Hast, ist

5 ist, ist, ist, hat, ist, hat, sind, haben, ist, bin

6 1. möchten, möchten, möchte, möchtest, möchte – 2. möchten, möchte, möchte

7 Ich mag (keinen) Kaffee, (keine) Kartoffeln, (keinen) Käse, (keinen) Fisch.

Meine Freundin mag (keinen) Kaffee, (keine) Kartoffeln, (keinen) Käse, (keinen) Fisch.

Mein Freund mag (keinen) Kaffee, (keine) Kartoffeln, (keinen) Käse, (keinen) Fisch.

Meine Eltern mögen (keinen) Kaffee, (keine) Kartoffeln, (keinen) Käse, (keinen) Fisch.

Wir mögen (keinen) Kaffee, (keine) Kartoffeln, (keinen) Käse, (keinen) Fisch.

8 1. Wissen, weiß, weiß – 2. weiß – 3. Weißt – 4. wissen

9 1. tut, tun, tun, tun – 2. tust, tue, tun

4 换音动词与变音动词

1 1. geben – 2. laufen – 3. helfen – 4. nehmen – 5. waschen – 6. sehen – 7. sprechen – 8. vergessen – 9. empfehlen – 10 lesen – 11. essen – 12. fahren

2 1. Esst, essen, isst, essen, Isst, esse, isst – 2. lest, lese, liest, lese, liest – 3. nehmen, nehme, nehmt, nehmen, nimmst, nehme – 4. schlafen, schlafen, schläfst, schlafe – 5. Fahren, fahre, fahrt, fahre, fährt

3 isst, liest, fahren, trägt, läuft, fährt, nimmt, wäscht, hilft, gibt, spricht, lesen, sehen, sieht

4 1. lebt – 2. kauft – 3. macht – 4. liest – 5. geht – 6. wäscht – 7. läuft – 8. gibt – 9. versteht

5 lade ... ein – fährst ... zurück – schläfst – nimmst ... mit – laufen – ansehen – gefällt – kommst ... an

5 情态动词：变位

1 1. möchtest, möchte, möchte, möchte, möchte, möchtet, möchten, möchten

2. kann, kannst, kann, könnt können, kann, können

3. müssen, musst, müsst, müssen, muss, muss

4. wollt, wollen, willst, will, will, wollen

5. darfst, darf, darf, dürft, dürft, dürfen, dürfen

6. soll, sollst, soll, Sollen

2 ich: möchte, kann, muss – er, sie, es, man: möchte, kann, muss – wir: wollen, können – ihr: dürft, müsst – sie, Sie: wollen, können

3 1. Am Sonntag können wir lange schlafen.

2. Meine Tochter will eine Freundin besuchen.

3. Mein Mann möchte Fußball sehen.

4. Am Sonntag muss ich leider auch kochen.

5. Am Nachmittag möchten wir zusammen spazieren gehen.

4 Ich möchte meine Aufenthaltserlaubnis verlängern. – Sie müssen in den dritten Stock in Zimmer 325 gehen. – Kann ich meinen Hund mitnehmen? – Hunde dürfen nicht ins Haus gehen. – Wo soll der Hund bleiben?

6 情态动词：用法

1 möchte – muss – kann – muss/kann – möchte/will – kann – muss – kann – möchte/kann – kann – muss

2 1. dürfen – 2. muss – 3. darf – 4. dürfen – 5. darf – 6. darf – 7. muss – 8. muss

1 H – 2 B – 3 C – 4 G – 5 D – 6 E – 7 A – 8 F

3 1. 1, 2 – 2. 1, 2 – 3. 1, 3 – 4. 2, 2, 1

4 1. möchte – 2. will, möchte – 3. möchten, möchten – 4. will/möchte, wollen – 5. wollen, möchten – 6. möchte

5 muss – musst – musst – soll – soll – sollst – soll

6 1. Sollen wir zusammen ins Kino gehen? – 2. Soll ich Getränke kaufen? – 3. Soll ich die Musik leiser machen? – 4. Soll ich das Fenster zumachen? – 5. Sollen wir zusammen fahren?

7 können – dürfen – müssen – dürfen

können – müssen – dürfen – dürfen

müssen – dürfen – müssen

dürfen – müssen – müssen

dürfen – müssen – wollen

müssen – dürfen – dürfen

参考答案

7 可分动词

2 1. steige ... ein – 2. steige ... um – 3. steige ... aus – 4. komme ... an – 5. mache ... auf – 6. kommt rein – 7. Machen ... zu – 8. mache ... zu – fange ... an

3 1. Ich muss immer um 6 Uhr aufstehen. / Um sechs Uhr muss ich immer aufstehen.

2. Ich fange um 7:30 Uhr mit der Arbeit an. / Um 7:30 fange ich mit der Arbeit an.

3. Ich kaufe am Montag nach der Arbeit ein. / Am Montag kaufe ich nach der Arbeit ein.

4. Ich komme am Abend um 19 Uhr nach Hause zurück. / Am Abend um 19 Uhr komme ich nach Hause zurück.

5. Heute möchte ich ausgehen. / Ich möchte heute ausgehen.

6. Möchtest du mitkommen?

4 lädt ... ein – kommen ... mit – fangen ... an – fahren ... ab – umsteigen – kommen ... an – holt ... ab – mitnehmen – zurückkommen

5 aufstehen – bereite ... vor – wasche ... ab – mache ... an – einkaufen – kommen ... zurück – bringen ... mit – räume ... auf – rufe ... an – sehen ... fern – hänge ... auf – leere ... aus

6 1. Um 8 Uhr schalte ich den Computer an.

2. Um 10 Uhr kommt eine Lieferung an.

3. Um 9 Uhr rufe ich Kunden an und muss E-Mails schreiben.

4. Ich arbeite schnell, weil das Meeting um 11 Uhr anfängt.

5. Nach dem Meeting können wir mit der Pause anfangen.

6. Pünktlich um 13 Uhr muss ich aus der Pause zurückkommen.

7. Um 17 Uhr schalte ich den Computer aus und räume den Schreibtisch auf.

8. Ich gehe schnell nach Hause zurück, weil ich heute ausgehen möchte.

9. Gehe ich alleine ins Kino oder kommen Sie mit?

8 命令式

1 1 Gehen Sie! Geh! Geht! – Hören Sie! Hör! Hört! – Singen Sie! Sing! Singt!

2. Kommen Sie mit! Komm mit! Kommt mit! – Gehen Sie weg! Geh weg! Geht weg! – Bringen Sie mit! Bring mit! Bringt mit! – Holen Sie ab! Hol ab! Holt ab!

3. Geben Sie! Gib! Gebt! – Nehmen Sie! Nimm! Nehmt! – Essen Sie! Iss! Esst! – Lesen Sie! Lies! Lest! – Sprechen Sie! Sprich! Sprecht!

4. Seien Sie! Sei! Seid! – Haben Sie! Hab! Habt! – Fahren Sie! Fahr! Fahrt! – Waschen Sie! Wasch! Wascht!

2 *Kursleiter*（老师）: Bitte lesen Sie einen Text. Bitte diskutieren Sie in der Gruppe. Bitte spielen Sie den Dialog. Bitte schreiben Sie an die Tafel.

Teilnehmer（学生）: Bitte wiederholen Sie. Bitte sprechen Sie langsam. Bitte erklären Sie das Wort. Bitte geben Sie ein Beispiel. Bitte schreiben Sie an die Tafel.

3 *Herr Müller:* Nehmen Sie bitte Platz. Lassen Sie sich Zeit.

Herr und Frau Müller: Nehmen Sie bitte Platz. Lassen Sie sich Zeit.

Mona und Lucas: Kommt bitte schnell. Esst doch noch etwas.

Mona: Gib mir mal den Teller. Hab doch keine Angst. Guck doch mal.

4 1 Dann geh doch nach Hause. Dann gehen Sie doch nach Hause.

2. Dann nimm doch eine Aspirin. Dann nehmen Sie doch eine Aspirin.

3. Dann arbeite doch weniger. Dann arbeiten Sie doch weniger.

4. Dann geh doch am Abend spazieren. Dann gehen Sie doch am Abend spazieren.

5. Dann mach doch Yoga. Dann machen Sie doch Yoga.

6. Dann trink doch einen Tee. Dann trinken Sie doch einen Tee.

7. Dann iss doch mehr. Dann essen Sie doch mehr.

8. Dann kauf doch eine Brille. Dann kaufen Sie doch eine Brille.

9. Dann iss doch weniger. Dann essen Sie doch weniger.

5a 1 Kaufen Sie Karteikarten.

2. Schreiben Sie die neuen Wörter auf Karteikarten.

3. Schreiben Sie auf die Rückseite einen Beispielsatz mit Lücke.

4. Mischen Sie die Karten.

5. Lesen Sie einen Beispielsatz laut.

6. Ergänzen Sie das Wort für die Lücke.

7. Richtig? Dann legen Sie die Karte in den Kasten 2.

8. Falsch? Dann legen Sie die Karte wieder in den Kasten 1.

5b 1 Kauf Karteikarten.

2. Schreib die neuen Wörter auf Karteikarten.

3. Schreib auf die Rückseite einen Beispielsatz mit Lücke.

4. Misch die Karten.

5. Lies einen Beispielsatz auf der Rückseite laut.

6. Ergänze das Wort für die Lücke.

7. Richtig? Dann leg die Karte in den Kasten 2.

8. Falsch? Dann leg die Karte wieder in den Kasten 1.

9 特殊疑问句

1 1 G – 2 A, C – 3 F – 4 C, D – 5 A, C – 6 E, – 7 B

2 1. Wie heißen Sie? – 2. Wie ist Ihr Vorname? – 3. Woher kommen Sie? – 4. Wo wohnen Sie? –
5. Was sind Sie von Beruf?

3 1. Was – 2. Was / Wie viel – 3. Wie viele – 4. Wer – 5. Um wie viel –
6. Wann / Um wie viel Uhr

4 wie – woher – Wo – wer – Wie

5 1. Wo, wo – 2. Woher, Wohin

6 1 C – 2 D – 3 A – 4 B

7 1 F – 2 A – 3 G – 4 D – 5 C – 6 B – 7 E

8 1. Wer – 2. Wen – 3. Warum – 4. Mit wem

10 一般疑问句

1 1. Heißen Sie Schmidt? – Nein, ich heiße nicht Schmidt. / Ja, ich heiße Schmidt.

2. Kommen Sie aus Südafrika? – Nein, ich komme nicht aus Südafrika. / Ja, ich komme aus Südafrika.

3. Sprechen Sie Englisch? – Ja, ich spreche Englisch. / Nein, ich spreche kein Englisch.

4. Sind Sie verheiratet? – Ja, ich bin verheiratet. / Nein, ich bin nicht verheiratet.

5. Haben Sie Kinder? – Ja, ich habe Kinder. / Nein, ich habe keine Kinder.

2 1. Sprechen Sie Französisch? / Sprichst du Französisch?

2. Sind Sie Deutsche? / Bist du Deutsche?

3. Ist er Lehrer (von Beruf)?

4. Wohnen Sie schon lange hier (im Haus)? / Wohnt ihr schon lange hier im Haus?

5. Haben sie Kinder?

3 1 E – 2 F – 3 B, E – 4 D – 5 C – 6 A

4 1. doch – 2. ja – 3. nein – 4. doch – 5. nein – 6. ja – 7. nein

5 1. Würden Sie mir bitte den Zucker geben? / Könnten Sie mir bitte den Zucker geben?

2. Würden Sie mir bitte den Weg zum Bahnhof sagen? / Könnten Sie mir bitte den Weg zum Bahnhof sagen?

3. Würden Sie mir bitte den Stift geben? / Könnten Sie mir bitte den Stift geben?

4. Würden Sie bitte das Radio leiser machen? / Könnten Sie bitte das Radio leiser machen?

5. Würden Sie mir bitte das Wörterbuch geben? / Könnten Sie mir bitte das Wörterbuch geben?

6. Würden Sie mir bitte die Rechnung erklären? / Könnten Sie mir bitte die Rechnung erklären?

6 1 B – 2 A – 3 D – 4 E – 5 C

参考答案

⑪ 词序1

1 1. Er heißt Peter Schmidt.

2. Peter und seine Frau wohnen jetzt in Heidelberg.

3. Seine Adresse ist Auerstraße 12.

4. Peter ist Ingenieur von Beruf.

5. Seine Frau arbeitet im Krankenhaus.

2 1. Woher kommen Luis und Paloma?

2. Was sind sie von Beruf?

3. Wo wohnen sie jetzt?

4. Was machen sie heute Abend?

3 1. Das ist Paloma. – Ist das Paloma?

2. Sie kommt aus Peru. – Kommt sie aus Peru?

3. Paloma lernt Deutsch. – Lernt Paloma Deutsch?

4. Sie ist Mechanikerin. – Ist sie Mechanikerin?

5. Ihr Mann heißt Luis. – Heißt ihr Mann Luis?

4 1. Woher – 2. Kommt – 3. Was – 4. Ist – 5. Heißt – 6. Wie

5 1. Sind Sie heute müde?

2. Wie lange schlafen Sie immer?

3. Was trinken Sie am Morgen?

4. Trinken Sie am Morgen Kaffee?

6 1. Kommen Sie!

2. Hören Sie die Geschichte!

3. Sagen Sie jetzt nichts!

4. Erzählen Sie Ihren Freunden die Geschichte!

7 1. Ich wohne schon drei Jahre in Heidelberg. / Schon drei Jahre wohne ich in Heidelberg.

2. Ich arbeite seit zwei Jahren in Frankfurt. / Seit zwei Jahren arbeite ich in Frankfurt.

3. Ich fahre jeden Montag von Heidelberg nach Frankfurt. / Jeden Montag fahre ich von Heidelberg nach Frankfurt.

4. Ich wohne von Montag bis Freitag bei meiner Cousine. / Von Montag bis Freitag wohne ich bei meiner Cousine.

5. Ich arbeite von 9 bis 18 Uhr im Büro. / Von 9 bis 18 Uhr arbeite ich im Büro.

6. Ich esse in der Mittagspause in der Kantine. / In der Mittagspause esse ich in der Kantine.

7. Ich gehe zwei Mal pro Woche ins Fitness-Studio. / Zwei Mal pro Woche gehe ich ins Fitness-Studio.

8. Ich fahre freitags um 17 Uhr nach Heidelberg. / Freitags um 17 Uhr fahre ich nach Heidelberg.

9. Ich bin von Freitagabend bis Montagmorgen zu Hause. / Von Freitagabend bis Montagmorgen bin ich zu Hause.

⑫ 词序2

1 1. Sie wollen eine Deutschlandreise machen.

2. Sie müssen Tickets kaufen und Hotels buchen.

3. Wann sollen sie fahren?

4. Sie wollen im Sommer fahren.

5. Sie können nur zwei Wochen in Deutschland bleiben.

6. Dann müssen sie schon wieder nach Hause fahren.

2 1. Wir ziehen nach Hamburg um.

2. Jetzt räumen wir die ganze Wohnung auf.

3. Wir werfen viele Sachen weg.

4. Wer packt das Geschirr und die Gläser ein?

5. Nächste Woche Montag ziehen wir aus.

6. Am Dienstag ziehen wir in die neue Wohnung ein.

3　1. Das Wetter ist heute wunderbar.

2. Gestern war der Himmel auch blau.

3. Hoffentlich ist es morgen auch genauso schön.

4. Am Samstagmorgen gehen sie in der Stadt einkaufen.

5. Nachmittags gehen sie im Park spazieren.

6. Die Kinder gehen mit ihren Freunden schwimmen.

4　1. Pamela und Chris sprechen schon gut Deutsch.

2. Chris spielt am Abend gerne Gitarre.

3. Er hört oft stundenlang Musik.

4. Im Sommer möchte Chris Urlaub machen.

5. Pamela möchte im Urlaub Spanisch lernen.

5　1. Am letzten Wochenende ist Anna nach Berlin gefahren.

2. Sie hat ihre Freunde besucht.

3. Am Samstagabend sind sie ins Theater gegangen.

4. Am Sonntag haben sie in einem Restaurant am Wannsee gegessen.

5. Sie ist erst sehr spät nach Hause gekommen.

6　Er hat heute gearbeitet. – Er muss heute aufräumen. – Er lernt heute Deutsch. – Er kauft heute ein. – Er geht heute essen. – Er ist heute gekommen. – Er sieht heute fern.

7　1. Ich habe meinem Bruder gestern eine CD geschenkt. / Gestern habe ich meinem Bruder eine CD geschenkt. / Meinem Bruder habe ich gestern eine CD geschenkt. / Eine CD habe ich gestern meinem Bruder geschenkt.

2. Auf dem Marktplatz hat gestern Abend eine Band gespielt. / Gestern Abend hat eine Band auf dem Marktplatz gespielt. / Eine Band hat gestern Abend auf dem Marktplatz gespielt.

3. Im Park wollen Schüler heute ein Konzert geben. / Schüler wollen heute im Park ein Konzert geben. / Heute wollen Schüler im Park ein Konzert geben.

4. Ich bringe heute zum Geburtstag einen Kuchen mit. / Zum Geburtstag bringe ich heute einen Kuchen mit. / Heute bringe ich einen Kuchen zum Geburtstag mit. / Einen Kuchen bringe ich heute zum Geburtstag mit.

8　1. Er holt seine Kinder von der Schule ab.

2. Sie will heute Abend mit ihrer Freundin zur Party gehen.

3. Sie bringen einen Kartoffelsalat zur Party mit.

4. Sie haben heute Mittag den Kartoffelsalat gemacht.

⑬ 名词的复数形式

1　der Fernseher – das Mädchen – der Schlüssel – der Lehrer – der Wagen – der Reifen – das Fläschchen – der Verkäufer

2　1. das Sofa, -s – 2. das Haar, -e – 3. die Freiheit, -en – 4. das Hobby, -s – 5. die Zeitung, -en – 6. die Information, -en – 7. das Tier, -e – 8. die Lehrerin, -nen – 9. die Sache, -n – 10. die Kiwi, -s – 11. die Sekunde, -n – 12. die Organisation, -en – 13. die Operation, -en – 14. der Name, -n – 15. die Toilette, -n – 16. die Oma, -s – 17. die Sekretärin, -nen – 18. der Junge, -n – 19. das Ticket, -s – 20. das Restaurant, -s – 21. die Lösung, -en – 22. die Krankheit, -en – 23. der Herd, -e – 24. das Kino, -s

3　1. das Bild – 2. der Mann – 3. das Brötchen – 4. das Meer – 5. das Land – 6. die Architektin – 7. der Kurs – 8. das Hotel – 9. der Arzt – 10. der Fuß – 11. das Foto – 12. die Information – 13. die Einladung – 14. der Baum

4　der Zucker – das Gepäck – das Wasser – das Fleisch – der Service – das Benzin – der Reis – der Alkohol – das Gemüse – die Polizei – die Natur

5　die Großeltern – die Eltern – die Möbel – die Alpen – die Ferien – die Leute

6　Küchenstühle – Lampen – Schränke – Sofas – Herde – Teller – Gläser – Löffel – Servierwagen – LKWs

⑭ 冠词：定冠词、不定冠词、零冠词

1　1. Das ist ein Stuhl. Der Stuhl ist modern.

2. Das ist ein Bild. Das Bild ist teuer.

3. Das ist ein Wörterbuch. Das Wörterbuch ist praktisch.

4. Das ist ein Laptop. Der Laptop ist gut.

5. Das sind Stifte. Die Stifte sind neu.

6. Das sind Blumen. Die Blumen sind wunderbar.

7. Das ist eine Vase. Die Vase ist schön.

8. Das ist eine Tür. Die Tür ist offen.

2 1. einen Kuli – 2. ein Auto – 3. eine Uhr – 4. – – 5. einen Schirm – 6. einen Computer – 7. eine Katze – 8. ein Handy

3 1. die – 2. den – 3. die – 4. das – 5. die – 6. den

4 1. Sie hat Zeit. – 2. Sie hat Geld. – 3. Sie hat ein Handy. – 4. Sie mag Reis. – 5. Sie hat ein Fahrrad. – 6. Sie hat Glück.

5 1. ein, der – 2. ein, das – 3. eine, die – 4. ein, der – 5. ein, das

6 ein – Der – eine – Die – ein – Der – die – die – der – der – die – eine

 ## 15 否定

1 1. Ich komme nicht aus Sri Lanka.

2. Ich bin nicht 23 Jahre alt.

3. Ich wohne nicht in Köln.

4. Ich bin nicht verheiratet.

5. Ich habe keine Kinder.

6. Das sind nicht meine Kinder.

7. Sie haben keinen Hunger.

8. Ich kaufe kein Brot.

9. Ich bin nicht glücklich.

2 Das ist kein Hund, das ist eine Katze. – Sie hat keine Lust zu kochen. Gehen wir ins Restaurant? – Sie hat keinen Freund, sie ist immer allein. – Sie hat keine Kinder. – Er kann nicht kochen. – Wir gehen ins Kino. – Ich kaufe nicht diese Schuhe. Die anderen sind schöner.

3 nicht – keine – keinen – nicht – nicht – nicht – nicht – keine – keine – nicht – keine – nicht – keine – kein – nicht – nicht – keine

4 1. Ich bin nicht mehr jung.

2. Ich habe keine Energie mehr.

3. Ich bin nie glücklich.

4. Ich finde nichts wunderbar.

5. Ich liebe niemand(en).

6. Ich war noch nie im Urlaub.

7. Ich nehme nichts mit Humor.

5 noch nie – nie – niemand – nichts – keine ... mehr – ohne

 ## 16 第四格

1 den Wecker – den Computer – den Pass – die Kreditkarte – den Schirm – die Tasche – den MP3-Player – die Schuhe – die Socken – den Pyjama – das Waschzeug – die Zeitung

2 eine Flasche Wein – ein Glas Marmelade – ein Schwarzbrot – - Brötchen – eine Packung Milch – einen Salat – - Tomaten – Tomaten – einen Joghurt – einen Schokoladenkuchen

3 ein Auto – kein Fahrrad – ein Bett – einen Fernseher – keinen Tisch – keine Waschmaschine – ein Handy – kein Telefon – einen Computer – keinen Stuhl – einen Kühlschrank – kein Haus

4 1. Die, das, Der, die – 2. Der, die, Der, den – 3. Die, die, Der, die

5 1. Was – 2. Wen – 3. Wen – 4. Was – 5. Was – 6. Wen

6 Ich höre die/eine Oper. – Ich trinke das/ein Glas Wein. – Ich brauche den/einen Stift. – Ich sehe den/einen Film. – Ich lese die/- Bücher. – Ich kaufe ein/das Auto.

Wir hören die/eine Oper. – Wir trinken das/ein Glas Wein. – Wir brauchen den/einen Stift. – Wir sehen den/einen

Film. – Wir lesen die/- Bücher. – Wir kaufen ein/das Auto.

Meine Freunde hören die/eine Oper. – Meine Freunde trinken das/ein Glas Wein. – Meine Freunde brauchen den/einen Stift. – Meine Freunde sehen den/einen Film. – Meine Freunde lesen die/- Bücher. – Meine Freunde kaufen ein/das Auto.

7 1. Stühle – 2. einen Sohn und eine Tochter, die Kinder – 3. die Lehrerin – 4. Die Suppe, das Brötchen – 5. den Wein, das Essen

8 einen – Der – eine – ein – - *(kein Artikel)* – die – Den – die – das – die – die – den – der – die – die – die – Der – den – die

17 第三格

1 1. dem – 2. dem – 3. dem – 4. der – 5. der – 6. den – 7. dem – 8. dem

2 1. einer – 2. einem – 3. – *(kein Artikel)* Freunden – 4. einem – 5. einer – 6. einem – 7. einem – 8. *(kein Artikel)* Gästen

3 1. einem, Kindern – 2. einem, Babys – 3. einem, Männern – 4. einem, Freunden – 5. einer, Kolleginnen – 6. einer, Frauen – 7. einer, Omas – 8. einem, Opas

4 einer – einem – den – den – den Freunden – der – dem – dem – den – der – einem – dem – der – den Kindern – dem

5 keinem – keiner – keiner – keinem – keiner – keinem – keiner – keinem

6 meinem – ihrem – ihrer – ihren Kindern – meinen Eltern – ihren zwei Babys

7 der – der – einem – seiner – den Freunden – dem – den Freunden – einem – einem – dem

18 物主代词

1 1. mein – 2. dein – 3. seine – 4. ihre – 5. unsere – 6. eure – 7. ihre – 8. Ihre

2 *Jörg:* seine – seine – sein – seine – sein – seine

Martina: ihr – ihre – ihre – ihr – ihr – ihre

Jörg und Martina: ihre – ihre – ihr – ihr

3 euer – Unser – eure – Unsere – eure – Unsere – unsere – unser

4 Ihrer: Frau Dorns – ihren: Lisas – ihren: Lisas – Ihrer: Frau Malls – Ihre: Frau Malls – ihren: Tims und Toms – Ihr: Frau Dorns – Ihr: Frau Dorns

5 meiner – Mein – seiner – ihren – ihren – seine – ihre – Meine – meinen – unseren – ihrem – seiner – Unsere – ihre – meinen – ihre

19 疑问冠词和指示冠词

1 1 C – 2 A – 3 D – 4 B

2 1. Dieser. – 2. Diese. – 3. Diese. – 4. Dieses. – 5. Diese. – 6. Dieses. – 7. Dieser. – 8. Diese.

3 Welche – Dieses – welcher – Dieser – dieses

4 Welche – Diese – diese – diese – welche – diese

5 1. welcher – 2. welchem – 3. welchem – 4. welcher – 5. welchem – 6. Welchem

1 B – 2 C – 3 D – 4 A – 5 F – 6 E

6 Welchen – Diesen – welche – Diese – welchem – Welches – Dieses – Welches – dieses

7 welchem – diesem – diesen – diesem – Welchen

20 人称代词的第三格和第四格形式

1 1 F – 2 D – 3 E – 4 B – 5 A – 6 C

2 es – sie – es – ihn

3 1. ihnen – 2. ihr – 3. uns – 4. ihr – 5. euch – 6. ihnen

4 1. Es geht mir gut. – 2. Es geht ihm gut. – 3. Es geht ihr gut. – 4. Es geht ihnen gut. – 5. Es geht mir gut. – 6. Es geht uns gut.

5 ihm – Ihnen – Ihnen – mir – ihr – uns – ihm

参考答案

6 1. Ja, nur mit dir, nie ohne dich!

2. Ja, nur mit ihr, nie ohne sie!

3. Ja, nur mit ihnen, nie ohne sie!

4. Ja, nur mit euch, nie ohne euch!

5. Ja, nur mit ihm, nie ohne es!

6. Ja, nur mit ihm, nie ohne ihn!

7. Ja, nur mit uns, nie ohne uns!

7 Er – ihn – Er – ihn – ihm – ihn – er – mir – mich – mich – er – ihn – ihn – mich – Ich – mich

21 支配双宾语的动词

1 1. Der Mann schreibt seiner/der Freundin eine E-Mail.

2. Dr. König gibt der Frau Tabletten.

3. Wir zeigen unseren/den Gästen das Haus.

4. Der Vater kauft seinem/dem Sohn einen Computer.

5. Die Mutter schenkt ihrer/der Tochter eine Puppe.

6. Ich verkaufe meinem/dem Freund das/mein/ein Auto.

7. Er serviert den/seinen Freunden (einen) Kaffee.

8. Sie kocht dem/ihrem Kind eine Suppe.

2 第一格（黑色标注）：Ich – ich – ich – ich – Ich – ich – ich – Ich

第四格（蓝色标注）：einen Ring – einen Ball – eine Puppe – Süßigkeiten – meine Familie – eine E-Mail – Filme

第三格（红色标注）：meiner Frau – meinem Sohn – meinem Töchterchen – Meinen beiden Kindern – meinem Vater

3 只含主语（无宾语）：kommen – lachen – wohnen – schlafen – gehen – sein

含主语和一个宾语：essen – trinken – lesen – treffen – lieben – besuchen – haben – möchten – finden

含主语和两个宾语：kochen – schenken – kaufen – servieren – verkaufen – geben – bringen – zeigen

4 der – den Kindern – die – Den – Die – den – die – den Kindern – dem – eine – der – eine – Die – die – die – die – Die – ein – den – die

5 Mein – meinem – einen – Mein – den – Meine – meinem – ihr – meine – ihrem – eine – die – Die – meinen – den – den – Meine – einen – Die – den – Der – Mein – seine – die – Meine – meinen – seine – Meine – die – meine – meinen

6 ihn – ihm – sie – Ihnen – sie – ihm

22 支配第三格宾语的动词

1 1. Der Mann antwortet der Frau. – 2. Der Mann gratuliert der Frau. – 3. Das Kind hilft dem Mann. – 4. Die Kinder hören der Oma zu.

2 1. Das Haus gefällt den Leuten. – 2. Der Wein schmeckt dem Mann nicht. – 3. Die Schuhe passen der Frau gut. – 4. Das Auto gehört dem Chef. – 5. Die Jacke steht dem Mädchen nicht gut. – 6. Der Film gefällt den Freunden. 7. Der Kopf tut der Frau weh.

3 1. Er antwortet mir.

2. Wir gratulieren ihr.

3. Ich helfe dir.

4. Die Kinder hören ihm zu.

4 1. Es tut mir leid. – 2. Es tut ihm leid. – 3. Es tut ihnen leid. – 4. Es tut ihr leid. – 5. Es tut dir leid. – 6. Es tut uns leid. – 7. Es tut ihm leid. – 8. Es tut euch leid.

5 1. Morgen Abend passt mir nicht. – 2. Frankfurt gefällt uns. – 3. Ulrike geht es schlecht. – 4. Die Suppe schmeckt wunderbar! – 5. Die Uhr gehört mir nicht. – 6. Die Hose passt mir nicht. – 7. Der Hals tut mir weh.

6 er – ihn – mir – Er – ihm – ihn – ihn – ihm – ihm – ihm – mir – ihn – mir

7 1a Der Mann schenkt der Frau Blumen. – 1b Die Blumen gefallen der Frau.

2a Der Ober serviert den Gästen das Essen. – 2b Das Essen schmeckt den Gästen.

3a Der Chef fragt die Sekretärin. – 3b Die Sekretärin antwortet dem Chef.

4a Das Mädchen schreibt dem Freund eine E-Mail. – 4b Der Freund liest den Brief.

5a Die Mutter kauft dem Kind eine Jacke. – 5b Die Jacke passt dem Kind.

6a Der Vater repariert dem Sohn das Fahrrad. – 6b Der Sohn hilft dem Vater.

7a Der Fuß tut dem Mann weh. – 7b Der Arzt hilft dem Mann.

23 *sein* 和 *haben* 的过去时

1 warst – war – war – hatten – hatten – hattet – waren

2 Ich war müde / im Büro / in Paris. – Ich hatte keine Zeit / Probleme / eine Party.

Thomas war müde / im Büro / in Paris. – Thomas hatte keine Zeit / Probleme / eine Party.

Herr und Frau Müller waren müde / im Büro / in Paris. – Herr und Frau Müller hatten keine Zeit / Probleme / eine Party.

Ihr wart müde / im Büro / in Paris.

Du warst müde / im Büro / in Paris.

Meine Schwester und ich waren müde / im Büro / in Paris. – Meine Schwester und ich hatten keine Zeit / Probleme / eine Party.

3 warst – Hattest – war – waren – hatten – Wart – waren – Hattet – hatte – war – hatte – hatten

4 war – hatte – bin – ist – war – waren – waren – sind – sind

5 1. waren – 2. war – 3. hatten, hatten – 4. war – 5. hatte – 6. war, war – 7. hatte – 8. waren, war, war – 9. waren, bin – 10. habe

6 1. Früher hatte ich keine Kinder.

2. Früher war ich jung.

3. Früher hatten wir keine Autos.

4. Früher waren wir arm / nicht reich.

5. Früher hatte er kein Haus.

6. Früher hatten die Kinder keine Computer.

7. Früher waren nicht viele Leute allein.

8. Früher hattest du keine Familie.

9. Früher hattet ihr kein Geld.

10. Früher war sie nicht glücklich. / Früher war sie unglücklich.

11. Früher hatte ich Zeit.

12. Früher war der Mann jung.

13. Früher hatte man kein Handy.

7 Waren – war – hatten – waren – war – hatte – hatten

24 *haben* 引导的现在完成时

1 1. Er hat am letzten Wochenende gearbeitet.

2. Ich habe meine Freunde lange nicht gesehen.

3. Was hast du getrunken?

4. Habt ihr schon die Zeitung gelesen?

5. Haben Sie die Grammatik verstanden?

6. Wir haben ihn noch nicht gefragt.

2a 1. trinken – 2. lernen – 3. lesen – 4. sehen – 5. essen und trinken

2b 1. Heute trinkt er auch ein Mineralwasser.

2. Heute lernt er auch mit Freunden Deutsch.

3. Heute liest sie auch die Zeitung.

4. Heute sehen sie auch zusammen einen Film.

5. Heute essen und trinken sie auch im Restaurant.

3   1. Ich habe eine Pizza gegessen.

     2. Ich habe einen Kaffee getrunken.

     3. Ich habe eine Zeitung gelesen.

     4. Ich habe einen Film gesehen.

     5. Ich habe das Wort nicht verstanden.

4   1. Er hat eine Anzeige in der Zeitung gelesen. – 2. Er hat mit der Frau telefoniert. – 3. Er hat am Samstag die Frau getroffen. – 4. Sie haben in einem Café einen Cocktail getrunken. – 5. Sie haben viel gegessen. – 6. Er hat alles bezahlt. – 7. Sie hat „Danke schön" gesagt. – 8. Er hat sie nicht wiedergesehen. – 9. Er hat keine Anzeigen in der Zeitung mehr gelesen.

5   habe ... kennengelernt – habe ... getroffen – haben ... gegessen – haben ... getrunken – hat ... gefragt – habe ... geschlafen

25 *sein* 引导的现在完成时

1   ist – ist – bin – sind – ist – ist – sind – sind – sind – ist

2   Ich bin nach Rom geflogen. / jeden Tag früh aufgestanden. / im Vatikan gewesen. / eine Woche geblieben. / jeden Tag drei bis vier Stunden gelaufen. / oft Taxi gefahren.

     Ich habe im Hotel gewohnt. / Spaghetti gegessen. / das Collosseum gesehen. / viel Spaß gehabt. / 20 Postkarten geschrieben. / viele Souvenirs gekauft.

3   bin – habe – bin – habe – bin – bin – habe

4   ist – habe – bin – habe – habe – bin – ist – haben – habe – hat – habe – bin – bin

5   1. Letztes Jahr haben wir drei Wochen Urlaub auf Hawaii gemacht.

     2. Das Flugzeug ist um 8 Uhr in Frankfurt gestartet.

     3. Wir sind um 15 Uhr in Hawaii angekommen.

     4. Wir sind gleich ins Hotel gefahren.

     5. Wir haben unsere Koffer ausgepackt.

     6. Wir sind dann ins Bett gegangen.

     7. Nach vier Stunden sind wir aufgewacht.

     8. Dann haben wir die Stadt besichtigt.

     9. Wir haben in einem schönen Restaurant gegessen.

26 过去分词

1   1. abholen – 2. ankommen – 3. anfangen – 4. aussteigen – 5. bekommen – 6. denken – 7. einladen – 8. empfehlen – 9. essen – 10. fliegen – 11. fallen/gefallen – 12. gewinnen – 13. kennen – 14. laufen – 15. mitbringen – 16. nehmen – 17. schlafen – 18. schwimmen – 19. trinken – 20. sehen – 21. verlieren

2   1. angerufen – 2. eingestiegen – 3. geantwortet – 4. aufgemacht – 5. gebracht – 6. entschuldigt – 7. versucht – 8. gewaschen – 9. gegeben – 10. bestellt – 11. erzählt – 12. umgezogen

3   studiert – explodiert – diskutiert – probiert – repariert – gratuliert

4   *ge..........t*: gearbeitet, gefragt – *... ge .... t*: ausgemacht, angeklickt – *..............t*: besucht, diskutiert – *ge ....en*: gekommen, gefahren – *.....ge.....en*: abgeflogen, ferngesehen – *............en*: begonnen, vergessen

5   gemacht – teilgenommen – geflogen – geschlafen – angekommen – gefahren – ausgepackt – losgefahren – besichtigt – gelaufen – gemacht – gegessen – gegangen – angesehen – gewartet – eingekauft – probiert – besucht – eingeschlafen – zurückgekommen

27 情态动词的过去时

1 musste – durfte – wollte – musstest – durfte – wollte – musstest – sollte – sollte – wollte – durfte – wollte – wollte – konntest – konnte – konnte – wollten – durften

2 wollte – durfte – konnte – musste – konnte – musste – konnte – musste – wollte – konnte – konnte – durfte

3 1. Aber noch vor drei Monaten musstest du arbeiten.

2. Aber früher konntest du nicht jeden Tag lang schlafen.

3. Aber letztes Jahr, mit fünf Jahren, konnte sie noch nicht lesen.

4. Aber vor drei Jahren konnte sie noch nicht Auto fahren.

5. Letztes Jahr durfte er noch nicht heiraten.

6. Aber früher wollte ich rauchen.

7. Aber bis 2006 durften die Gäste im Restaurant rauchen.

8. Und früher wolltest du keine Schokolade essen.

28 时态

1 现在时 – 过去时 – 过去时 – 现在完成时 – 过去时 – 过去时 – 现在完成时 – 现在完成时 – 现在完成时 – 过去时 – 过去时 – 现在时

2 war – wollte – hatten – haben … gekauft – mussten – waren – haben … gegessen und getrunken – bin … gefahren – war – habe … geschlafen

3 Gestern war ich glücklich. Ich musste nicht arbeiten. Ich hatte Zeit und ich konnte machen, was ich wollte. Ich habe meine Freundin angerufen. Sie hat mich besucht. Dann haben wir zusammen eingekauft. Danach haben wir einen Spaziergang am Main gemacht und in einem schönen Restaurant gegessen. Am Abend haben wir uns noch einen Film im Kino angesehen. Im Bett habe ich noch ein bisschen gelesen, dann habe ich geschlafen.

4 *Vergangenheit:* Letztes Jahr wollten wir im Urlaub nach Kanada fahren. – Wir hatten Glück, denn wir hatten Freunde in Toronto. – Wir konnten bei ihnen übernachten und mussten kein Hotel bezahlen. – Dort haben wir viele Museen besichtigt und sind abends ausgegangen. – Und ich habe in New York natürlich eingekauft. – Wir sind am Samstag zurückgekommen und leider musste ich am Montag wieder arbeiten.

Gegenwart: Wir fliegen nach Toronto und bleiben zwei Wochen da. – Deshalb können wir noch eine Woche Urlaub in New York machen. – Mein Mann ist gerne in Kneipen und mir machen die Museen Spaß.

29 反身动词

1 1. uns, mich, dich, mich – 2. sich, sich, uns, sich

2 1. uns, sich – 2. euch, uns, euch, sich

3 1. es, mich – 2. ihn, dich – 3. sie, sich – 4. sie, sich – 5. sie, sich – 6. sie, uns – 7. sie, sich

4 1. Er ist noch im Bad, weil er sich rasieren will.

2. Sie steht vor dem Spiegel, weil sie sich schminkt.

3. Ich glaube nicht, dass die Kinder sich über die Geschenke gefreut haben.

4. Ich kann nicht kommen, weil ich mich anmelden muss.

5. Was macht ihr, wenn ihr euch bei der Arbeit geärgert habt?

5 1. sich ,- – 2. -, sich, sich, - – 3. sich, -

6 1. Jutta hat sich auf das Wochenende gefreut.

2. Sie hat sich an ein Restaurant erinnert.

3. Sie hat sich schick angezogen.

4. Sie hat sich mit Paolo getroffen.

5. Aber Paolo und Jutta haben sich über das schlechte Essen geärgert.

6. Sie haben sich beim Kellner beschwert.

7. Der Kellner hat sich entschuldigt und ihnen ein Glas Sekt gebracht.

参考答案

30 表时间的介词1

1 上一排:im – am – am –-– um – im
下一排:im – am – um – am – am

2 um – Von ... bis – Am – um – am – Nach – am – am – Am – in – im – vom ... bis zum – Im

3 1. Im Winter, im Januar. – 2. Am Abend, in der Nacht. – 3. Um fünf Uhr. – 4. Am Wochenende. – 5. Um sieben Uhr. – 6. Bis elf Uhr. – 7. Am Abend, am Wochenende. – 8. Am Nachmittag, im Frühling, am Sonntag. – 9. Im Herbst, im Winter.

4 zwischen – um – vor – um – von – bis – am – nach – Im – am – im – am

5 seit – im – im – in der – am – am – um – um –-– im

6 seit – im – seit – vor – nach – bis – ab

31 支配第三格的介词

1 aus dem – nach – zum – mit dem – von – bei – seit

2 mit – mit – mit – bei

3 1. zum, beim, vom – 2. zum, vom – 3. zur, bei der, von der – 4. zu den, bei den

4 1. nach – 2. nach, zum – 3. zum, nach

5 zum – seit – nach

6 aus – seit – mit – nach – zu – von – von – mit – mit – bei – mit – nach – Von – seit

32 支配第四格的介词

1 1. um – 2. durch – 3. für – 4. ohne – 5. gegen

2 1. um – 2. gegen – 3. durch – 4. um

3 1. gegen das – 2. durch den – 3. um den – 4. für meinen – 5. ohne ihre

4 1. für – 2. gegen – 3. um – 4. durch

5 sie – einer – meiner – die – den – den – einer – ihr – die – die – den

33 可支配第三格或第四格的介词支配第三格时的用法

1

2 1. in – 2. auf – 3. an – 4. auf – 5. in – 6. an – 7. an – 8. auf

3 meinem – der – meinem – meinem – der – den – der – der – dem – Im – dem

4 1. Der Schrank ist an der Wand.

2. Die Lampe ist auf dem Schreibtisch.

3. Der Zettel ist am Bildschirm.

4. Der Computer ist unter dem Schreibtisch.

5. Das Telefon ist auf dem Telefonbuch.

6. Die Tastatur ist vor dem Bildschirm.

7. Die Bonbons sind hinter den Büchern.

8. Die Bücher sind im Schrank.

9. Der Bildschirm ist auf dem Schreibtisch.

10. Die Stifte sind auf dem Papier.

11. Die Maus ist zwischen der Tastatur und dem Telefonbuch.

12. Der Drucker ist neben dem Schreibtisch.

5 1. in der – 2. In welchem, im – 3. auf dem – 4. auf der – 5. am – 6. vor dem, am – 7. am – 8. im

 34 可支配第三格或第四格的介词

1 *第一排:* Auf das Buch. – Unter das Buch. – Hinter das Buch. – Über das Buch. – Vor das Buch.

第二排: An das Buch. – Neben das Buch. – Zwischen die Bücher. – In das Buch.

2 *Wohin?* gehen, bringen, fahren, steigen, fliegen

Wo? studieren, sein, sitzen, stehen, essen, spielen

3 1. F, G – 2. A – 3. D – 4. B, C, F, G – 5. B, F – 6. E – 7. B, F

4 1. Wo? – 2. Wohin? – 3. Wohin? – 4. Wo? – 5. Wohin? – 6. Wo? – 7. Wo? – 8. Wohin?

5 1. ans, am, die, einen, den, die – 2. ins, im, ein

6 1. unter dem Tisch, auf den Tisch – 2. auf dem Bett, auf den Tisch – 3. auf dem Stuhl, auf den Tisch – 4. auf dem Tisch, in den Schrank – 5. auf dem Boden, ins Regal – 6. auf dem Herd, neben das Sofa

35 表方位的介词

1 1. an / am – 2. in – 3. auf – 4. in / im – 5. bei – 6. bei / beim – 7. bei – 8. in – 9. an / am – 10. in / im – 11. auf – 12. in – 13 zu – 14. in / im – 15. im

2 1. in / ins – 2. zu / zum – 3. zu / zur – 4. an – 5. auf – 6. zu – 7. in – 8. nach – 9. in – 10. nach – 11. auf – 12. nach

3 *aus kann man sagen:* aus der Schule – aus Thailand – aus dem Krankenhaus – aus dem Kaufhaus – aus dem Schwimmbad

4 *in:* in das / ins Kino – in das / ins Meer – in den Park – in die Oper – in die Türkei – in das / ins Krankenhaus – in die Alpen

nach: nach Madrid – nach Hause

an: an das Meer / ans Meer – an den Strand

auf: auf den Berg – auf den Spielplatz – auf die Straße

zu: zu der / zur Chefin – zu Johannes – zu dem / zum Picknick

auch möglich: zu dem / zum Krankenhaus – zu dem / zum Spielplatz – zu dem / zum Meer – zu dem / zum Park – zur Oper – zu dem / zum Strand

5 *woher?* aus China – aus der Schweiz – aus dem Kino – vom Strand – vom Sportplatz – von Ikea – vom Arzt

wo? in China – in der Schweiz – im Kino – am Strand – auf dem Sportplatz – bei Ikea – beim Arzt

wohin? nach China – in die Schweiz – ins Kino – an den Strand / zum Strand – auf den Sportplatz / zum Sportplatz – zu Ikea – zum Arzt

6 vom – in den / zum – aus der / von der – aus dem – auf dem – zu – aus dem

aus – am – in – im – in die – zu – bei den – bei – bei – in – am – an den – im – ins

36 形容词词尾变化：第一格及第四格

1 1. nette, netter – 2. neue, neue – 3. bequeme, bequemes – 4. günstigen, günstige – 5. gute, guter – 6. intelligente, intelligentes – 8. dummen, dumme

2 1. bequemes, bequeme – 2. große, große – 3. schöne, schönen – 4. guten, guten

3 *阳性第一格:* dumm – intelligenter – intelligente – intelligenter

中性第一格: süß – weißes – süße – süßes

阴性第一格: faul – faule – faule – faule

第一格复数: schön – freien – Freie – traurigen

第四格: intelligenten – süße – faule – freien – intelligenten – süßes – faule – freie – intelligenten – süßes – faule – schönen

4 roten – roten – kurzen roten – kurze – weiße – gelbe – gelbe – schönes – blaue – schwarze – schwarze – roten

5 neue – teuer – großes – kleinen – moderne – schöne – süßes – neue

37 形容词词尾变化：第一格、第三格、第四格

1 1. am zwölften Mai – 2. am zweiten November – 3. am vierten Januar – 4. am zehnten August – 5. am dritten Juli – 6. am nächsten Sonntag – 7. am übernächsten Freitag – 8. am letzten Samstag – 9. am nächsten Wochenende – 10. am vorletzten Wochenende

2 1. intelligenten – faulen – süßen – vielen kleinen

2. intelligenten – faulen – süßen – kleinen

3 1. netten, neuen – 2. spanischen, schönen – 3. neuen, neuen – 4. kleinen, kleinen – 5. sympathischen, sympathischen – 6. kleinen, kleinen

4 nächsten – große – schönen – guten – neuen – großes – tollen – ersten – neue – bekannten – neuer – nett – gutes – interessante

5 schönes – großen – lieben – reichen – einsam – junge – langen – großen – wunderbar – attraktiven – jungen – schönen – jungen – jungen – schön – großer – sportlicher – nächsten – übernächsten – überübernächsten – vierten – schöne – kleiner – grüner – hässlicher

38 形容词比较级

1 1. kleiner – 2. langsamer – 3. interessanter – 4. schlechter – 5. älter – 6. gesünder – 7. größer – 8. höher – 9. besser – 10. mehr – 11. lieber – 12. teurer

2 größer – kleiner – mehr – teurer – höher – mehr – bekannter

3 Ich trinke lieber Kaffee als Tee.

Meine Tochter liebe ich genauso sehr wie meinen Sohn.

Deutsch lernen macht so viel Spaß wie surfen, eine Party machen, Sport treiben.

Ich kann das genauso gut wie du.

Ich kenne den Sohn besser als den Vater.

Sie geht öfter ins Kino als ins Theater.

Sie sprechen fast genauso gut Deutsch wie ein Deutscher.

Der Film heute war besser als der Film letzte Woche.

4 1. Mezut und Sami laufen genauso schnell.

2. Marco läuft schneller als Mezut und Sami.

3. In meiner Tasse ist genauso viel Kaffee wie in deiner Tasse.

4. In Marias Tasse ist mehr Kaffee als in meiner und deiner Tasse.

5. Lena und Jonas schlafen genauso lange.

6. Mia schläft länger als Lena und Jonas.

7. In Frankfurt ist der Kirchturm genauso groß wie das Hochhaus.

8. Der Messeturm ist größer als der Kirchturm.

5 1. Ja, besser als dein Pudding.

2. Ja, lieber als einen Tee.

3. Ja, besser als das Brot.

4. Ja, lieber als Milch.

5. Ja, lieber als Fußball.

6. Ja, besser als die Hose.

6   1. ältere, alt, jüngeren, älteren

     2. lieber, teureren, besser, billigeren

     3. ältere, jüngere

 形容词最高级

1   1. freundlich, freundlicher, am freundlichsten, der freundlichste Mann

     2. nett, netter, am nettesten, die netteste Frau

     3. groß, größer, am größten, der größte Mann

     4. viel, mehr, am meisten, die meisten Leute

     5. gut, besser, am besten, das beste Kleid

     6. hoch, höher, am höchsten, das höchste Haus

     7. teuer, teurer, am teuersten, die teuersten Schuhe

2   1. schnellste / am schnellsten

     2. teuersten, besten / am teuersten, am besten

     3. meisten / am meisten

3   1. längste – 2. höchsten – 3. größte, zweitgrößte, drittgrößte – 4. größte – 5. bekanntesten

4   1. längste – 2. tiefste – 3. trockenste – 4. höchste – 5. meisten

5   1. am liebsten mag ich Tee

     2. am besten finde ich Fußball.

     3. am liebsten gehe ich ins Kino

     4. am interessantesten findet sie die gelben Schuhe

6   1. am – 2. der – 3. die – 4. am – 5. am – 6. das – 7. am – 8. der

7   jünger – älter – früher – beste – größer – kleiner – größte – längere – längsten – mehr – am liebsten – schneller – besser – mehr

40 并列连词

1   1. denn – 2. aber – 3. und – 4. oder

2   1. Am Samstag geht Lisa einkaufen und sie besucht am Sonntag ihre Freunde. / ... und am Sonntag besucht sie ihre Freunde.

     2. Sie geht mit ihren Freunden in den Park oder sie sehen einen Film im Kino.

     3. Am Samstag scheint die Sonne, aber am Sonntag regnet es. / ..., aber es regnet am Sonntag.

     4. Am diesem Sonntag gehen sie ins Kino, denn das Wetter ist schlecht.

3   1. aber – 2. und – 3. und – 4. denn – 5. oder – 6. denn

4   1. Ich gehe gerne ins Kino und (ich gehe gerne) ins Theater.

     2. Er kauft ein neues Handy und (er kauft) einen neuen Laptop.

     3. Sie geht heute schwimmen und (sie) spielt Tennis.

     4. Mein Bruder mag gerne Jazzmusik und ich (mag) klassische Musik.

     5. Wir wollen zusammen für die Prüfung lernen und (wir wollen zusammen) in Urlaub fahren.

5   1. Gehen Sie am Samstagabend ins Kino oder (gehen Sie am Samstagabend) ins Theater?

     2. Essen Sie gerne Schokolade oder (essen Sie) lieber Pizza?

     3. Möchten Sie einen Kaffe oder (möchten Sie einen) Tee?

     4. Möchten Sie den Kaffee mit Zucker oder (möchten Sie den Kaffee) ohne (Zucker)?

     5. Soll ich das Fenster aufmachen oder ist es Ihnen zu kalt?

6   1. Ich gehe in die Stadt, denn ich möchte einkaufen.

     2. Ich möchte eine Hose (kaufen) und eine Bluse kaufen.

     3. Die rote Bluse ist sehr schön, aber (sie ist) zu teuer.

     4. Soll ich die blaue (nehmen) oder die grüne nehmen?

     5. Mir gefällt die blaue und (mir gefällt) die grüne.

     6. Leider kann ich nur eine Bluse kaufen, denn ich habe nicht so viel Geld dabei.

参考答案

41 副词连接主句

1   1 C – 2 D – 3 A – 4 B

2   1 D – 2 B – 3 A – 4 C

3   1 C – 2 D – 3 A – 4 B

4   1. Deshalb habe ich meine Freunde eingeladen.

    2. Dann wollen wir in die Disko gehen.

    3. Sonst kann ich nicht tanzen.

    4. Dann haben wir viel Spaß.

    5. Deshalb möchte ich morgen lange schlafen.

5   1. Mein Kühlschrank ist leer, deshalb muss ich einkaufen gehen.

    2. Ich muss mich beeilen, sonst komme ich zu spät.

    3. Kannst du mir dein Handy leihen, sonst kann ich meinem Mann nicht Bescheid sagen.

    4. Lazaro muss heute lange arbeiten, deshalb kann er nicht kommen.

    5. Wir besichtigen die Stadt, dann gehen wir essen.

    6. Ich schreibe die E-Mail, dann schicke ich die E-Mail ab.

    7. Wir müssen einen Schirm mitnehmen, sonst werden wir nass.

    8. Meine Tochter ist krank, deshalb kann sie heute leider nicht zur Schule kommen.

6   deshalb – sonst – danach – deshalb

42 从句

1   1. Ich glaube, dass er gerne in die Disko geht. Er geht in die Disko, weil er tanzen will.

    Es macht ihm besonders viel Spaß, wenn seine Freunde mitkommen.

    2. Er geht zum Arzt, weil er Rückenschmerzen hat.

    Der Arzt sagt, dass er Gymnastik machen soll.

    Er kann auch ein Medikament nehmen, wenn die Schmerzen sehr stark sind.

2   1. Weil der Akku von meinem Handy leer ist.

    2. Weil ich so lange arbeiten musste.

    3. Weil es so warm ist.

    4. Weil sie gerade fernsieht.

    5. Weil ich nicht stören wollte.

3   Ich glaube, dass sie krank ist. – Ich denke, dass sie keine Lust hat. – Ich glaube, dass ihr Kind krank ist. – Ich glaube, dass sie arbeiten muss. – Ich denke, dass sie lange schlafen will. – Ich glaube, dass sie einkauft. – Ich denke, dass sie ihren Mann vom Flughafen abholt. – Ich denke, dass sie den Kurs vergessen hat. – Ich glaube, dass sie den Bus verpasst hat. – Ich glaube, dass sie sich ein bisschen ausruht.

4a   1. Er geht joggen, wenn die Sonne scheint.

    2. Er schläft lange, wenn er Urlaub hat.

    3. Er zieht sich schick an, wenn er sich mit seiner Freundin trifft.

    4. Er ärgert sich, wenn er länger arbeiten muss.

    5. Man darf ihn nicht stören, wenn er gerade fernsieht.

4b   1. Wenn die Sonne scheint, geht er joggen.

    2. Wenn er Urlaub hat, schläft er lange.

    3. Wenn er sich mit seiner Freundin trifft, zieht er sich schick an.

    4. Wenn er länger arbeiten muss, ärgert er sich.

    5. Wenn er gerade fernsieht, darf man ihn nicht stören.

5   1. Wann – 2. Wenn – 3. Wann, wenn – 4. Wann, Wenn

6   weil – wenn – weil – wenn – dass – dass

43 方位副词

1 Hinten – Vorne – Oben – Unten – Links – Rechts

2 *nach oben:* gehen, kommen, laufen, fahren
oben: sein, stehen, bleiben, wohnen

3 1. oben, nach oben – 2. unten, nach unten – 3. hinten, nach hinten – 4. vorne, nach vorne

4 1. -, nach – 2. nach – 3. -, -, nach, nach

5 1. dorthin/dahin, dort/da – 2. dorthin/dahin – 3. Dort/Da

6 1. im Juli – 2. nächste Woche – 3. im August/an meinem Geburtstag – 4. heute Abend

7 1. ◁ Kommst du auch ins Kino? ◁ Nein, da war ich gestern schon.

2. ◁ Was ist am 23. März? – Da ist Ostern.

3. ◁ Warst du schon einmal in Peru? ◁ Nein, da war ich noch nicht, aber ich möchte dorthin fahren.

◁ Fährst du im Mai mit uns nach Peru? ◁ Leider kann ich da nicht. Ich habe erst im Juli Urlaub.

44 小品词

2 1. Was hast du (denn) da mitgebracht?

2. Kannst du mir das (mal) zeigen?

3. Ich hatte (doch) keine Ahnung, dass du keinen Käse magst.

4. Kennst du (denn) schon die neue Nachbarin? – Ja, ich habe schon mit ihr gesprochen.

5. Bring mir (doch) eine Zeitung mit.

3 1. Nein, das ist doch viel zu spät!

2. Nein, die sind doch viel zu teuer.

3. Nein, der ist doch viel zu klein.

4. Das ist doch viel zu alt.

4 1. Wie war es denn im Urlaub?

2. Wie lange waren Sie denn in Brasilien?

3. Wie heißt du denn?

4. Wie lange sind Sie denn schon in Deutschland?

5a 1. Machen Sie doch bitte das Fenster auf.

2. Nehmen Sie doch noch ein Stück Kuchen.

3. Schreibt doch bitte eure Adresse auf.

4. Geh doch joggen.

5b 1. Ruf mal an.

2. Probier mal die Suppe.

3. Kommen Sie mal ins Sekretariat.

4. Geht mal ins Kino.

6 1. 小品词, 小品词, 否定词 – 2. 小品词, 连词 – 3. 小品词 – 4. 小品词, 小品词, 连词, 否定词

45 复合词

1 1. der Käsekuchen – 2. der Kinderarzt – 3. das Tischbein – 4. die Haarfarbe – 5. das Lehrerzimmer – 6. die Hausnummer – 7. der Fußballplatz – 8. der Haustürschlüssel

2 1. der Straßenname – 2. die Toilettenbrille – 3. der Damenschuh

3 1. der Zeitungskiosk – 2. der Vertragspartner – 3. der Übernachtungspreis – 4. der Geburtstag

4 *Das kann man essen:* der Kopfsalat – das Pausenbrot – die Frühlingssuppe – der Pfannkuchen – der Blattsalat – das Wachtelei – das Hähnchenfleisch – das Dosengemüse – das Gartenobst

5 die Taschenlampe – die Balltasche – der Regenschirm – der Fußball – der Sonnenschirm – die Sonnenuhr – das Taschenbuch – das Telefonbuch – der Handball – der Lampenschirm – die Handtasche

6 A 5 – B 1 – C 6 – D 7 – E 4 – F 3 – G 2

参考答案

46 派生词和词类转换

1 1. das Städtchen – 2. das Bäumchen – 3. das Kleidchen – 4. das Hündchen – 5. das Fingerchen – 6. das Kindchen

2 *Frauen:* die Ausländerin, -nen – die Verkäuferin, -nen – die Studentin, -nen – die Freundin, -n
   Männer: der Pilot, -en – der Mathematiker, - – der Student, -en – der Freund, -e

3 1. Fernseher – 2. Reiskocher – 3. Wäschetrockner

4 1. die Lösung – 2. die Wohnung – 3. die Meinung – 4. die Vorbereitung – 5. die Erinnerung – 6. die Erklärung

5 1. Die Erklärung, erklären – 2. wohnen, Wohnung – 3. lösen, Lösung

6 1. Das Hören – 2. Das Sprechen – 3. das Lesen – 4. das Schreiben

7 1. Lesen – 2. Einkaufen – 3. Fernsehen – 4. Duschen – 5. Joggen – 6. Schreiben

47 复合动词

1 1. an – 2. aus – 3. auf – 4. zu

2 1. weg – 2. da – 3. da, weg

3 1. dafür – 2. dagegen – 3. dafür

4 1. nichts los – 2. viel los – 3. viel los – 4. nichts los

5 1. dabei – 2. an – 3. dabei – 4. an

6 1. los – 2. dabei – 3. auf – 4. zu – 5. dagegen – 6. weg – 7. aus – 8. an

7 1. Luise hat ein rotes Kleid an.
   2. Was ist los?
   3. Ist der Fernseher an?
   4. Sie hat die Augen zu.
   5. War Helmi gestern da?
   6. Hast du das Buch dabei?
   7. Das Licht ist nicht an.

48 名词的性的规律

1 *der:* der Opel – der Frühling – der Ferrari – der Tequila – der Schnee – der Herbst
   die: die Schönheit – die Emotion – die Liebe – die Konzentration – die Abteilung – die Farbe – die Arbeiterin
   das: das Büro – das Fähnchen – das Häuschen – das Gefühl – Häuflein

2 1. der – 2. das – 3. der – 4. die – 5. die – 6. der

3 1. das Geschäft (以 Ge- 开头) – 2. die Funktion (以 -ion 结尾) – 3. der Wind (天气) – 4. das Männlein (以 -lein 结尾) – 5 die Entschuldigung (以 -ung 结尾) – 6. der Monat (时间段) – 7. der Mercedes (机动车品牌) – 8. die Feindin (以 -in 结尾) – 9. die Vase (以 -e 结尾) – 10. die Freiheit (以 -heit 结尾) – 11. das Fläschchen (以 -chen 结尾) – 12. die Yamaha (机动车品牌) – 13. der Rum (酒类) – 14. das Konto (以 -o 结尾)

4 1. die Ausstellung – 2. das Päckchen – 3. die Portion – 4. die Nachbarin – 5. die Kawasaki – 6. das Geschenk – 7. die Lampe – 8. das Radio – 9. das Kindlein – 10. die Möglichkeit – 11. der Mitsubishi – 12. der Monat

5 1. der, der, ! das, der – 2. der, ! die, der, der – 3. die, die, ! die, die – 4. ! das, der, der, der – 5. das, das, ! die, das – 6. der, ! die, der, der – 7. der, der, ! das, der – 8. das, das, das, ! die

49 过去时

1 traf – treffen, gewann – gewinnen, lief – laufen, blieb – bleiben, fuhr – fahren, schlief – schlafen, zog an – anziehen, kam – kommen, dachte – denken, hieß – heißen, fing an – anfangen, brachte mit – mitbringen, ging – gehen, verlor – verlieren, wusch – waschen

2 liebten – heirateten – lebten – arbeitete – freute – kaufte ein –
verdiente – kaufte – suchte – verkaufte – wünschte – suchte

3 bekam – begann – verbrachte – ging – lag – schlief – gab

4 stand ... auf – schliefen – fand – setzte – startete – fuhr – blieb – fand – rief – brachten – schliefen

5 war – hieß – war – heiratete – brachte ... mit – musste – kochte – wusch – putzte – gab – ging – tanzte – verliebte –
lief – verlor – wollte – hatte – suchte – sagten – passte – passte – lebten

50 过去完成时

1 1. ich hatte gemacht – 2. er war gefahren – 3. wir hatten gegeben – 4. Sie hatten verloren – 5. ihr wart gegangen –
6. sie hatten gearbeitet – 7. sie hatte vergessen – 8. du hattest gebracht – 9. es war geblieben

2 1C – 2A – 3D – 4B

3 Er war traurig. Seine Freunde waren weggefahren.

Er hat die Prüfung bestanden. Er hatte sich sehr gut vorbereitet.

Die Arbeit war fertig. Alle hatten mitgeholfen.

Ich war müde. Ich hatte die ganze Nacht gefeiert.

Sie hat den Film nicht richtig verstanden. Sie hatte den Anfang verpasst.

Sie war stinksauer. Er hatte Rotwein über das Kleid geschüttet.

4a 1. Wir hatten eine neue Wohnung gefunden. Wir haben das Umzugsunternehmen bestellt.

2. Wir hatten das Umzugsunternehmen bestellt. Wir haben alle Sachen in Kisten eingepackt.

3. Wir hatten alle Sachen in Kisten eingepackt. Wir haben die Kisten und Möbel in das Umzugsauto getragen.

4. Wir hatten alles in das Umzugsauto eingeladen. Wir sind zur neuen Wohnung gefahren.

5. Wir waren an der neuen Wohnung angekommen. Wir haben alles in die Wohnung getragen.

6. Wir hatten alles in die Wohnung getragen. Wir haben alle Helfer zum Essen eingeladen.

4b 1. Nachdem wir eine neue Wohnung gefunden hatten, haben wir das Umzugsunternehmen bestellt.

2. Nachdem wir das Umzugsunternehmen bestellt hatten, haben wir alle Sachen in Kisten eingepackt.

3. Nachdem wir alle Sachen in Kisten eingepackt hatten, haben wir die Kisten und Möbel in das Umzugsauto
getragen.

4. Nachdem wir alles in das Umzugsauto eingeladen hatten, sind wir zur neuen Wohnung gefahren.

5. Nachdem wir an der neuen Wohnung angekommen waren, haben wir alles in die Wohnung getragen.

6. Nachdem wir alles in die Wohnung getragen hatten, haben wir alle Helfer zum Essen eingeladen.

5 1. bin, war, habe, hatte, war

2. hatte, ist, hat, war, hatte

3. hatte, hat, hatten, haben

6a 1C – 2D – 3B – 4A – 5F – 6E

6b 1. Nachdem ich auf den Wecker gesehen hatte, bin ich schnell aufgestanden.

2. Nachdem ich einen schnellen Kaffee getrunken hatte, habe ich den Mantel angezogen und die Arbeitstasche
genommen.

3. Nachdem ich lange auf den Bus gewartet hatte, habe ich ein Taxi gerufen.

4. Nachdem das Taxi endlich gekommen ist, habe ich dem Taxifahrer ein Extra-Trinkgeld gegeben.

5. Nachdem ich über mehrere rote Ampeln gefahren bin, bin ich zur Firma gekommen.

6. Nachdem der Taxifahrer wieder weggefahren war, habe ich gemerkt, dass Sonntag ist.

51 反身代词的第三格形式

1 1. mich, mir – 2. dich, dir – 3. sich, sich – 4. sich, sich – 5. dich, dir – 6. uns, uns – 7. euch, euch – 8. mich, mir

2 1D – 2F – 3A – 4E – 5B – 6C

3 1. Hast du dir schon eine Zeitung gekauft?

2. Beim Volleyball hat er sich den Finger gebrochen.

3. Warum machst du dir Sorgen?

4. Bei uns zu Hause ziehen wir uns immer die Schuhe aus.

5. Er wünscht sich zum Geburtstag ein neues Fahrrad.

6. Was wünscht er sich zum Geburtstag?

参考答案

4a 1. Er wünscht <u>sich</u> ein Pferd.

2. Er hat <u>sich</u> geschnitten.

3. Er kauft <u>sich</u> einen BMW.

4. Er macht <u>sich</u> keine Sorgen.

5. Er unterhält <u>sich</u> gut auf der Party.

6. Er lässt <u>sich</u> für ein paar Tage krankschreiben.

7. Er nimmt <u>sich</u> immer viele Dinge vor.

8. Er kann <u>sich</u> nicht vorstellen, dass es bald Sommer wird.

4b 1. Ich wünsche mir auch ein Pferd.

2. Ich habe mich auch geschnitten.

3. Ich kaufe mir auch einen BMW.

4. Ich mache mir auch keine Sorgen.

5. Ich unterhalte mich auch gut auf der Party.

6. Ich lasse mich auch für ein paar Tage krankschreiben.

7. Ich nehme mir auch immer viele Dinge vor.

8. Ich kann mir auch nicht vorstellen, dass es bald Sommer wird.

5 1. mich – 2. mir – 3. dir – 4. dich

6 1. Wir machen uns Sorgen um unsere Tochter.

2. Sie lässt sich eine neue Frisur machen.

3. Ich lasse mir den Termin bestätigen.

4. Ich lasse mir einen internationalen Führerschein ausstellen.

5. Man soll sich einen Vertrag immer genau durchlesen.

6. Man muss sich schon am ersten Tag krankmelden.

7. Krankenschwestern müssen sich häufig die Hände waschen.

7 1. euch – 2. mich, mich, mir, mir – 3. mich – 4. dich – 5. sich – 6. mir – 7. sich – 8. sich, sich – 9. mir – 10. uns

52 可分动词与不可分动词

1a verbieten – empfehlen – bezahlen – erzählen

1b Ich lade meine Nachbarin zum Essen ein.

Ich rufe die Firma an.

Ich verbiete dem Kind das Fernsehen.

Ich mache die Lampe aus.

Ich empfehle der Kollegin das Restaurant.

Ich bezahle die Rechnung.

Ich räume das Zimmer auf.

Ich erzähle die Geschichte.

2 eingestiegen – angesprungen – ausgestiegen – entschieden – bezahlt – abgefahren – angerufen – mitgeteilt – versucht – angehalten – angekommen – erklärt – verstanden – entspannt

3 1. Ich habe viel Spaß, wenn ich fernsehe.

2. Es ist gut, wenn du die Schuhe ausziehst.

3. Ich finde es toll, wenn ihr Essen zur Party mitbringt.

4. Man ist glücklich, wenn man im Lotto gewinnt.

5. Ich hasse, wenn ich im Büro einschlafe.

6. Man hat Stress, wenn man sich um einen neuen Job bewirbt.

4 Ich habe keine Lust, einkaufen zu gehen.

Ich habe keine Lust, die Wohnung aufzuräumen.

Ich habe keine Lust, meine Arbeit zu beginnen.

Ich habe keine Lust, die Waschmaschine anzumachen.

Ich habe keine Lust, die Kleidung aus der Reinigung abzuholen.

Ich habe keine Lust, das Essen vorzubereiten.

Ich habe keine Lust, die Kinder zu erziehen.

Ich habe keine Lust, aufzustehen.

Ich habe keine Lust, meinem Mann die Situation zu erklären.

5 zu verreisen – entschieden – wegzufahren – empfohlen – angefangen – schlafe ... aus – erhole – gehe ... aus – besichtige – abgefahren – verlassen – vergessen – zurückgefahren – erinnert – mitgenommen – losgefahren – verpasst – wegfahre – passe ... auf – mitnehme

53 支配介词宾语的动词

1 1D – 2E – 3A – 4C – 5B

2 1. Er ärgert sich über den Stau.

2. Wir sprechen über eine Party.

3. Wir sprechen mit unseren Nachbarn. / Wir sprechen über unsere Nachbarn. (Thema)

4. Er telefoniert mit seiner Freundin.

5. Sie nehmen am Deutschkurs teil.

6. Sie kümmern sich um die kranke Nachbarin.

3 warten – auf – Worauf? – Auf wen?

träumen – von – Wovon? – Von wem?

denken – an – Woran? – An wen?

fragen – nach – Wonach? – Nach wem?

diskutieren – über, mit – Worüber? Womit? – Über wen?, Mit wem?

sich interessieren – für – Wofür? – Für wen?

4 1D – 2E – 3A – 4B – 5F – 6C

5 1a. Worauf wartet ihr? / Worauf warten Sie?

1b. Auf wen wartet ihr schon lange? / Auf wen warten Sie schon lange?

2a. Worauf freuen sich die Kinder?

2b. Auf wen freuen sich die Kinder?

3a. Womit beschäftigt ihr euch? / Womit beschäftigen Sie sich?

3b. Mit wem beschäftigt ihr euch? / Mit wem beschäftigen Sie sich?

4a. Woran hat keiner gedacht?

4b. An wen hat keiner gedacht?

6 1. gratulieren zu + Dativ – 2. sich erinnern an + Akkusativ – 3. erzählen von + Dativ – 4. sich vorbereiten auf + Akkusativ – 5. sich beschweren über + Akkusativ

7 1. auf – 2. Worüber – 3. Worauf – 4. auf

8 für – auf – über – von – mit – mit – über – für – für – an – für – für

54 代副词

1 1. daneben – 2. dahinter – 3. davor – 4. daneben – 5. daran

2 1. Ich muss jetzt das Mittagessen kochen. Dabei höre ich immer Radio.

2. Ich räume erst noch auf. Danach können wir Kaffee trinken.

3. Ich will jetzt noch nicht putzen. Davor möchte ich mich noch ausruhen.

4. Lukas will Fußball spielen gehen. Davor muss er seine Hausaufgaben machen.

5. Erzähl mir doch von deinem Wochenende. Dabei können wir gemütlich einen Kaffee trinken.

3 über – Worüber? – darüber – Über wen? – über mich, ...

um – Worum? – darum – Um wen? – um mich, ...

mit – Womit? – damit – Mit wem? – mit mir, ...

bei – Wobei? – dabei – Bei wem? – bei mir, ...

von – Wovon? – davon – Von wem? – von mir, ...

vor – Wovor? – davor – Vor wem? – vor mir, ...

für – Wofür? – dafür – Für wen? – für mich, ...

auf – Worauf? – darauf – Auf wen? – auf mich, ...

参考答案

4   1. dafür, wofür

     2. darauf, worauf

     3. damit, womit

5   1. mit ihr, mit wem

     2. nach ihr, nach wem

     3. auf ihn, auf wen

6   1. Ja, ich interessiere mich dafür.

     2. Ja, ich interessiere mich für sie.

     3. Ja, ich ärgere mich darüber.

     4. Ja, ich ärgere mich über sie.

     5. Ja, ich kann mich auf sie verlassen.

     6. Ja, ich kann mich daran gewöhnen.

7   1. daran – 2. darüber – 3. davon – 4. darauf – 5. dafür

55   第二虚拟式：形式

1   1. würde ... fliegen / würdest ...mitkommen

     2. würden ... kaufen

     3. Würdet ... helfen

     4. würde ... ziehen

2   1. hättest – 2. wäre – 3. hätten – 4. wäre / wären – 5. wäre

3   1. müssten – 2. könnte – 3. dürften – 4. könnte – 5. sollte

4   wären – müsste ... tragen – könnten ... schwimmen – hätten – würde ... auswandern

     wäre – hätte – würde ... bekommen – würde ... wissen – würde ... kaufen

5   1. Aber wenn ich viel Geld hätte, könnte ich eine Weltreise machen.

     2. Aber wenn seine Freunde nicht alle in einer anderen Stadt wären, wäre er nicht so viel allein.

     3. Aber wenn sie ein Sprachgenie wäre, müsste sie die Wörter nicht sehr oft wiederholen.

     4. Aber wenn er nicht sehr alt wäre, könnte er so schnell laufen.

     5. Aber wenn sie ein Auto hätten, müssten sie nicht mit dem Fahrrad fahren.

6   1. 第二虚拟式 / 第二虚拟式

     2. 过去式 / 过去式

     3. 第二虚拟式

     4. 过去式 / 过去式

     5. 第二虚拟式 / 第二虚拟式

56   第二虚拟式：用法

1   1. Er wäre gerne größer.

     2. Sie hätte gerne ein Elektro-Fahrrad.

     3. Wir hätten gerne ein neues Auto.

     4. Sie würden gerne reisen.

     5. Er würde gerne besser tanzen können.

2   1G: Wenn Blumen sprechen könnten, wäre es im Garten laut.

     2D: Wenn Katzen Vegetarier wären, hätten die Mäuse keine Angst.

     3H: Wenn Autos fliegen könnten, würde es keinen Stau auf der Straße geben.

     4E: Wenn Deutschland in Afrika liegen würde, wäre es wärmer und es würde nicht so viel regnen.

     5A: Wenn Elefanten klettern könnten, wären viele Bäume kaputt.

     6C: Wenn Roboter alle Arbeit machen könnten, hätten Menschen immer Freizeit.

7B: Wenn Babys lesen und schreiben könnten, müssten Kinder nicht zur Schule gehen.

8F: Wenn alle Menschen gleich gut Fußball spielen könnten, würde es keine Weltmeisterschaft geben.

3 Könnten Sie mir bitte Geld wechseln?

Könnten Sie mir bitte ein Glas Wasser geben?

Könnten Sie mir bitte mit dem Kinderwagen helfen?

Könnten Sie mich bitte vorbeilassen?

Könnten Sie bitte das Fenster schließen?

Könnten Sie mir bitte sagen, wie spät es ist?

4 1. Sie sollten weniger Schuhe kaufen.

2. Sie sollten weniger Computerspiele spielen.

3. Sie sollten es trotzdem machen.

4. Sie sollten sich gut vorbereiten.

5. Sie sollten einen Tanzkurs machen.

5 1. Du könntest ins Kino gehen.

2. Wir könnten zum Inder gehen.

3. Wir könnten zu Hause fernsehen.

4. Ich könnte dir helfen.

5. Du könntest zu mir kommen.

6. Ich könnte dir Geld leihen.

6 1C – 2D – 3E – 4A – 5B – 6A

 # 57 被动态1

1 1. Ein Paket wird gesendet.

2. Ich werde operiert.

3. Die Getränke werden verkauft.

4. Ihr werdet informiert.

5. Sie werden abgeholt.

6. Du wirst nach Hause gebracht.

7. Der Olympiasieg wird gefeiert.

8. Die Pizza wird bestellt.

9. Wir werden vom Arzt behandelt.

2 1. Ich muss operiert werden.

2. Die Bremsen vom Auto müssen kontrolliert werden.

3. Du willst vom Arzt behandelt werden.

4. Wir müssen untersucht werden.

5. Eis darf hier nicht gegessen werden.

3 1. Die Kleidung wird in Koffer und Taschen eingepackt.

2. Die Blumen und der Haustürschlüssel werden zu den Nachbarn gebracht.

3. Der Kühlschrank wird leer geräumt und abgestellt.

4. Die Fenster in allen Räumen werden geschlossen.

5. Die elektrischen Geräte werden ausgestellt.

6. Die Taschen und Koffer werden ins Auto gepackt.

4 1. In Deutschland isst man viele Kartoffeln.

2. In Baden isst man auch häufig Spätzle und Knödel.

3. In Wien kann man Sachertorte probieren.

4. In Argentinien isst man viel Rindfleisch.

5a 1. In Norddeutschland und in Bayern wird viel Bier getrunken.

2. In der Pfalz und in Baden-Württemberg wird viel Wein getrunken.

3. In Hessen kann Apfelsaft und Apfelwein getrunken werden.

4. Zum Frühstück wird in Deutschland viel Kaffee getrunken.

5b 1. Ich wusste (nicht), dass in Norddeutschland und Bayer viel Bier getrunken wird.

2. Ich wusste (nicht), dass in der Pfalz und in Baden-Württemberg viel Wein getrunken wird.

3. Ich wusste (nicht), dass in Hessen Apfelsaft und Apfelwein getrunken werden kann.

4. Ich wusste (nicht), dass in Deutschland zum Frühstück meistens Kaffee getrunken wird.

参考答案

6
    1. Hier darf kein Eis gegessen werden.

    2. Hier darf man kein Eis essen.

    3. Hier darf das Handy nicht angeschaltet werden.

    4. Hier darf man das Handy nicht anschalten.

    5. Hier dürfen keine Schuhe getragen werden.

    6. Hier darf man keine Schuhe tragen.

    7. Hier darf das Auto nicht geparkt werden.

    8. Hier darf man das Auto nicht parken.

 58 被动态2

1a
    1. Die Zeitung wurde gelesen. / Die Zeitung ist gelesen worden.

    2. Eine Mail wurde geschrieben. / Eine Mail ist geschrieben worden.

    3. Ich wurde operiert. / Ich bin operiert worden.

    4. Du wurdest zur Party eingeladen. / Du bist zur Party eingeladen worden.

    5. Wir wurden gut behandelt. / Wir sind gut behandelt worden.

    6. Diese Kinder wurden schlecht erzogen. / Diese Kinder sind schlecht erzogen worden.

    7. Sie wurden falsch informiert. / Sie sind falsch informiert worden.

    8. Die Bücher wurden zu einem günstigen Preis angeboten. / Die Bücher sind zu einem günstigen Preis angeboten worden.

1b
    1. Der Verletzte musste operiert werden.

    2. Die Bremsen mussten repariert werden.

    3. Du musstest gefragt werden.

    4. Ich wollte schnell bedient werden.

    5. Der Anruf konnte nicht weitergeleitet werden.

2
    1945 wurde der Krieg beendet.

    Nach dem Krieg wurde Deutschland in zwei Staaten geteilt.

    1949 wurde der 1. Bundestag gewählt.

    1961 wurde die Mauer gebaut.

    Am 9. November 1989 wurde die Mauer in Berlin geöffnet.

    Am 3. Oktober 1990 wurden die beiden deutschen Staaten wiedervereinigt.

3
    1. Wann ist Aspirin entdeckt worden? (im 19. Jahrhundert)

    2. Von wem wurde Amerika entdeckt? (Leif Eriksson, Christopher Kolumbus, vielleicht auch von dem Chinesen Zheng He)

    3. Wo wurde der Buchdruck erfunden? (in China)

    4. Wie lange wurde der Kölner Dom gebaut? (600 Jahre)

    5. Wann wurde das erste Handy verkauft? (1983)

    6. Wo wurde schon vor 3500 Jahren Glas produziert? (in Ägypten)

4
    1. Die E-Mails sind schon beantwortet worden.

    2. Die Geschäftspartner sind schon eingeladen worden.

    3. Die Rechnungen sind schon bezahlt worden.

    4. Der Vertrag ist schon unterschrieben worden.

    5. Die Papiere sind schon sortiert worden.

    6. Der Kaffee ist schon gekocht worden.

5
    Ein Geschäftspartner musste gefunden werden.

    Die Geschäftsidee musste ausprobiert werden.

    Eine Finanzierung musste geplant werden.

    Ein Kredit musste aufgenommen werden.

    Ein Laden musste gemietet werden.

Die Räume mussten renoviert werden.

Waren mussten gekauft werden.

Der Laden musste eröffnet werden.

6　1. Die Prüfung musste gut vorbereitet werden.

2. Die Wörter sind wiederholt worden.

3. Die Dialoge sind mit einem Partner geübt worden.

4. Viele Hörtexte sind gehört worden.

5. In der kurzen Zeit konnte nicht alles perfekt gemacht werden.

6. Nach der Prüfung wird eine Party gefeiert.

7. Oft wird alles wieder vergessen.

7　1. Ein neuer Saturnmond ist entdeckt worden. / Ein neuer Saturnmond wurde entdeckt.

2. Eine Bank im Zentrum ist überfallen worden. / Eine Bank im Zentrum wurde überfallen.

3. Ein neues Schwimmbad ist eröffnet worden. / Ein neues Schwimmbad wurde eröffnet.

4. Ein Baby ist von einem Schwan gebissen worden. / Ein Baby wurde von einem Schwan gebissen.

5. Der Präsident ist mit großer Mehrheit gewählt worden. / Der Präsident wurde mit großer Mehrheit gewählt.

59 第一将来时表猜测和未来

1　1E – 2D – 3C – 4A – 5F – 6B

2　1. Paul wird wohl wie so oft zu spät kommen.

2. Ich werde bestimmt sehr ärgerlich auf ihn sein.

3. Wir werden uns wohl streiten.

4. Wir werden wahrscheinlich keine Lust mehr haben, ins Restaurant zu gehen.

5. Unsere Freunde werden einen wunderschönen Abend ohne uns verbringen.

6. Ich werde wahrscheinlich sehr unglücklich sein.

3　1. Es wird wahrscheinlich gleich schneien.

2. Die Straßen werden wahrscheinlich glatt sein.

3. Es wird wahrscheinlich viele Unfälle geben.

4. Wir werden das Auto wahrscheinlich stehenlassen.

5. Wir werden wahrscheinlich spät nach Hause kommen.

4　1. Ich glaube, dass sie viel Geld hat. / Sie wird wohl viel Geld haben.

2. Ich glaube, dass sie ungefähr 30 Jahre alt ist. / Sie wird wohl ungefähr 30 Jahre alt sein.

3. Ich glaube, dass sie verheiratet ist. / Sie wird wohl verheiratet sein.

4. Ich glaube, dass sie Kinder hat. / Sie wird wohl Kinder haben.

5. Ich glaube, dass sie Lehrerin oder Ärztin ist. / Sie wird wohl Lehrerin oder Ärztin sein.

5　1a. B – 1b. A – 2a. A – 2b. B – 3a. A – 3b. B

6　1. Morgen trifft er sich mit Freunden.

2. Nächste Woche zieht er um.

3. Nächsten Monat fängt er eine neue Arbeit an.

4. In einem halben Jahr heiratet er.

5. Nach der Hochzeit macht er eine Hochzeitsreise nach Südamerika.

6. In zehn Jahren hat er zwei Kinder.

7　1. Am kommenden Montag wird die Präsidentin im Parlament sprechen.

2. Morgen wird der König zu einem offiziellen Besuch in die Schweiz fliegen.

3. Nächstes Jahr werden die Deutschen ein neues Parlament wählen.

4. Nächsten Monat werden in Wien die Weltmeisterschaften stattfinden.

60 *werden* 的用法

1　1. 变化过程 – 2. 猜测 – 3. 变化过程 – 4. 未来 – 5. 被动态 – 6. 被动态

2a　1. wird ... besuchen – 2. werde – 3. will ... werden – 4. werden ... produziert – 5. wird – 6. werden ... geschält – 7. wird – 8. wird ... entscheiden – 9. wird ... geputzt – 10. wird ... ankommen – 11. wird ... kommen

2b　变化过程: 2,3,5,7 – 被动态: 4,6,9, – 未来/猜测: 1,8,10,11

参考答案

3a 1. Ich <u>werde</u> krank. – Der Arzt <u>wird</u> angerufen.

2. Nur Obst <u>wird</u> gegessen. – Man <u>wird</u> schlank.

3. Etwas Unangenehmes <u>wird</u> gesagt. – Man <u>wird</u> rot.

4. Es <u>wird</u> kalt. – Die Heizung <u>wird</u> angestellt.

5. Meine Tochter <u>wird</u> 18 Jahre alt! – Eine große Party <u>wird</u> gefeiert.

6. Man <u>wird</u> immer dicker. – Eine Diät <u>wird</u> gemacht.

7. Er <u>wird</u> sechs Jahre alt. – Er <u>wird</u> eingeschult.

3b 1. Ich bin krank geworden. Der Arzt ist gerufen worden.

2. Nur Obst ist gegessen worden. Man ist schlank geworden.

3. Etwas Unangenehmes ist gesagt worden. Man ist rot geworden.

4. Es ist kalt geworden. Die Heizung ist angestellt worden.

5. Meine Tochter ist 18 Jahre alt geworden. Eine große Party ist gefeiert worden.

6. Man ist immer dicker geworden. Eine Diät ist gemacht worden.

7. Er ist sechs Jahre alt geworden. Er ist eingeschult worden.

4 1. worden, 被动态 – 2. geworden, 变化过程 – 3. worden, 被动态 – 4. worden, 被动态 – 5. geworden, 变化过程 – 6. geworden, 变化过程 – 7. geworden, 变化过程 – 8. worden, 被动态

5 werden – geworden – worden – geworden – worden – werden – geworden

61 动词 *lassen*

1 1. Nein, du kannst den Schirm zu Hause lassen.

2. Nein, du kannst die Brille hier lassen.

3. Nein, du kannst die Bücher in der Schule lassen.

4. Nein, du kannst die Tasche im Auto lassen.

5. Du kannst das Auto vor der Garage lassen.

2 1. Lassen Sie Ihre Tochter in die Disko gehen?

2. Lassen Sie Ihren Sohn alleine in den Urlaub fahren?

3. Lassen Sie Ihre Sekretärin früher nach Hause gehen?

4. Lassen Sie Ihren Hund im Bett schlafen?

5. Lassen Sie Ihre Freunde im Auto rauchen?

3a 1. Nein, er lässt seinen Kaffee kochen.

2. Nein, er lässt die Dokumente kopieren.

3. Nein, er lässt die Präsentation vorbereiten.

4. Nein, er lässt die Blumen für seine Frau kaufen.

5. Nein, er lässt seine Frau anrufen.

3b 1. Er hat seinen Kaffee kochen lassen.

2. Er hat die Dokumente kopieren lassen.

3. Er hat die Präsentation vorbereiten lassen.

4. Er hat die Blumen für seine Frau kaufen lassen.

5. Er hat seine Frau anrufen lassen.

4 1. 不带走 – 2. 不自己做 – 3.（不）允许 – 4. 不带走 – 5. 不自己做 – 6.（不）允许

5 1. untersuchen lassen – 2. Lass – 3.lässt ... machen – 4. lassen ... drucken – 5. lässt ... sagen – 6. schneiden ... lassen

6a 1A – 2B – 3C – 4A – 5C – 6B – 7A

6b 1. Ich habe meine Tasche zu Hause gelassen.

2. Ich habe mein Kind Schokolade essen lassen.

3. Ich habe mich vom Arzt untersuchen lassen.

4. Ich habe mein Fahrrad hier gelassen.

5. Ich habe meine Waschmaschine reparieren lassen.

6. Ich hab meinen Mann lange schlafen lassen.

7. Ich habe mein Gepäck am Bahnhof gelassen.

62 与方位相关的动词

1 1. Das Buch steht. – 2. Das Buch liegt. – 3. Der Schuh steht. – 4. Der Schuh liegt. – 5. Der Hund steht. – 6. Der Hund sitzt. – 7. Die Tasche steht. – 8. Die Tasche liegt. – 9. Die Tasche hängt.

2

	位置	方向
Die Blumen stehen auf dem Tisch • ~~auf den Tisch~~.	x	
Er stellt das Auto ~~vor der Garage~~ • vor die Garage.		x
Die Mutter legt das Baby ~~im Bett~~ • ins Bett.		x
Der Opa liegt gemütlich auf dem Sofa • ~~auf das Sofa~~.	x	
Wir sitzen gemütlich am Tisch • ~~an den Tisch~~.	x	
Sie setzt sich ~~neben dem Freund~~ • neben den Freund.		x
Der Mantel hängt an der Garderobe • ~~an die Garderobe~~.	x	
Wir hängen die Lampe ~~über dem Tisch~~ • über den Tisch.		x

3 1. Stell, liegt – 2. setzen, stehe – 3. lege, liegt – 4. liegen, stehen – 5. stellen, sitzen

4 1. Sie hat die Kleider auf das Bett ~~gelegen~~ • gelegt.

2. Dann hat sie die Blusen an den Schrank gehängt • ~~gehangen~~.

3. Ein Koffer hat auf dem Boden ~~gestellt~~ • gestanden.

4. Sie hat sich auf das Bett gesetzt • ~~gesessen~~.

5. Ihr Mann hat neben ihr auf dem Stuhl ~~gesetzt~~ • gesessen.

6. Neben ihm hat ein Strauß Blumen auf dem Boden ~~gelegt~~ • gelegen.

7. Sein Foto hat noch über dem Bett ~~gehängt~~ • gehangen. ... Sie ist dann doch geblieben.

5 1. steht, die, gestellt – 2. gelegt, liegt, dem – 3. stehen, den, gestellt – 4. setzt, sitze

6

stehen	liegen	sitzen
die Tasse auf dem Tisch	der Stift auf dem Tisch	die Brille auf der Nase
der Teller im Schrank	das Kissen auf dem Bett	der Vogel auf dem Baum
die Blume in der Vase	das Messer auf dem Tisch	
das Buch im Regal		
die Kirche im Zentrum		
der Schrank im Zimmer		
der Fernseher auf dem Tisch		

63 第二格

1 1. meiner Chefin – 2. der Sekretärin – 3. des neuen Chefs – 4. meines Freundes – 5. des Geschäfts – 6. der Kaufhäuser – 7. der Straße

2 Das ist Judiths Bilderbuch. – Das ist Rudis Pfeife. – Das sind Susis Schuhe. – Das ist Susis Lippenstift. – Das sind Tobias' Schuhe. – Das ist Judiths Kleid. – Das ist Tobias' Schultasche. – Das ist Judiths Puppe.

3 die Seite des Buches – der Lehrer der Kinder – die Probleme der Eltern – der Geburtstag einer Freundin – der Ring der Königin – die Assistentin des Arztes – die Wünsche der Kunden – die Hochzeit des Jahres – die Größe des Gartens

4 1. Der Freund meiner Freundin hat schöne Augen.

2. Luisas Tasche ist schöner als meine.

3. Die Äpfel meines Chefs sind röter als unsere.

4. Thomas' Auto ist schneller als mein Motorrad.

5. Die Geschwister meiner Freunde sind netter als meine.

6. Das Haus meiner Schwester war teurer als unseres.

7. Die Tür Ihres Hauses ist moderner als die Tür unseres Hauses.

8. Das Gehalt meines Schwagers ist viel besser als das meines Mannes.

9. Aber die Probleme meiner Nachbarn sind größer als meine.

5 1. Das ist die Frau meines Freundes.

参考答案

2. Das ist die Besitzerin des Geschäfts.

3. Bruno ist Madeleines Mann.

4. Das ist der Autor des Bestsellers.

5. Frau Blume ist die Lehrerin meines Kindes.

6. Anja ist Leonies Freundin.

7. Herr Pilz ist der Kollege meines Mannes.

8. Ich bin …

6 1. die Temperatur des Wasser – 2. der Direktor der Bank – 3. das Bein des Tisches – 4. das Zimmer der Kinder (des Kindes) – 5. der Fahrer des Autos – 6. die Tür des Hauses – 7. die Farbe der Haare (des Haars) – 8. das Programm der Reise – 9. die Grenze des Landes – 10. die Sekretärin des Chefs

7 1. Nein, ich habe das Alter des Chefs vergessen

2. Nein, ich habe den Preis der Schuhe vergessen.

3. Nein, ich habe die Länge des Flusses vergessen.

4. Nein, ich habe den Titel des Films vergessen.

5. Nein, ich habe die Adresse unseres Lehrers vergessen.

6. Nein, ich habe die Größe des Schrank(e)s vergessen.

8 Zu Beginn des Abends war es ein bisschen langweilig. – Am Ende des Kurses bekommen Sie ein Zertifikat. – In der Mitte der Stadt ist die Einkaufsstraße. – Die beste Zeit des Jahres ist für mich der Sommer. – Fünf Prozent der Einwohner haben vier oder mehr Kinder. – In der Nähe des Bahnhofs gibt es viele Hotels.

64 阳性名词弱变化

1 der Türke, den Türken – der Schwede, den Schweden – der Ire, den Iren – der Finne, den Finnen – der Chinese, den Chinesen – der Italiener, den Italiener – der Spanier, den Spanier – der Portugiese, den Portugiesen – der Grieche, den Griechen – der Japaner, den Japaner

2 der Löwe, den Löwen – der Bär, den Bären – die Katze, die Katze – der Rabe, den Raben – der Tiger, den Tiger – der Affe, den Affen – der Ochse, den Ochsen – der Hund, den Hund

3 1. der Schüler – der Student

2. der Christ – der Moslem

3. der Automat – die Maschine

4. der Präsident – der Kanzler

5. der Mann – der Herr

6. der Kollege – der Freund

7. der König – der Prinz

8. der Arbeiter – der Bauer

9. der Engländer – der Brite

4 1. Plural, Singular – 2. Plural, Plural, Singular – 3. Singular, Singular – 4. Singular, Plural – 5. Singular, Plural

5 1. Die Dame küsst den Herrn.

2. Der Herr küsst die Dame.

3. Der Tourist fotografiert den Löwen.

4. Der Prinz gratuliert der Königin.

5. Die Königin dankt dem Prinzen.

6. Der Franzose lädt den Chinesen ein.

7. Der Nachbar füttert den Hund.

8. Der Hund sucht den Hasen.

9. Der Lieferant bringt dem Neffen einen Elefanten.

6 Herrn – Herr – Dank – Elefanten – Lieferanten – Kunde – Elefanten – Weg – Tier – Kunden – Lieferung – Elefanten

65 形容词名词化：指代人

1 angestellt – ein Angestellter – eine Angestellte – der/die Angestellte
verwandt – ein Verwandter – eine Verwandte – der/die Verwandte
bekannt – ein Bekannter – eine Bekannte – der/die Bekannte
arbeitslos – ein Arbeitsloser – eine Arbeitslose – der/die Arbeitslose
erwachsen – ein Erwachsener – eine Erwachsene – der/die Erwachsene
krank – ein Kranker – eine Kranke – der/die Kranke
verlobt – ein Verlobter – eine Verlobte – der/die Verlobte
deutsch – ein Deutscher – eine Deutsche – der/die Deutsche
verrückt – ein Verrückter – eine Verrückte – der/die Verrückte
selbstständig – ein Selbstständiger – eine Selbstständige – der/die Selbstständige

2 1. Bekannter, Bekannten, Bekannten, Bekannten – 2. Deutscher, Deutschen, Deutschen, Deutschen – 3. Deutsche, Deutsche, Deutschen, Deutschen – 4. Verrückter, Verrückten, Verrückten, Verrückten

3 Selbstständige – Angestellter – Angestellten – Angestellter – Vorgesetzter – Selbstständige – Vorgesetzter – Arbeitsloser – Angestellter

4 Freund – Bekannten – Arbeiter – Angestellten – Bruder – Verwandten – Kranken – Arzt – Deutschen – Schweizer

5 Bekannten – Ex-Verlobten – Verrückte – Verwandte – Jugendliche – Bekannten – Dumme – Ex-Verlobte

66 形容词名词化：指代事物或抽象概念

1 Bequemes – Gute – Negatives – Ärgerliches – Altes – Neues – Teure – Positive – Hübsches

2 1C – 2D – 3E – 4A – 5F –6B

3 Rote – Rotes – Rotes – Grünes – Grünes – Rotes – Wenige – Positives – Grüne – Rote – Beste

4 Teures – Billiges – Billiges – Teures – Schönes – Praktisches – Praktisches – Schönes – Dekoratives – Rotes – Grünes – Rotes – Gelbes – Grünes – Lebendiges

5 Großes – berühmter – große – Wichtigste – Unrealistisches – Gutes – wichtiges – starke – Schöne – Gute

67 间接疑问句

1 1. Können Sie mir sagen, wie viel ein Doppelzimmer kostet?
2. Können Sie mir sagen, ob das Hotel zentral liegt?
3. Können Sie mir sagen, wie viel ein Frühstück kostet?
4. Können Sie mir sagen, von bis wann man frühstücken kann?
5. Können Sie mir sagen, ob es einen Swimmingpool gibt?
6. Können Sie mir sagen, wo ich parken kann?
7. Können Sie mir sagen, ob ich meinen Hund mitbringen kann?
8. Können Sie mir sagen, ob Sie Kreditkarten akzeptieren?
9. Können Sie mir sagen, wo der Frühstücksraum ist?

2 1. Wann beginnt die Party?
2. Wie viele Gäste kommen?
3. Ist Peter auch eingeladen?
4. Was gibt es zu essen?
5. Wo findet die Party statt?
6. Gehst du zu der Party?

3 1. Frau Stern, darf ich Sie fragen, wann wir Ihren nächsten Film sehen können?
2. Frau Stern, darf ich Sie fragen, wovon der Film handelt?
3. Frau Stern, darf ich Sie fragen, ob Sie die Hauptrolle spielen?
4. Frau Stern, darf ich Sie fragen, wie lange Sie an dem Film gearbeitet haben?
5. Frau Stern, darf ich Sie fragen, wo Sie den Film gedreht haben?
6. Frau Stern, darf ich Sie fragen, ob Sie Ihre Tochter zum Set mitnehmen konnten?
7. Frau Stern, darf ich Sie fragen, wie Ihnen die Zusammenarbeit mit dem Regisseur gefallen hat?

参考答案

8. Frau Stern, darf ich Sie fragen, ob Sie für den Oskar nominiert werden?

9. Frau Stern, darf ich Sie fragen, wann Sie mit dem nächsten Film anfangen?

4 1. Nein, ich weiß nicht wo.

2. Nein, ich habe keine Ahnung, wann.

3. Nein, ich weiß nicht, wie lange.

4. Nein, ich kann dir nicht sagen, wie viel.

5. Nein, ich habe keine Ahnung, welche.

6. Nein, ich kann dir nicht sagen, wie.

7. Nein, ich weiß nicht, wann.

5 ob – dass – ob – ob – dass

6 1. wenn, ob – 2. ob, wenn – 3. Wenn, ob – 4. ob, wenn – 5. ob, wenn

68 带 *zu* 不定式

1 1B – 2D – 3A – 4C

2 1. Es macht Spaß, zu tanzen. – Es macht Spaß, in die Disco zu gehen. – Es macht Spaß, mit Leuten zu sprechen. – Es macht Spaß, Tennis zu spielen.

2. Ich habe Probleme, um 5.00 Uhr aufzustehen. – Ich habe Probleme, in der Firma anzurufen. – Ich habe Probleme, mit dem Rauchen aufzuhören

3. Es ist schön, sonntags nicht arbeiten zu müssen. – Es ist schön, lange schlafen zu können. – Es ist schön, spazieren zu gehen. – Es ist schön, gemütlich sitzen zu bleiben.

4. Ich hoffe, meine Freunde zu treffen. – Ich hoffe, am Abend fernzusehen. – Ich hoffe, besser Deutsch zu sprechen. – Ich hoffe, heute einkaufen zu können. – Ich hoffe, pünktlich anzukommen. – Ich hoffe, mein Auto zu verkaufen.

3 1. Ich habe keine Chance, Millionär zu werden.

2. Ich versuche, zu allen Leuten freundlich zu sein.

3. Ich vergesse immer, einen Schirm mitzunehmen.

4. Es ist gefährlich, nachts im Park spazieren zu gehen.

5. Mein Freund hat nie Zeit, mit mir ins Café zu gehen.

4 1. Ich habe jetzt Lust, ins Schwimmbad zu gehen.

2. Es macht Spaß, Volleyball zu spielen.

3. Er hat Probleme, Tango zu tanzen.

4. Wir haben vor, morgen ins Kino zu gehen.

5. Ich habe Angst, mit dem Fahrrad im Zentrum zu fahren.

6. Ich habe Zeit, meine Nachbarn zu besuchen.

5 1. Ich empfehle dir dieses Restaurant. / in dieses Restaurant zu gehen.

2. Er beginnt jetzt einen Kurs zu machen. / mit dem Kurs.

3. Wir versuchen immer neue Gerichte. / neue Gerichte zu kochen.

4. Es gibt Probleme mit der neuen Wohnung. / eine neue Wohnung zu finden.

5. Ich habe keine Zeit heute zu dir zu kommen. / für dich.

6 1. Ich habe das Glück, drei Kinder zu haben.

2. Ich habe das Glück, dass meine drei Kinder gesund sind.

3. Wir haben das Glück, eine glückliche Familie zu sein.

4. Wir haben den Traum, dass unsere Kinder berühmt und reich werden.

5. Meine Nachbarin hat keine Zeit; sich um ihre Kinder zu kümmern.

6. Ich schlage ihr vor, dass ihre kleine Tochter morgen zu mir kommt.

7. Hier hat sie die Chance, in Ruhe ihre Hausaufgaben zu machen.

8. Ich hoffe, ihr bei den Hausaufgaben helfen zu können.

9. Ich hoffe, dass meine Nachbarin bald weniger arbeiten muss.

不带 *zu* 不定式

1   1. Der Mann geht Ski laufen. – 2. Sie gehen schwimmen. – 3. Das Publikum hört den Pianisten spielen. – 4. Er bleibt im Bett liegen. – 5. Die Leute sehen das Schiff kommen. – 6. Das Paar geht essen. – 7. Er lässt die Brille liegen. – 8. Das Kind lernt Fahrrad fahren.

2   1. Es ist verboten, hier zu essen. – Man darf hier nicht essen.

2. Ich will heute Abend kochen. – Ich habe Lust, heute Abend zu kochen.

3. Er erlaubt seiner Tochter, den Film zu sehen. – Er lässt seine Tochter den Film sehen.

4. Wir gehen am Sonntag tanzen. – Wir haben vor, am Sonntag tanzen zu gehen.

5. Es ist sehr schön, ihn zu sehen. – Ich sehe ihn kommen.

6. Sie hört ihren Nachbarn Klavier spielen. – Ich liebe es, dich Klavier spielen zu hören.

3   1. sitzen – 2. sitzen – 3. zu sitzen – 4. zu sitzen – 5. sitzen, sitzen – 6. zu sitzen – 7. sitzen

4   1. Ich höre meine Frau (immer nach Hause) kommen.

2. Ich lasse das Auto stehen.

3. Wir gehen essen.

4. Ich sehe Moritz Mecker Tennis spielen.

5. Sie geht tanzen.

6. Ich habe mein Buch in der Schule liegen lassen.

7. Ich höre meine Tochter singen.

8. Heute bleibe ich liegen.

9. Ich sehe meinen Freund kommen.

5   1. lange schlafen – 2. ins Kino zu gehen – 3. mit dem Rauchen aufzuhören – 4. die Hausaufgaben zu machen – 5. kommen – 6. immer lange am Computer sitzen – 7. so viel Eis essen – 8. drei Kilo abnehmen zu können – 9. deinem Nachbarn 300 € leihen – 10. durch die Prüfung zu fallen – 11. abends bis 22 Uhr ausgehen

 关系从句1

1   1A – 2B – 3B – 4A – 5C – 6D – 7C – 8D

2   1. Wo ist das Wörterbuch, das immer hier im Regal steht?

2. Wo ist mein Kuli, der gestern hier auf dem Tisch gelegen hat?

3. Wer hat meine Jacke gesehen, die hier auf dem Stuhl war?

4. Wem gehört das Handy, das auf dem Boden liegt?

3   1. der – 2. die – 3. die – 4. der – 5. die

4   1. Das ist mein Kollege Herr Schmidt, der immer schon um 7 Uhr kommt.

2. Das ist das Büro, das immer ab halb neun geöffnet ist.

3. Das ist die Sekretärin Frau Markus, die immer hilfsbereit ist.

4. Das ist Herr Möbius, der erst vor einem halben Jahr zu uns gekommen ist.

5. Das ist unser Firmenauto, das immer auf diesem Parkplatz steht.

6. Das sind Herr Meier und Herr Naumann, die normalerweise in einer anderen Abteilung arbeiten.

5   1. Meine Tante, die sehr gut Kuchen backen kann, kommt morgen zu Besuch.

2. Mein Onkel, der in Hamburg wohnt, ist nach Afrika gefahren.

3. Meine Kusinen, die Lehrerinnen werden wollen, studieren in Berlin.

4. Mein Bruder, der eigentlich immer Single bleiben wollte, heiratet nächste Woche.

5. Meine Schwester, die gerade ein Baby bekommen hat, ist in der Klinik.

6. Sie kommt mit dem Baby, das gesund und munter und total süß ist, übermorgen nach Hause.

6   1. Das ist eine Schlange, die einen Elefanten gegessen hat.

2. Das ist ein Mann mit Hut, der Fahrrad fährt.

3. Das ist eine Giraffe, die am Fenster vorbeiläuft.

4. Das ist ein Bär, der auf einen Baum klettert.

5. Das ist eine Putzfrau, die die Treppe putzt.

71 关系从句2

1 1. der, den, dem, mit dem

2. die, die, der, von der

3. das, das, dem, mit dem

4. die, die, denen, auf die

2 1. Die Nachbarn sind erst seit zwei Wochen hier. Du hast mit den Nachbarn gesprochen.

2. Die Nachbarn sind neu hier eingezogen. Sie haben mich zum Essen eingeladen.

3. Sie kommen aus einer Stadt. Die Stadt hat mehr als elf Millionen Einwohner.

4. Die Nachbarn sprechen eine Sprache. Ich kann die Sprache nicht verstehen.

5. Die Nachbarn haben viel von den Kindern erzählt. Die Kinder sind noch bei den Großeltern.

6. Die Nachbarn haben dem Hausmeister herzlich gedankt. Der Hausmeister war sehr freundlich.

3 1. Das ist der Mann, von dem mir meine Nachbarin viel erzählt hat.

2. Das ist die Frau, die seit zwei Jahren in unserem Haus wohnt.

3. Das ist das Kind, das ich jeden Tag auf dem Spielplatz sehe.

4. Das sind die Jugendlichen, denen die Skaterbahn sehr gut gefällt.

5. Ich wünsche dem Jungen, der heute seine Abschlussprüfung machen muss, viel Glück.

4 1. 阳性，第四格 – 2. 阳性，zu + 第三格 – 3. 阴性，um + 第四格

5a 5b 1. Das <u>Computerprogramm</u>, das gestern <u>abgestürzt ist</u>, läuft heute wieder ohne Probleme.

2. Ich arbeite gern mit dem <u>Laptop</u>, den ich letzte Woche <u>bekommen habe</u>.

3. Der <u>Kollege</u>, dem ich gestern den Kopierer <u>erklärt habe</u>, hat mich zu einem Kaffee eingeladen.

4. Der <u>Drucker</u>, der im Kopierraum <u>steht</u>, funktioniert nicht.

5. Das ist die <u>Tastatur</u>, mit der ich am besten <u>schreiben</u> kann.

6 1. Ein Koffer ist ein Ding, in das man Kleidung packt.

2. Ein Löffel ist ein Ding, mit dem man Suppe isst.

3. Ein Rock ist ein Kleidungsstück, das Frauen und Mädchen tragen.

4. Ein ICE ist ein Zug, der mehr als 300 km/h fährt.

5. Ein Freund ist ein Mensch, dem man vertrauen kann.

6. Ein Bett ist ein Möbelstück, in dem man schlafen kann.

72 *wenn* 和 *als* 连接的时间状语从句

1 1. Wenn du heute Abend kommst, können wir gleich ins Kino gehen.

2. Wenn Sie Zeit haben, möchte ich Sie gerne zu einem Kaffee einladen.

3. wenn alles fertig ist, können wir nach Hause gehen.

4. Wenn das Auto kaputt ist, musst du es schnell in die Werkstatt bringen.

5. Als er gekommen ist, hat sie sofort den Raum verlassen.

6. Als sie die neue Stelle bekommen hat, hat sie mit ihren Freunden eine Party gemacht.

7. Als er letzte Woche den Unfall hatte, musste das Auto in die Werkstatt gebracht werden.

8. Als wir Urlaub hatten, hat es die ganze Zeit geregnet.

2 1. Wenn – 2. Als – 3. Wenn – 4. Als – 5. Als – 6. Wenn – 7. Als – 8. Wenn

3 1C, wenn – 2A, als – 3D, wenn – 4B, als

4 1. Wenn, Als – 2. Als, wenn – 3. Als, wenn – 4. Als, wenn

5 als – Als – wenn – wenn – Als – wenn - als

73 时间状语从句

1   1. Ich putze mir die Zähne bevor ich ins Bett gehe. / Bevor ich ins Bett gehe, putze ich mir die Zähne.

2. Ich schließe das Fenster, bevor ich aus dem Haus gehe. / Bevor ich aus dem Haus gehe, schließe ich das Fenster.

3. Ich packe die Koffer, bevor ich eine Reise mache. / Bevor ich eine Reise mache, packe ich die Koffer.

4. Ich muss einkaufen, bevor ich kochen kann. / Bevor ich kochen kann, muss ich einkaufen.

5. Ich hebe Geld ab, bevor ich einkaufen gehe. / Bevor ich einkaufen gehe, hebe ich Geld ab.

6. Ich küsse meinen Mann, bevor ich zur Arbeit gehe. / Bevor ich zur Arbeit gehe, küsse ich meinen Mann.

2   Während die Frau kocht, liegt der Mann auf dem Sofa und liest Zeitung.

Während die Frau in der Sonne sitzt, spielen die Kinder Ball.

Während die Frau Auto fährt, schläft der Mann.

Während er bügelt, sieht er fern.

Während der Mann / der Patient fernsieht, behandelt ihn der Arzt.

3a 1C: Nachdem ich eine Eintrittskarte gekauft habe, gehe ich ins Kino. – 2D: Nachdem er zehn Kilometer gejoggt ist, hat er großen Durst. – 3E: Nachdem wir 16 Stunden geflogen sind, kommen wir in Australien an. – 4A: Nachdem du sechs Stück Kuchen gegessen hast, hast du Bauchschmerzen. – 5B: Nachdem sie lange einkaufen gegangen ist, hat sie kein Geld mehr.

3b Nachdem ich eine Eintrittskarte gekauft hatte, bin ich ins Kino gegangen. – Nachdem er 10 Kilometer gejoggt war, hatte er großen Durst. – Nachdem wir 16 Stunden geflogen waren, sind wir in Australien angekommen. – Nachdem du sechs Stück Kuchen gegessen hattest, hattest du Bauchschmerzen. – Nachdem sie lange einkaufen gegangen war, hatte sie kein Geld mehr.

4   1. Er hat fünf Kilogramm abgenommen, seitdem er keine Schokolade mehr isst.

2. Er fühlt sich wohler, seitdem er fünf Kilogramm abgenommen hat.

3. Er ist fit und treibt Sport, seitdem er schlanker ist.

4. Er hat eine Freundin gefunden, seitdem er schlank und sportlich ist.

5. Er ist glücklich, seitdem er eine nette Freundin hat.

6. Er möchte heiraten und Kinder haben, seitdem er mit seiner Freundin glücklich ist.

5   Seit(dem) – Bevor – Während – während – nachdem

6   geklingelt hatte – geduscht hat – gegangen war – kocht – gemacht hatte – gegeben hat

 74 目的从句

1   1. Ich lese Zeitung, um mich zu informieren. – 2. Ich lerne Deutsch, um meinen deutschen Mann zu verstehen. – 3. Sie arbeitet so viel, um Karriere zu machen. – 4. Ich brauche mein Auto, um zur Arbeit zu fahren. – 5. Ich lade meine Nachbarn ein, um sie kennenzulernen. – 6. Ich spiele Schach, um mein Gehirn zu trainieren.

2   1B: Ich ziehe aufs Land damit mein Kind in der Natur aufwächst. – 2D: Er ist ganz leise, damit sein Kind nicht aufwacht. – 3E: Er arbeitet so viel, um ein besseres Leben zu haben. – 4F: Frau Meier geht zum Zahnarzt, damit er ihr einen Zahn zieht. – 5A: Er geht ins Fitness-Studio, damit seine Frau ihn wieder attraktiv findet. – 6G: Ich kaufe mir ein teures Auto, damit meine Nachbarn denken, dass ich reich bin. – 7C: Ich lese Zeitung, um informiert zu sein.

3a 1. Ich nehme an einem Aerobic-Kurs teil. Ich möchte fit sein.

2. Ich lade meine Nachbarn ein. Ich möchte sie kennen lernen.

3. Wir gehen ins Kino. Wir wollen den neuen Film sehen.

4. Ich bereite heute schon alles vor. Wir können morgen früh schnell losgehen.

5. Ich creme meinen Sohn ein. Er soll keinen Sonnenbrand bekommen.

6. Er spielt Schach gegen den Computer. Er möchte sein Gehirn trainieren.

7. Ich schreibe dir eine E-Mail. Du sollst mich nicht vergessen.

3b 1. Ich nehme an einem Aerobic-Kurs teil, um fit zu sein.

2. Ich lade meine Nachbarn ein, um sie kennenzulernen

3. Wir gehen ins Kino, um den neuen Film zu sehen.

4. Ich bereite heute schon alles vor, damit wir morgen früh schnell losgehen können.

5. Ich creme meinen Sohn ein, damit er keinen Sonnenbrand bekommt.

6. Er spielt Schach gegen den Computer, um sein Gehirn zu trainieren.

7. Ich schreibe dir eine E-Mail, damit du mich nicht vergisst.

参考答案

4 1. Maria lernt Deutsch, um in Deutschland zu arbeiten.

2. Sie macht jetzt ein Praktikum, um den Beruf kennenzulernen.

3. Sie arbeitet viel, damit ihr Chef zufrieden ist.

4. Abends geht sie in die Disco, um ihren Traummann zu finden.

5. Sie möchte bald heiraten, damit ihre Mutter glücklich ist.

5 1. damit – 2. weil – 3. weil – 4. damit – 5. damit – 6. weil – 7. weil – 8. damit

6 1. einzukaufen – 2. um kochen zu können – 3. zu kochen – 4. um essen zu können – 5. dick zu werden – 6. Damit, essen kann – 7. mitzunehmen – 8. Um zu bezahlen – 9. damit, warte

75 成对连词

1 1C – 2D – 3A – 4B

2 1. sowohl, als auch – 2. weder, noch – 3. nicht nur, sondern auch – 4. entweder, oder

3 1. Heute gehen wir sowohl ins Restaurant als auch ins Kino. / Heute gehen wir nicht nur ins Restaurant sondern auch ins Kino.

2. Elena ist sowohl schön als auch intelligent. / Elena ist nicht nur schön sondern auch intelligent.

3. Die Reise war sowohl interessant als auch entspannend. / Die Reise war nicht nur interessant sondern auch entspannend.

4 1. Liva möchte entweder studieren oder eine Ausbildung machen.

2. Jörg möchte entweder nach Island oder nach Finnland fahren.

3. Gisela trifft heute entweder Hans oder Willi.

5 1. Tatjana trinkt weder Kaffee noch Tee. Nur Coca Cola.

2. Bettina kann weder Italienisch noch Spanisch sprechen. Aber Bulgarisch, Englisch und Russisch.

3. Heiner will weder baden noch duschen. Er hasst Wasser.

6 1. Er isst sowohl Käse als auch Wurst.

2. Familie Meier hat sowohl (nicht nur) zwei Söhne als auch (sondern auch) zwei Töchter.

3. Pascal kann heute nur eines machen: Er kann entweder tanzen oder joggen.

4. Mia geht zu Fuß. Sie hat weder ein Auto noch ein Fahrrad.

5. Morgen wird das Wetter sowohl(nicht nur) sonnig als auch (sondern auch) warm

7 1. sowohl hell als auch groß – 2. sowohl modern als auch schick – 3. weder Bier noch Wein – 4. sowohl interessant als auch spannend – 5. weder gut noch günstig

8 weder – noch – entweder – oder – sowohl/nicht nur – als/sondern auch – sowohl/nicht nur – als/sondern auch – weder – noch

76 比较从句

1 1C – 2E – 3F – 4A – 5D – 6B

2 1. gesünder, wohler – 2. besser, wahrscheinlicher – 3. länger, mehr – 4. leckerer, lieber – 5. salziger, durstiger – 6. intensiver, kräftiger – 7. stärker, schwerer

3 1. Je besser sie ihn kennt, umso sympathischer findet sie ihn.

2. Je netter er/sie ist, desto verliebter ist sie/er.

3. Je mehr sie liebt, desto nervöser ist er.

4. Je unsicherer er wird, umso süßer findet sie ihn.

5. Je öfter sie sich treffen, desto besser kennen sie sich.

6. Je länger er mit dem Heiratsantrag wartet, desto unruhiger wird sie.

7. Je besser die Hochzeit vorbereitet wird, umso schöner wird das Fest.

4 Je weniger er geschlafen hat, desto/umso müder ist er.

Je mehr Alkohol er trinkt, desto/umso betrunkener ist er.

Je mehr Autos auf der Straße fahren, desto/umso schlechter ist die Luft.

Je fleißiger er ist, desto/umso besser ist das Zeugnis.

Je mehr Kaffee er trinkt, desto/umso nervöser ist er.

Je höher er steigt, desto/umso schwerer kann er atmen.

5a 1. Je mehr man arbeitet, desto/umso mehr verdient man.

2. Je älter man ist, desto/umso mehr kann man.

3. Je länger man studiert, desto/umso besser ist das Gehalt.

4. Je intelligenter man ist, desto/umso höher ist die Position.

5. Je weniger man arbeitet, desto/umso glücklicher ist man.

6. Je mehr man isst, desto/umso dicker wird man.

6 Je mehr Sport man treibt, desto/umso schlanker ist man.

Je netter die Kollegen sind, desto/umso lieber arbeitet man.

Je mehr Freunde man hat, desto/umso glücklicher ist man.

Je mehr man lernt, desto/umso mehr kann man.

Je ärmer man ist, desto/umso mehr Probleme hat man.

7 1. Je mehr es regnet desto/umso nasser wird man.

2. Je kälter es ist, desto/umso mehr muss ich anziehen.

3. Je dunkler es ist, desto/umso schlechter kann ich sehen.

4. Je besser das Wetter ist, desto/umso fröhlicher sind die Leute.

5. Je länger ich in der Sonne liege, desto/umso brauner werde ich.

6. Je mehr es geschneit hat, desto/umso besser kann man Ski fahren.

7. Je mehr Nebel es gibt, desto/umso schlechter kann man sehen.

8. Je klarer die Nacht ist, desto/umso mehr Sterne kann man sehen.

77 支配第二格的介词

1 1B – 2D – 3A – 4C

2 1D – 2C – 3A – 4B

3 1D – 2C – 3B – 4A

4 *wegen/trotz:* des Geschenks, der Arbeit, des Hauses, des Unterrichts, ihres Sohnes, der Reise, des Essens, meiner Freundin

während: der Arbeit, einer Stunde, des Unterrichts, der Reise, des Essens

innerhalb/außerhalb: der Arbeit, einer Stunde, des Unterrichts, des Hauses, der Region

5 1. Während – 2. trotz – 3. wegen – 4. wegen, wegen, trotz – 5. während

6 Wegen des Schnees muss man vorsichtig fahren. Während des Laufens hört er Musik. Trotz ihrer Arbeitslosigkeit kauft sie einen Mercedes. Innerhalb der Sprechzeiten können Sie uns anrufen. Außerhalb des Zentrums sind die Mieten billiger.

7 1. Wegen des Wetters – 2. Trotz des Geldes – 3. innerhalb der Stadt – 4. trotz der Kälte – 5. Während der Fahrt – 6. Außerhalb der Öffnungszeiten – 7. Während des Unterrichts

8 in dem Raum – Über den Tischen – in der Badewanne – meines Geburtstages – mit einer Freundin – auf dem Balkon – außerhalb des Zimmers – Vor dem Fest – während der Party

78 表时间的介词2

1 1. Vor – 2. Nach – 3. vor – 4. nach

2 1. vor – 2. in – 3. in – 4. vor, in

3 1. vor, seit – 2. seit, vor – 3. vor, seit – 4. vor, seit

4 1. Beim Essen will ich nicht an meine Arbeit denken.

2. Bei Regen gehen wir ins Hallenbad.

3. Beim Computerspielen muss man sich konzentrieren.

4. Beim Fernsehen essen meine Freunde gerne Chips.

5. Bei der Arbeit trinke ich viel Kaffee.

5 1. Während des Konzerts vergesse ich alles.

2. Während der Arbeit darf ich nicht privat im Internet surfen.

3. Während des Unterrichts hat er viel Gelegenheit, Deutsch zu sprechen.

4. Während der Ferien joggt sie jeden Tag.

5. Während des Joggens hört sie Musik.

6 1. Innerhalb, außerhalb – 2. Innerhalb – 3. innerhalb – 4. Außerhalb

79 形容词词尾变化：总结

1a der gute Kaffee – ein guter Kaffee – guter Kaffee

das saftige Kotelett – ein saftiges Kotelett – saftiges Kotelett

die leckerer Marmelade – eine leckere Marmelade – leckere Marmelade

die neuen Kartoffeln – neue Kartoffeln

1b den leichten Wein – einen leichten Wein – leichten Wein

das kalte Bier – ein kaltes Bier – kaltes Bier

die frische Milch – eine frische Milch – frische Milch

die alkoholischen Getränke – alkoholische Getränke

1c mit dem langen Mantel – mit einem langen Mantel – mit langem Mantel

mit dem schicken Kleid – mit einem schicken Kleid – mit schickem Kleid

mit der eleganten Krawatte – mit einer eleganten Krawatte – mit eleganter Krawatte

mit den schwarzen Schuhen – mit schwarzen Schuhen

1d trotz des heftigen Regens – wegen eines heftigen Regens – wegen heftigen Regens

wegen des starken Gewitters – wegen eines starken Gewitters – wegen starken Gewitters

trotz der großen Hitze – trotz einer großen Hitze – trotz großer Hitze

trotz der unerwarteten Stürme – trotz unerwarteter Stürme

2 das Schnitzel – die Pizza – der Braten – der Laptop – das Fahrrad – die Küchenmaschine

3 Außergewöhnlicher – besorgte – kleines – ängstliches – 9-jähriges – großen – schwarzen – lauten – hilfsbereiten

4 ganzen – tolle – begeistert – unterschiedlichen – neue – ganzen – neuesten – berühmte – moderner – gemütlichen – chinesischen – leckeren – frischen – tolle – nettes – kleines

80 第一分词作定语

1 startend – aufgehend – brennend – sinkend – kochend – steigend – ankommend – fliegend – erziehend

2 das fahrende Auto – der fahrende Mann – der lesende Mann – der kochende Mann – der sprechende Mann – das fließende Wasser – das kochende Wasser – der sprechende Vogel – der fliegende Vogel – das fliegende Flugzeug – das fahrende Flugzeug

3 ein weinendes Kind – ein lachender Mann – eine tickende Uhr – ein singendes Mädchen – eine spielende Katze – ein fliegender Fisch – ein parkendes Auto – ein schlafender Hund

4 anstrengenden – strömendem – wartende – öffnende – streitenden – abfahrenden – aufgehende – entspannender

5 hupende – schimpfende – stehende – laufendem – spielendes – schlafenden – laufende – Stau

索引

索引